MOSQUITOS

William Faulkner

MOSQUITOS

Tradução
Maria João Freire de Andrade

Título original: *Mosquitoes*

Editora: Marta Ramires

Tradução: Maria João Freire de Andrade
Revisão: Benedita Rolo
Capa: Maria Manuel Lacerda/Leya
Pré-impressão: Júlio de Carvalho – Artes Gráficas
Impressão e acabamento: Multitipo – Artes Gráficas, Lda.

1.ª edição: setembro de 2013
Depósito legal n.º 362 502/13
ISBN: 978-972-2053-08-2

Publicações Dom Quixote
Uma editora do Grupo Leya
Rua Cidade de Córdova, 2
2610-038 Alfragide – Portugal
www.dquixote.pt
www.leya.com

Esta edição segue a grafia do novo acordo ortográfico.

ÍNDICE

A Helen

INTRODUÇÃO

Mosquitos foi o segundo romance publicado de William Faulkner, um livro que ele iniciou em junho de 1926, e concluiu em cerca de três meses; foi publicado a 30 de abril de 1927. Apesar de numa leitura inicial esta obra parecer encontrar-se na extremidade oposta do intuito do seu primeiro romance, *A Recompensa do Soldado*, uma história de guerra, esta é também em muitos aspetos uma espécie de história de guerra, mas sem uma guerra. Faulkner revelou experiências pessoais, a sua estada em Nova Orleães entre uma série de indivíduos dececionantes e descontraídos do meio literário e falso literário – a hostilidade que mostram uns para com os outros é, de certo modo, uma «guerra». O romance coloca essas pessoas a bordo do *Nausikaa* (ecos de James Joyce?, de Homero?) como uma companhia militar separada do pelotão principal e forçada a avançar sozinha. Sob condições de algum isolamento, cada indivíduo irá revelar aquilo que ele ou ela é na realidade. Enquanto aqui o heroísmo é abafado, o eu não o é – e foi este segundo romance que ajudou Faulkner a posicionar-se pessoal e artisticamente.

A hostilidade entre personagens envolve certos «modelos» do conhecimento de Faulkner. Dawson Fairchild representa, de muitas maneiras, Sherwood Anderson, que ajudou Faulkner quando este chegou a Nova Orleães. A figura magra, arrapazada, sem peito, de Patricia Robyn recorda Estelle Oldham, um grande amor que Faulkner tivera dez anos antes; e também Helen Baird, uma jovem «condenada» por quem ele se sentia estranhamente atraído. O «homem semita» parece ter sido baseado em Julius Weis Friend, que juntou o grupo à volta da publicação literária *Double Dealer*. A designação que Faulkner lhe dava como o «judeu gordo», misturada com outras referências depreciativas a negros e italianos, sugere menos um antissemitismo virulento e mais um provincianismo de cidade pequena, uma espécie de xenofobia previsível. Outras personagens recordam-nos referências literárias, por exemplo: Talliaferro faz-nos recordar o Prufrock[1] ou outros homens desafortunados, assexuados, de Eliot. Mas Talliaferro também é, em grande parte, Faulkner, uma versão de certo modo velada do autor rejeitado e frustrado na sua demanda pelas mulheres.

Como é que Faulkner aprofundou tanto um material que o revela a mover-se naquilo que parece ser um território literário intransigente, até perigoso? Nascido em New Albany, no Mississípi, a 25 de setembro de 1897, como William Cuthbert Falkner (a grafia original), chegou aos cinco anos a Oxford, no Mississípi, e identificou-se com aquela pequena vila até à sua visita de vários meses a Nova Orleães em 1925, que seria seguida por seis meses de deambulações pela Europa. O confronto com aquelas culturas imensamente diferentes deu a Faulkner uma visão mais ampla da vida do que aquela que ele mostrara em *A Recompensa do Soldado*, o seu primeiro romance. *Mosquitos* forneceu-lhe a experiência e a confiança de que necessitava para

---

[1] Referência ao poema *The Love Song of J. Alfred Prufrock*, de T. S. Eliot. *(N. da T.)*

penetrar em áreas culturais mais vastas, no delinear de personagens obsessivas, e no tipo de sátira social que iniciou em pleno nos romances de Yoknapatawpha no final da sua carreira, na criação dos Bundren, Compson, Sutpen e, é claro, dos Snopes.

Pouca coisa no início de vida de Faulkner pareceria poder contribuir quer para *A Recompensa do Soldado*, quer para *Mosquitos*. Tendo crescido em Oxford e frequentado apenas esporadicamente a escola, Faulkner era um poeta derivativo, um jovem que lia irregularmente, alguém que parecia cheio de sonhos e fantasias, mas que possuía pouca substância. Juntou-se à Royal Air Force no Canadá (tinha sido rejeitado nos Estados Unidos), mas foi dispensado ainda antes de assistir a alguma ação, apesar de afirmar ser um piloto ferido. Andava com uma bengala e usava um uniforme desenhado por ele para se parecer com um oficial. Assim que regressou a Oxford, retomou a amizade com o seu quase mentor, Phil Stone, passou por vários empregos de pouca importância, e até frequentou a Universidade do Mississípi, como aluno especial de Francês, Espanhol e segundo ano de Literatura. Publicou contos e alguns poemas num jornal universitário, o *Mississippian*. Os seus trabalhos ocasionais incluíram uma curta estada em Nova Iorque como empregado de uma livraria, depois como chefe dos correios de quarta classe em Oxford, onde se viu forçado a demitir-se quando se descobriu que a sua contabilidade não estava correta; foi chefe dos escuteiros até ser exonerado das suas funções por embriaguez. E depois, em finais de 1924, início de 1925, começou a mudar de vida com a sua primeira e breve visita a Nova Orleães, onde conheceu Sherwood Anderson, e onde escreveu para o *Double Dealer* e o *Times-Picayune*. De seguida, partiu para a Europa naquilo que viria a ser uma estada de seis meses.

Destes fragmentos de uma carreira literária e das suas experiências pessoais em Nova Orleães e na Europa, Faulkner de certo modo reinventou-se, ou transformou-se naquilo em que sempre soube que se iria transformar: num escritor. Assim, *Mosquitos* foi o seu ponto de partida – já que na sequência desse romance, avançou para o característico modo «faulkneriano», aqueles romances e histórias do Sul que refletem Oxford e os seus arredores, mas que também exibem uma vasta perceção da história do Sul e uma avaliação astuta da sua sociedade. Misturado com o seu conhecimento das técnicas modernas: fluxos de conhecimento, narrativas desmembradas, interrompidas e interpoladas; perspetivas preconceituosas de personagem, ambiente e situação; utilização de dispositivos psicológicos que aproximam o inconsciente; e, por entre tudo isto, uma consciência profunda do Sul como derrotado, mas de certo modo triunfante na derrota, como sendo constituído por indivíduos que, embora vencidos, não admitem a sua perda.

Em *Mosquitos*, vemos Faulkner a tentar avaliar o que significa criar arte num ambiente que parece antitético quer para a arte, quer para o artista. O «artista» Faulkner é apresentado no romance como alguém que merece pouca atenção. «Nunca ouvi falar dele», murmura uma personagem. Aqui a utilização que faz de si mesmo é interessante, pois para além de revelar a sua rejeição por parte de duas mulheres (Estelle Oldham e Helen Baird, na vida real), também reconhece que o futuro artista é tratado com desprezo. Essa concentração no artista sugere um dos temas recorrentes de Faulkner, construído na própria estratégia satírica que ele utiliza para a narrativa: Faulkner ilustra como a vida artística é vista como duvidosa, apesar de sugerir que a sociedade precisa desesperadamente do artista.

Todos os aspetos de *Mosquitos* irradiam do próprio Faulkner, no momento exato em que está prestes a encontrar-se: as suas dificuldades com as mulheres; a sua antipatia por aspirantes parasitas; a sua ridicularização (através de Fairchild) das perspetivas românticas que Sherwood Anderson tem da vida; a sua própria perceção do artista, transmitida pelo retrato que faz do escultor Gordon; as ambiguidades recorrentes entre sexos; a curiosidade quanto a forasteiros e até criminosos. Apesar de o romance ser amargo, muitos destes temas são elementos positivos no desenvolvimento de Faulkner: as ambiguidades entre sexos que aqui surgem tornam-se profundas em *O Som e a Fúria*, *Luz de Agosto*, e *Absalão, Absalão!* Quanto à figura do artista, ele identifica-o (não a ela) com o silêncio e o afastamento, características associadas ao próprio Faulkner. Baseou a sua noção da arte não em ideias, nem sequer em obras comprovadas, mas em temperamento e personalidade. As mesmas pessoas que admiram a escultura em evolução de Gordon são aquelas que Faulkner ridiculariza. Encontra-se aqui em funcionamento um curioso processo duplo, pois ele demonstra desconfianças profundas em relação ao assunto abordado no seu próprio romance – como o artista pode sobreviver a bordo de uma nave de loucos. Enquanto se esforça arduamente em *Mosquitos* para exibir o conhecimento interior daquele meio artístico, ao fazê-lo também demonstra o quanto sentiu que podia ser uma armadilha. Passado pouco tempo ele iria concluir nos seus livros que o verdadeiro artista distancia-se, e na sua astúcia, silêncio e afastamento – tudo características de Joyce –, penetra no íntimo do seu próprio talento.

No entanto, não podemos rejeitar Fairchild e toda a sua conversa com facilidade. É verdade que enche o ar com bazófias e jactâncias masculinas; ele mina e destrói a fêmea, considerando-a como pouco mais do que um animal adequado à reprodução. E, contudo, a sua alegação do artista como alguém especial – em contraste com o argumento do «homem semita» de que a vida é díspar e com maior significado – é um argumento para o enobrecimento, para a transcendência. Algum do desconforto de Faulkner encontra-se exatamente aqui: ele abriu caminho por algo que não consegue dominar bem, e no entanto sabe em que direção deseja ir. Com o seu olho para a arte, coloca apesar disso as atitudes artísticas na boca de um fala-barato; assim sendo, o romance hesita à beira da paródia apesar das suas tentativas para se mover para um território sério.

Em vários aspetos, a paisagem sexual do romance reflete o desconforto que Faulkner sentia nas áreas da arte. A frustração sexual – entre as figuras adultas, apenas o escultor Gordon age sob um impulso sexual, e é ele que visita um bordel – está misteriosamente associada à frustração com a língua, com a expressão em si. Se as personagens pudessem libertar a língua para se exprimirem, intui-se que também se poderiam libertar sexualmente. Os vínculos masculinos apoderam-se de qualquer diálogo sério que os homens estabelecem com o sexo oposto; quando os homens desejam discutir assuntos importantes, eles afastam-se da companhia das mulheres. E quando ocorre algum tipo de associação sexual, essa não ocorre com base na compatibilidade, mas com o objetivo do *flirt* e das carícias. As mulheres também mostram a sua versão de vínculo, a senhora Wiseman com Jenny, e Pat Robyn com Jenny. De facto, Jenny é uma personagem tipo Nana[2], com o seu corpo idolatrado por homens e mulheres. Para além disso, é estouvada, faltando-lhe tanto gramática como bom senso – de certo modo pressagiando as primeiras imagens da sedutora Eula Varner dos livros de Snopes de Faulkner. Em termos sexuais, a relação entre Pat e Josh atravessa os limites de um incesto vago; certas inclinações não declaradas esclarecem-se. A inexistência de qualquer ligação sexual duradoura, o indício de práticas sexualmente proibidas, a antipatia que cada sexo sente pelo outro – todos estes

[2] Referência à obra *Nana*, de Émile Zola. *(N. da T.)*

assuntos Faulkner irá explorar mais tarde em maior profundidade e amplitude; mas por agora, fornecem uma perceção da sua inquietação quanto ao papel do artista, que se manifesta na sua inquietação quanto à expressão sexual.

Faulkner empenhou-se arduamente tanto nas cenas como nos panoramas. Por cenas, referimo-nos à concentração no episódio individual; por panorama, algo que faz avançar um determinado episódio individual para a escala grandiosa da criação do romance. Conseguir esta fusão seria a avaliação da sua maturidade. Em *Mosquitos*, Faulkner procura atingir o panorama quando Pat e David, o criado de bordo, se esgueiram para aquilo que esperam ser uma experiência semelhante à do Paraíso, ou, se não o for, então uma que relembre Huck e Jim[3]. Mas a sua verdadeira experiência mostra-se diferente destas, já que as suas expectativas da «terra para além de» não têm qualquer razão ou lógica. Enquanto não conseguem encontrar a saída, eles sofrem a ignomínia. Os insetos que os atacam e mordem são como fúrias vingativas, incansáveis no seu ataque. O calor representa o inferno da situação, e a sua enorme sede sugere que o sonho paradisíaco se transformou num deserto ou num território selvagem.

Em termos de desenlace, o Epílogo tem causado aos leitores algumas dificuldades. Com mais de quarenta páginas de extensão, mostra como Faulkner tentava obter algum projeto arquitetural. É manifesto que Faulkner sentia que o Epílogo iria equilibrar o segmento inicial na costa (o Prólogo), com o episódio do *Nausikaa* como o grande meio. Mas o esforço não é bem-sucedido já que aparentemente Pete, o namorado de Jenny, não passa de material excedente para Faulkner, e é alguém que acaba por não se coordenar com o resto do romance. Mesmo

[3] Referência à obra *As Aventuras de Huckleberry Finn*, de Mark Twain. *(N. da T.)*

a nível de linguagem, quando Faulkner tenta um calão italiano não o consegue fazer. Mas o Epílogo não falha por completo; reforça a ideia das permutas sexuais, fracassos e aberrações relacionais que se encontram no âmago do romance. O último episódio do Epílogo surge quando Talliaferro, receando a sexualidade de Jenny, recua; tudo que ele pode fazer é falar de ameaçar e dominar mulheres, porque acredita que é isso que as mulheres querem.

O leitor contemporâneo de *Mosquitos* pode ler o romance intertextualmente, ou seja, com as ideias e os assuntos que nele se podem encontrar comparados com o trabalho subsequente de Faulkner. Lido deste modo, o romance torna-se uma fase altamente envolvente do desenvolvimento de um grande escritor. Pouco depois da sua publicação, em abril de 1927, Faulkner embarcou naquela que talvez tivesse sido a década mais gratificante da vida de qualquer escritor americano. Dele transbordaram muitas das suas mais famosas histórias, bem como os romances que o confirmaram como herdeiro do modernismo europeu e o maior escritor de ficção norte-americano desde Henry James.

Frederick R. Karl, New York University
Autor de *William Faulkner: American Writer*

MOSQUITOS

Na primavera, a doce e jovem primavera, ornamentada por uma vegetação humilde, com colares, pulseiras, e o cântico de pássaros idiotas, simulados e doces e espalhafatosos, como uma empregadita de balcão com os seus enfeites baratos, como um idiota com dinheiro e mau gosto; eram pequenos, jovens e confiantes, por vezes até se conseguiam matar. Mas agora, à medida que agosto, como um pássaro empanturrado e langoroso, voa lentamente pelo verão pálido em direção à lua da decadência e da morte, eles tornam-se maiores, traiçoeiros; ubíquos como cangalheiros, astutos como prestamistas, ousados e inevitáveis como políticos. Dirigem-se à cidade, lúbricos como rapazes do campo, tão apaixonadamente unos como uma equipa de futebol universitária; dominadores e monstruosos, mas sem majestade; uma praga bíblica vista pela extremidade errada de um binóculo: a majestade do destino tornada insolente por entre a ubiquidade e a mais constante das repetições.

PRÓLOGO

1

– O instinto sexual – repetiu o Sr. Talliaferro no seu *cockney*[4] cuidadoso, com aquela complacência presunçosa com a qual nos confessamos culpados de uma característica que, em privado, consideramos uma virtude – é bastante forte em mim. A sinceridade, sem a qual não pode existir amizade, sem a qual duas pessoas não podem verdadeiramente chegar uma à outra, como vocês, artistas, dizem; como eu estava a dizer, creio que a sinceridade...

– Sim – concordou o anfitrião. – Importa-se de se afastar um pouco?

Ele obedeceu com uma cortesia obsequiosa, observando o ligeiro faiscar agitado do cinzel sob o ritmo do malho. Grata, a madeira perfumada deslizou do seu espigão mudo; e, sacudindo em vão o ar à sua volta com o lenço, moveu-se para uma pequena divisão contígua, o cabelo loiro em madeixas despenteadas, enquanto examinava preocupado uma camada leve e regular de pó sobre os seus impecáveis sapatos de cabedal. Sim, tinha de se pagar o preço da arte... Observando a força rítmica

[4] Sotaque e dialeto falado pelos habitantes do East End londrino. *(N. da T.)*

das costas e braço do outro, meditou por instantes no que se deveria desejar mais – músculos numa camisola interior, ou a sua própria manga simétrica, e tranquilizado continuou:

–... A sinceridade obriga-me a confessar que o instinto sexual é, talvez, a minha compulsão mais dominante. – O Sr. Talliaferro acreditava que a conversação (não a conversa: a conversação) com um igual em intelectualidade consistia em confessar o máximo dos factos impublicáveis a respeito da sua pessoa. Talliaferro pensava com frequência no grau de intimidade que poderia ter criado com os seus conhecimentos artísticos se tivesse adquirido o hábito da masturbação na sua juventude. Mas nem isso ele fizera.

– Sim – voltou a concordar o seu anfitrião, impelindo uma anca dura na sua direção.

– De modo algum – murmurou Talliaferro, rapidamente. Uma parede áspera fê-lo recuperar abruptamente o equilíbrio e, ao ouvir a fricção de pano e estuque, ressaltou com uma vivacidade reprimida. – Desculpe – disse, muito depressa. Toda a manga lhe delineava o braço num branco-sujo, e, olhando consternado para o casaco, afastou-se e sentou-se sobre um bloco de madeira. Escová-lo não serviu de nada, e a superfície grosseira na qual estava sentado chamou-lhe a atenção para as calças; levantou-se e estendeu o lenço por cima do bloco de madeira. Sempre que ali ia, sujava invariavelmente a roupa, mas, dominado por esse feitiço que nos é lançado por aqueles que admiramos por fazerem coisas que nós não fazemos, regressava sempre.

O cinzel batia com perseverança sob o arco lento do malho. O seu anfitrião ignorou-o. O Sr. Talliaferro bateu rancorosa e inutilmente nas costas da própria mão, sentado numa sombra morna enquanto a luz atravessava telhados e chaminés, passando através da claraboia suja, e tornando-se opressiva. O seu anfitrião continuou a trabalhar sob a luz fatigada enquanto o convidado permanecia sentado no bloco duro a lamentar a manga, a observar o corpo rijo do outro em calças manchadas e camisola interior, vendo o vigor encaracolado do seu cabelo.

No exterior da janela, Nova Orleães, o *vieux carré*[5], cismava num langor ligeiramente embaciado como uma cortesã envelhecida, mas ainda bela numa sala cheia de fumo, ávida, mas também cansada dos modos ardentes. Acima da cidade o verão era calorosamente silenciado pela paixão côncava e exausta do céu. A primavera e os meses mais cruéis tinham passado, os meses cruéis, os desenfreados que quebram o entorpecimento e conforto gordo e hibernante do tempo; agosto voava, e setembro, um mês de dias langorosos e pesarosos como fumo de lenha. Mas a juventude do Sr. Talliaferro, ou a falta dela, já não o perturbava. Graças a Deus.

A juventude não perturbava de modo algum o indivíduo que se encontrava naquela divisão. Aquilo que aquela divisão perturbava era algo de eterno na raça, algo de imortal. E a juventude não é imortal. Graças a Deus. Aquele soalho de tábuas irregulares, aquelas paredes grosseiras e manchadas, interrompidas por janelas altas, pequenas, praticamente inúteis e belamente colocadas, aqueles lintéis agachados que cortavam a inclinação imaculada das paredes arruinadas que há muito tinham albergado escravos, escravos há muito mortos e em pó com a época que os produzira e que eles tinham servido com uma dignidade graciosa e amável – sombras de senhores e criados agora numa região ainda mais graciosa, emprestando dignidade à eternidade. Afinal, apenas alguns escolhidos podem aceitar serviço com dignidade: é impulso do homem fazer por si. Pertence ao

[5] Referência ao Bairro Francês, ou French Quarter, o bairro mais antigo de Nova Orleães. *(N. da T.)*

criado emprestar dignidade a um procedimento antinatural. E, no exterior, acima dos telhados que se tornavam lentamente violeta, o verão jazia inerte, lascivo de decadência.

Ao entrar-se na divisão a coisa atraía o nosso olhar: virávamo-nos abruptamente como se devido a um movimento expectante, pesado. Mas era mármore, não se podia mexer. E quando afastávamos os olhos e acabávamos por lhe virar as costas, sentíamos de novo aquela perceção sensorial sem mácula, elevada e limpa, de espaço envolvente; mas ao voltarmos a olhar estava tudo como antes: imóvel e apaixonadamente eterno – o torso virginal e sem seios de uma rapariga, sem cabeça, sem pernas, temporariamente apanhada e silenciada no mármore e, no entanto, arrebatadamente imóvel para a fuga, arrebatada e simples e eterna na escuridão equívoca e trocista do mundo. Nada para perturbar a nossa juventude ou a falta dela: antes qualquer coisa para perturbar a própria integridade fibrosa do nosso ser. O Sr. Talliaferro bateu selvaticamente no pescoço.

Aquele que manipulava o cinzel e o malho parou de trabalhar e endireitou-se, fletindo o braço e os músculos dos ombros. E, graciosa, como se tivesse esperado que ele terminasse, a luz desvaneceu-se silenciosa e abruptamente: a divisão era como uma banheira depois de se puxar o tampão do ralo. Talliaferro também se levantou e o seu anfitrião virou para ele um rosto como o de um falcão pesado, quebrando-lhe o devaneio. Talliaferro voltou a lamentar a sua manga, e disse bruscamente:

– Então, posso dizer à senhora Maurier que vai?

– O quê? – perguntou o outro, cortante, a olhar para ele. – Oh, raios, tenho trabalho a fazer. Lamento. Diga-lhe que lamento.

A deceção do Sr. Talliaferro foi ligeiramente tocada pela exasperação enquanto observava o outro a atravessar a divisão escurecida até um banco de madeira tosco, a levantar um jarro de água de esmalte barato e a beber dele.

– Mas, oiça – disse o Sr. Talliaferro, irritado.

– Não, não – repetiu bruscamente o outro, limpando a barba com a parte superior do braço. – Talvez noutra altura. Agora estou demasiado ocupado para me incomodar com ela. Lamento.

Puxou a porta para trás, e de um gancho aparafusado na madeira tirou um casaco fino e um boné de *tweed* coçado. Com um desagrado invejoso, o Sr. Talliaferro observou os seus músculos a retesarem o tecido fino, recordando de novo a ênfase não musculada da sua flanela engomada. O outro estava nitidamente à beira de uma saída abrupta, e Talliaferro, para quem a solidão, em particular uma solidão sombria, era insuportável, pegou no seu chapéu rijo de palha que se encontrava em cima do banco, onde exibia a sua faixa alegre e exuberante acima do ligeiro refulgir amarelado da sua bengala de junco de Malaca.

– Espere – disse ele –, eu vou consigo.

O outro deteve-se, a olhar para trás.

– Vou sair – afirmou, beligerante.

O Sr. Talliaferro, momentaneamente confuso, disse fatuamente:

– Porque é que... ah, pensei... eu devia... – Sob a luz do entardecer, o rosto de falcão parecia cismar vagamente acima dele, e o Sr. Talliaferro acrescentou com rapidez: – No entanto, posso voltar.

– De certeza que não é um incómodo?

– De modo nenhum, meu caro, de modo nenhum! Basta telefonar-me. Ficarei muito satisfeito por voltar.

– Bem, se tem a certeza de que não é um incómodo, talvez me possa ir buscar uma garrafa de leite à mercearia da esquina. Conhece o lugar, não conhece? Aqui está a garrafa vazia.

Com um dos seus característicos movimentos precipitados, o outro passou pela porta e Talliaferro parou numa surpresa elegante e atormentada, a apertar uma moeda numa mão e uma garrafa de leite suja na outra. Nas escadas, a observar a silhueta do outro a descer para a escuridão afunilada, voltou a deter-se e, equilibrando-se sobre uma perna como uma cegonha, enfiou a garrafa debaixo do braço e bateu no tornozelo, rancorosa e inutilmente.

2

Descendo o último degrau e virando para um corredor que começava a escurecer, passou por duas pessoas indistintas que se beijavam e apressou-se a continuar em direção à porta da rua. Deteve-se ali numa indecisão ativa, a abrir o casaco. A garrafa tornara-se-lhe pegajosa na mão. Considerou-a por meio do sentido do toque com uma enorme repugnância. Invisível, parecia ter-se tornado insuportavelmente suja. Desejou alguma coisa, vagamente – um jornal, talvez, mas antes de acender um fósforo olhou rapidamente por cima do ombro. As pessoas tinham desaparecido, abafando os seus passos concordantes na curva escura da escada: o seu rasto ritmado era como um abraço físico. O fósforo ateou uma pena débil e dourada que seguiu a bengala cintilante que ele apertava como se fosse um rastilho de pólvora. Mas o corredor estava vazio, a pedra fria varrida, próxima de uma humidade deprimente... o fósforo ardeu até ao verniz regularmente espalhado das suas unhas e lançou-o numa escuridão ainda mais intensa.

Abriu a porta da rua. O entardecer precipitou-se para o interior como um cão violeta e silencioso, e embalando a garrafa espreitou para uma praça unidimensional coberta de penas, olhou para lá das palmeiras estampadas e de Andrew Jackson numa efígie infantil montando o mergulho terrificamente suspenso do seu cavalo num equilíbrio encaracolado, olhou na direção da insignificância longa do edifício Pontalba e as três espiras da catedral esbateram-se devido à perspetiva, puras e sonolentas sob o langor decadente de agosto e da noite. O Sr. Talliaferro lançou modestamente a sua cabeça para a frente, olhando para ambos os lados ao longo da rua. Depois meteu a cabeça para dentro e voltou a fechar a porta.

Utilizou relutantemente o imaculado lenço de linho antes de enfiar a garrafa debaixo do casaco. Aquela sobressaía perturbadoramente sob a sua mão exploratória, e ele retirou a garrafa com um desespero crescente. Acendeu outro fósforo, pousando a garrafa aos pés para o fazer, mas não havia nada em que pudesse enrolar a coisa. O seu impulso era agarrar nela e atirá-la contra a parede: já sentia o prazer no seu antecipado embate vidrado. Mas o Sr. Talliaferro era bastante honrado: dera a sua palavra. Ou poderia regressar à divisão do amigo para ir buscar um pedaço de papel. Ficou ali parado numa indecisão quente até que o som de pés a descerem as escadas fizeram-no decidir-se. Dobrou-se e tateou o chão à procura da garrafa, bateu-lhe e ouviu o seu voo desconsolado e vazio, apanhou-a, por fim e abrindo a porta da rua, apressou-se a sair.

O entardecer violeta mantinha numa suspensão suave as luzes lentas como badaladas de sinos, e a Praça Jackson era agora um lago verde e silencioso, no qual os candeeiros redondos como alforrecas se emplumavam com mimosas prateadas e romãzeiras e hibiscos, sob os quais lantanas e balizeiros sangravam e sangravam. Pontalba e a catedral estavam recortadas como se em papel preto e coladas achatadas num céu verde; acima delas, palmeiras mais altas estavam fixas em explosões negras e sem som. A rua estava vazia, mas vindo da Rua Royal ouvia-se o zumbido de um elétrico que se ergueu até um chocalhar cambaleante, que passava e se afastava deixando um intervalo preenchido pelo som gracioso da borracha inchada no asfalto, como o rasgar de uma seda interminável. Apertando a maldita garrafa, sentindo-se como um criminoso, o senhor Talliaferro apressou-se.

Caminhou rapidamente ao lado de um muro preto, passando por lojas pequenas e indiscriminadas fracamente iluminadas a gás e a cheirar a todo o tipo de comidas, abundantes, ligeiramente amadurecidas. Os donos e as suas famílias sentavam-se em frente das portas em cadeiras inclinadas, mulheres a amamentar bebés até à sonolência falavam umas com as outras nas suaves sílabas do Sul da Europa. Crianças corriam à sua frente e à sua volta, ignorando-o ou apercebendo-se da sua presença e agachando-se na sombra como animais, defensivos, passivos e imóveis.

Contornou a esquina. A Rua Royal irrompia em duas direções e ele enfiou-se na mercearia da esquina, passando pelo proprietário sentado junto da porta com as pernas estendidas numa posição confortável, embalando o balão italiano da barriga sobre o colo. O proprietário tirou da boca o cachimbo curto e terrífico e arrotou, levantando-se para seguir o cliente. O Sr. Talliaferro pousou apressado a garrafa.

O merceeiro voltou a arrotar, ruidosamente.

– Boa tarde – disse num sotaque bem vincado do West End, muito mais próximo do original do que o do Sr. Talliaferro. – Leite, é?

O Sr. Talliaferro estendeu a moeda, observando as coxas grossas e relutantes do homem a pegar na garrafa sem qualquer repugnância, a enfiá-la numa caixa com pequenas divisórias, a abrir um frigorífico ao seu lado e a tirar daí uma garrafa de leite fresco e encolheu-se.

– Não tem um pedaço de papel onde a embrulhar? – perguntou, acanhadamente.

– Ora, mas claro – concordou o outro, afável. – Quer que lhe faça um embrulho, é? – O homem obedeceu com uma deliberação exasperante, e o Sr. Talliaferro, apesar de ainda oprimido, respirou mais livremente, pegou na compra, olhando apressado à sua volta, saiu para a rua. E parou, atordoado.

Ela avançava a todo o pano e estava acompanhada por uma mulher mais magra quando o viu, mas mudou imediatamente de direção e aproximou-se numa vergastada abafada de seda e num chocalhar dispendioso de obstáculos – mala de mão e colares de contas. A mão florescia gorda por entre pulseiras, anéis e unhas bem arranjadas, e o rosto de estufa esboçava uma expressão de espanto infantil e confiante.

– Senhor Talliaferro! Que surpresa – exclamou, salientando a primeira palavra de cada frase, como era habitual. E estava verdadeiramente surpreendida. A Sr.ª Maurier passava pelo mundo continuamente espantada com os acasos, quer tivesse sido ela ou não a instigá-los. Talliaferro escondeu rapidamente o embrulho atrás das costas, colocando-o numa iminente destruição, e viu-se forçado a aceitar-lhe a mão sem tirar o chapéu. Corrigiu aquilo assim que lhe foi possível. – Nunca teria esperado encontrá-lo nesta zona da cidade, a esta hora – continuou ela. – Mas presumo que esteja a visitar alguns dos seus amigos artistas.

A magra também parara, e examinava Talliaferro com um desinteresse frio. A mulher mais velha virou-se para ela.

– O senhor Talliaferro conhece todas as pessoas interessantes do Bairro Francês, querida. Todas as pessoas que estão a... que estão a criar... a criar coisas. Coisas belas. Tu sabes, a beleza. – A Sr.ª Maurier abanou ligeiramente a mão brilhante, apontando na direção do céu, onde as estrelas tinham começado a florescer como gardénias pálidas e embaciadas. – Oh, por favor, desculpe-me, senhor Talliaferro... Esta é a minha sobrinha, menina Robyn, de quem já ouviu falar. Ela e o irmão vieram reconfortar uma velha solitária... – O seu olhar continha uma coquetaria decadente, e, aproveitando a deixa o Sr. Talliaferro disse:

– Disparate, cara senhora. Somos nós, seus infelizes admiradores, que precisamos de reconforto. Talvez a menina Robyn também tenha pena de nós? – Fez uma vénia na direção da sobrinha, com uma formalidade calculada. A sobrinha não se mostrou muito entusiasmada.

– Querida – disse a Sr.ª Maurier, virando-se extasiada para a sobrinha –, eis um exemplo do cavalheirismo dos nossos homens do Sul. Consegues imaginar um homem em Chicago a dizer isto?

– Dificilmente – concordou a sobrinha. A tia apressou-se a continuar:

– Foi por isso que me mostrei tão ansiosa para que a Patricia me viesse visitar, para que ela pudesse conhecer homens que são, que são... A minha sobrinha tem o meu nome, está a ver, senhor Talliaferro. Não acha bonito? – Pressionou o Sr. Talliaferro com um espanto repetido e feliz.

Este voltou a fazer uma vénia, prestes a deixar cair a garrafa, e levou rapidamente a mão com que segurava a bengala e o chapéu atrás das costas para a aguentar.

– Encantado, encantado – disse, a transpirar junto à linha do cabelo.

– Sinto-me verdadeiramente surpreendida por o encontrar aqui a esta hora. E presumo que esteja igualmente surpreendido por nos encontrar aqui, não está? Mas acabei de descobrir a coisa mais maravilhosa! Olhe para ela, senhor Talliaferro, quero tanto saber a sua opinião.

Estendeu-lhe uma placa de chumbo baça na qual num baixo-relevo ténue de um azul e vermelho desbotado sorria afetadamente uma Madona com expressão de espanto infantil idêntica à da Sr.ª Maurier, e um Menino de certo modo presunçoso e complacente que se parecia com um velho. O Sr. Talliaferro, sentindo o equilíbrio precário da garrafa, não se atreveu a mover a mão. Debruçou-se sobre o objeto estendido.

– Pegue nela para a poder examinar sob a luz – insistiu a sua proprietária. O Sr. Talliaferro voltou a transpirar ligeiramente. De repente, a sobrinha disse:

– Eu seguro-lhe no embrulho.

Moveu-se com uma rapidez juvenil, e antes de ele o poder recusar, já lhe tirara a garrafa da mão.

– Oh – exclamou, quase a deixando cair, e a sua tia exclamou, efusiva:

– Oh, também descobriu alguma coisa, não descobriu? Ora, então eu mostrei-lhe o meu tesouro, e durante todo este tempo o senhor estava a esconder algo muito mais agradável. – Abanou as mãos a indicar desânimo. – Vai considerar a minha descoberta lixo, eu sei que vai – prosseguiu ela, com um desagrado pesadamente assumido. – Oh, quem me dera ser homem para poder passar o dia a bisbilhotar lojas e a descobrir mesmo coisas! Mostre-nos o que tem, senhor Talliaferro.

– É uma garrafa de leite – observou a sobrinha, examinando o Sr. Talliaferro com interesse.

A tia guinchou. O seu peito levantou-se reprimido, fazendo cintilar os alfinetes e contas.

– Uma garrafa de leite? Então, também se tornou artista?

Pela primeira e última vez na vida, Talliaferro desejou a morte a uma senhora. Mas ele era um cavalheiro, apenas fervilhou interiormente. Riu-se com uma animação abortada.

– Um artista? Lisonjeia-me, querida senhora. Receio que a minha alma não tenha aspirações tão elevadas. Sinto-me satisfeito por ser meramente um...

– Leiteiro – sugeriu o jovem diabo feminino.

–... Mecenas. Se é que posso ser eu mesmo a considerar-me assim.

A Sr.ª Maurier suspirou com deceção e surpresa.

– Ah, senhor Talliaferro, estou terrivelmente desiludida. Esperei por instantes que algum dos seus amigos artistas o tivesse convencido a dar algo ao mundo da arte. Não, não, não diga que não pode, tenho a certeza de que é capaz disso, com a sua... a sua delicadeza de alma, a sua... – voltou a abanar ligeiramente a mão na direção do céu por cima da Rua Rampart. – Ah, ser um homem, sem quaisquer laços exceto os da alma! Criar, criar. – Regressou com facilidade à Rua Royal. – Mas uma garrafa de leite, senhor Talliaferro?

– É para o meu amigo Gordon. Fui visitá-lo esta tarde e encontrei-o muito ocupado. Por isso vim a correr buscar-lhe leite para o jantar. Estes artistas! – Talliaferro encolheu os ombros. – A senhora sabe como vivem.

– Sim, é verdade. Génio. Um capataz duro, não é? Talvez seja sensato que o senhor não entregue a sua vida a isso. É uma estrada longa e solitária. Mas como está o senhor Gordon? Encontro-me continuamente tão ocupada com coisas, deveres inadiáveis, aos quais a minha consciência não permite escapar, sou muito conscienciosa, sabe, que simplesmente não tenho tempo suficiente para ver tanto do bairro como gostaria. Tinha prometido ao senhor Gordon visitá-lo, e convidá-lo a jantar dentro de pouco tempo. Tenho a certeza de que ele pensa que o esqueci. Por favor, peça-lhe desculpa por mim, sim? Garanta-lhe que não o esqueci.

– Tenho a certeza de que ele sabe das muitas visitas que tem de fazer, com o tempo que tem disponível – assegurou-lhe Talliaferro, galante. – Não se sinta incomodada por isso.

– Sim, na verdade não sei como consigo fazer o que quer que seja, sinto-me sempre surpreendida quando descubro que tenho um momento livre para utilizar com o meu próprio prazer. – Voltou a olhá-lo com a sua expressão de espanto alegre. A sobrinha girou esguia e lentamente sobre um salto alto, a curva jovem e doce das suas canelas direitas e frágeis, como as patas de um pássaro a terminar nos borrões de tinta gémeos das sandálias deixou-o extasiado. O chapéu era um pequeno sino brilhante que lhe cercava o rosto, e ela usava a roupa com uma jovialidade casual, como se tivesse aberto o roupeiro e dito: «Vamos até à Baixa.» A sua tia estava a dizer: – Mas, e a nossa festa no iate? Deu ao senhor Gordon o meu convite?

O Sr. Talliaferro estava perturbado.

– Bem... Sabe, ele agora está bastante ocupado. Ele... Ele arranjou uma obra que não permite atrasos – concluiu, inspirado.

– Ah, senhor Talliaferro! Não lhe disse que ele estava convidado. Que vergonha! Então tenho de ser eu mesma a dizer-lho, já que me falhou.

– Não, a sério...

Ela interrompeu-o.

– Perdoe-me, meu querido. Não tive a intenção de ser injusta. Estou satisfeita por não o ter convidado. Será melhor que seja eu a fazê-lo, de modo a poder subjugar quaisquer escrúpulos que possa ter. Ele é bastante tímido, sabe. Oh, bastante, asseguro-lhe. Temperamento artístico, compreende, tão espiritual...

– Sim – concordou Talliaferro, observando dissimuladamente a sobrinha, que parara de girar e que conseguira colocar o corpo aparentemente sem ossos numa ausência de relevo unidimensional e angular, tão genuína quanto a de uma escultura egípcia.

– Assim, serei eu mesma a tratar disso. Vou-lhe ligar esta noite, partimos amanhã ao meio-dia. Isso dar-lhe-á tempo suficiente, não acha? É um daqueles artistas que nunca tem muito, pessoas afortunadas. – A Sr.ª Maurier olhou para o relógio. – Santo Deus! Sete e meia. Temos de correr. Vem, querida. Podemos deixá-lo em algum lugar, senhor Talliaferro?

– Obrigado, mas não. Tenho de levar o leite ao Gordon, e depois tenho um compromisso para o serão.

– Ah, é uma mulher, eu sei. – Revirou os olhos, de um modo grosseiro. – Que homem terrível que o senhor é. – Baixou a voz e bateu-lhe na manga. – Tenha cuidado com o que diz em frente desta criança. Os meus instintos são todos boémios, mas ela... pouco sofisticada... – A sua voz banhou-o em afeto e o Sr. Talliaferro refreou-se, se tivesse bigode, tê-lo-ia cofiado. A Sr.ª Maurier voltou a chocalhar e a brilhar, a sua expressão transformou-se em puro prazer. – Mas, é claro! Vamos levá-lo a casa do senhor Gordon e eu posso entrar e convidá-lo para a festa. É isso mesmo! Que sorte ter-me lembrado disso. Vem, querida.

Sem se dobrar, a sobrinha estendeu a perna para cima e para a frente a partir do joelho, e coçou o tornozelo. O Sr. Talliaferro lembrou-se da garrafa de leite e assentiu, grato, deixando-se ficar para trás na berma da estrada com uma prudência cuidadosa. A curta distância no cimo da rua, o carro da Sr.ª Maurier agachava-se dispendiosamente. O motorista negro saiu e abriu a porta, e o Sr. Talliaferro afundou-se graciosamente nos estofos, a embalar a sua garrafa de leite, a inalar o cheiro das flores cortadas e delicadamente colocadas em jarras, e prometeu-se um carro para o ano seguinte.

3

Avançaram suavemente, passando por entre luzes espaçadas e contornando esquinas estreitas, enquanto a Sr.ª Maurier falava firmemente da sua alma, da de Talliaferro e da de Gordon. A sobrinha mantinha-se em silêncio. O Sr. Talliaferro estava consciente do seu cheiro fresco e limpo, semelhante ao de árvores jovens, e quando passavam sob as luzes, ele conseguia ver a sua forma esguia e a revelação impessoal das suas pernas e joelhos nus e assexuados. Talliaferro regalava-se, apertando a garrafa de leite, desejando que a viagem não terminasse. Mas o carro voltou a estacionar junto da berma, e ele teve de sair, por maior que fosse a sua relutância.

– Vou num instante lá acima e trago-o cá abaixo – sugeriu, com um tato premonitório.

– Não, não. Subimos todos – contrariou-o a Sr.ª Maurier. – Quero que a Patricia veja como parece um génio na sua casa.

– Céus, tia, já vi esses tipos antes – disse a sobrinha. – Estão por toda a parte. Eu espero por si. – Contorceu o corpo sem esforço, coçando os tornozelos com as mãos morenas.

– É tão interessante ver como eles vivem, querida. Vais adorar. – O Sr. Talliaferro voltou a levantar objeções, mas a Sr.ª Maurier subjugou-o com palavras determinadas. Assim, contra o seu bom senso, ele acendeu-lhes fósforos, conduzindo-as pelas escadas escuras e tortuosas acima enquanto as suas três sombras os imitavam, erguendo-se e caindo monstruosamente na parede antiga. Muito antes de chegarem ao último piso, a Sr.ª Maurier arfava e arquejava, e o Sr. Talliaferro sentiu uma alegria vingativa e pueril ao ouvir a sua respiração árdua. Mas era um cavalheiro, afastou de si o que sentia, e repreendeu-se. Bateu, mandaram-no entrar, e ele abriu a porta.

– Já voltou? – Gordon estava sentado na sua única cadeira, a comer uma sanduíche grossa, e a segurar um livro. A lâmpada nua incidia selvática na sua camisola interior.

– Tem visitas. – O Sr. Talliaferro ofereceu-lhe o aviso atrasado, mas o outro ao olhar para cima vira atrás do seu ombro o rosto interessado da Sr.ª Maurier. Levantou-se e amaldiçoou o Sr. Talliaferro, que começou de imediato a sua explicação infeliz.

– A senhora Maurier insistiu em passar por cá...

A Sr.ª Maurier voltou a subjugá-lo.

– Senhor Gordon! – Navegou pela divisão, exibindo uma expressão de espanto alegre como um prato redondo que se mantém de pé. – Como *é* que está? Poderá alguma vez perdoar-nos por nos termos intrometido desta maneira? – Prosseguiu com os seus itálicos efusivos. – Acabámos de encontrar o senhor Talliaferro na rua com o seu leite, e decidimos enfrentar o leão no seu covil. Como tem passado? – Forçou a sua mão calorosa sobre ele, olhando em volta com uma curiosidade feliz. – Então é aqui que trabalha o génio. Que encantador, tão... tão original. E ali... – apontou para um canto tapado por um pedaço de repe verde –... é o seu quarto, não é? Que encantador! Ah, como lhe invejo esta liberdade. E uma vista... também tem uma vista, não tem? – Apertou-lhe a mão e olhou embevecida para a janela alta e inútil, que emoldurava duas estrelas de quarta magnitude e aparência cansada.

– Teria, se tivesse dois metros e meio de altura – corrigiu-a Gordon. Ela olhou rápida e alegremente para ele. O Sr. Talliaferro riu-se, nervoso.

– Isso seria encantador – concordou ela, de imediato. – Estava tão ansiosa que a minha sobrinha visse um verdadeiro estúdio onde trabalha um verdadeiro artista. Querida... – olhou por cima do ombro, ainda a apertar a mão de Gordon –... querida, deixa-me apresentar-te um verdadeiro escultor, do qual esperamos grandes coisas... Querida – repetiu ela, num tom mais elevado.

A sobrinha, nada perturbada pelas escadas, entrara atrás deles e estava agora parada em frente da única peça de mármore.

– Vem falar com o senhor Gordon, querida. – Sob a modulação melada da voz da tia, intuía-se um ténue vestígio de algo que não era nada doce. A sobrinha virou a cabeça e assentiu ligeiramente, sem olhar para ele. Gordon soltou a mão.

– O senhor Talliaferro disse-me que tem uma obra comissionada. – A voz da Sr.ª Maurier voltara a cair numa tonalidade de um espanto alegre e melado. – Podemos vê-la? Conheço artistas que não gostam de exibir uma obra incompleta, mas apenas entre amigos, sabe... Ambos sabem o quão sensível sou à beleza, embora me tenha sido negado o impulso criativo.

– Sim – concordou Gordon, a olhar a sobrinha.

– Há muito que tinha a intenção de visitar o seu estúdio, conforme prometi, lembra-se? Por isso, vou aproveitar esta oportunidade para dar uma vista de olhos... Importa-se?

– Esteja à vontade. O Talliaferro pode mostrar-lhe as coisas. Desculpe-me. – Como era habitual, esgueirou-se entre eles, e a Sr.ª Maurier entoou:

– Sim, é verdade. O senhor Talliaferro, tal como eu, é sensível à beleza na arte. Ah, senhor Talliaferro, porque nos foi dado o amor pelo belo, e no entanto nos foi negada a capacidade para o criar a partir da pedra, da madeira e do barro...

O corpo dela, no vestido simples e curto, permaneceu imóvel quando ele se aproximou. Gordon perguntou:

– Gosta?

O seu maxilar, de lado, era pesado, havia nele algo de masculino. Mas de frente não era tão pesado, apenas calmo. A sua boca era cheia e sem cor, não maquilhada, e os olhos estavam opacos como fumo. Ela olhou-o, observando o azul-gelado dos seus olhos, como os de um cirurgião, pensou, e voltou a olhar para o mármore.

– Não sei – respondeu ela, lentamente. – É como eu.

– Em que aspeto? – perguntou, num tom grave.

Não respondeu. De seguida, perguntou:

– Posso tocar-lhe?

– Se quiser – anuiu, examinando a linha do seu maxilar, o nariz curto e firme. Ela não se moveu e ele acrescentou: – Não lhe vai tocar?

– Mudei de ideias – disse, calmamente. Gordon olhou por cima do ombro, para o local onde a Sr.ª Maurier estava a exprimir-se loquazmente a respeito de qualquer coisa. Talliaferro respondia-lhe que sim com uma paixão contida.

– Em que aspeto? – repetiu ele.

– Porque é que ela não tem aqui nada? – perguntou a sobrinha, de um modo irrelevante. A sua mão morena cintilou esguia na ausência alta do seio de mármore, e depois recuou.

– Você também não tem aí muito. – Ela olhou-o firmemente nos olhos. – Porque é que deveria ter aí alguma coisa?

– Tem razão – concordou ela, com a complacência judiciosa de uma igual. – Estou a ver agora. Claro que não devia. Não o estava a perceber bem... durante um instante, não percebi bem.

Gordon examinou com um interesse crescente o seu peito e barriga planos, o corpo arrapazado que a sua postura e a magreza dos braços desmentia. Assexuada e, no entanto, de certo modo, vagamente perturbadora. Talvez apenas jovem, como um bezerro ou um potro.

– Que idade tem? – perguntou ele, abruptamente.

– Dezoito, se é que tem alguma coisa a ver com isso – respondeu sem rancor, a olhar para o mármore. De repente, voltou a erguer os olhos para ele. – Quem me dera tê-la – disse, com um anseio e uma sinceridade repentinas, bastante semelhante a uma criança de quatro anos.

– Obrigado – disse ele. – Isso também foi bastante sincero, não foi? No entanto, é óbvio que não a pode ter. Percebe, não percebe?

Ela não respondeu. Gordon via que não estava a perceber por que motivo não a podia ter.

– Acho que sim – acabou ela por concordar. – No entanto, pensei que o podia tentar.

– Não deixar escapar qualquer hipótese?

– Oh, bem, de qualquer maneira, é muito provável que amanhã já não a queira... E se ainda a quiser, posso arranjar uma que também seja assim tão boa.

– Quer dizer – corrigiu ele –, que se ainda a quiser amanhã, pode consegui-la. Não foi isso que quis dizer?

A mão dela, como se fosse um organismo separado, estendeu-se lentamente e acariciou o mármore.

– Porque é que você é tão negro? – perguntou.

– Negro?

– Não é o cabelo e a barba. Gosto do seu cabelo e barba ruivos. Mas você. Você é negro. Quero dizer... – A sua voz interrompeu-se e ele sugeriu:

– Alma?

– Não sei o que é – afirmou ela, em voz baixa.

– Nem eu. No entanto, pode perguntar à sua tia. Parece estar familiarizada com almas.

Ela olhou por cima do ombro, mostrando-lhe o outro lado do seu perfil irregular.

– Pergunte-lhe o senhor. Aí vem ela.

A Sr.ª Maurier lançou o seu volume acolchoado e perfumado entre eles.

– Maravilhoso, maravilhoso – exclamou, com admiração sincera. – E isto... – A sua voz interrompeu-se e olhou para o mármore, deslumbrada. O Sr. Talliaferro concordou de imediato, tomando para si o crédito do diretor de espetáculos.

– Já viu o que ele captou? – interveio, melodiosamente. – Está a ver? O espírito da juventude, de algo refinado, duro e limpo no mundo; algo que todos desejamos até as nossas bocas serem travadas pelo pó. – Há muito que os desejos de Talliaferro se tinham transformado num hábito insatisfeito, que já não necessitava de qualquer objeto em particular.

– Sim – concordou a Sr.ª Maurier. – Que belo. O que... o que representa, senhor Gordon?

– Nada, tia Pat – disparou a sobrinha. – Não tem de representar nada.

– Mas...

– Quer que represente o quê? Suponha que representava um... um cão, ou um gelado, que diferença faria? Não está bem como está?

– Sim, de facto, senhora Maurier – concordou Talliaferro, com uma pressa tranquilizadora –, não é necessário ter um significado objetivo. Temos de a aceitar como aquilo que é, uma forma pura e livre de quaisquer entraves com um objeto familiar ou utilitário.

– Oh, sim, sem entraves. – Ali estavam palavras que a Sr.ª Maurier conhecia. – O espírito sem entraves, uma liberdade de águia.

– Cale-se, tia – disse-lhe a sobrinha. – Não seja tola.

– Mas a peça tem aquilo a que Talliaferro chama um significado objetivo – interrompeu-a Gordon, bruscamente. – Este é o meu ideal feminino, uma virgem sem pernas para me deixar, sem braços para me abraçar, sem cabeça para me falar.

– Senhor Gordon! – A Sr.ª Maurier olhou para ele, por cima do seu peito comprimido. Depois pensou em algo que possuía um significado objetivo. – Quase me tinha esquecido do motivo da nossa visita tão tardia. Não que precisássemos – acrescentou rapidamente – de outro motivo para... para... senhor Talliaferro, como é que aquelas pessoas antigas costumavam dizê-lo, a respeito de pararem na via rápida e atarefada da vida para se ajoelharem por um momento aos pés do mestre?... – A voz da Sr.ª Maurier desvaneceu-se e o seu rosto esboçou uma expressão de ligeira preocupação. – Ou é na Bíblia que estou a pensar? Bem, não interessa. Passámos por aqui para o convidar para uma festa de iate, alguns dias no lago...

– Sim. O Talliaferro falou-me disso. Lamento, mas não poderei ir.

Os olhos da Sr.ª Maurier tornaram-se muito redondos. Virou-se para o Sr. Talliaferro.

– Senhor Talliaferro! Disse-me que não lho tinha dito!

Talliaferro contorceu-se visivelmente.

– Perdoe-me, se a deixei sob semelhante impressão. Não tive qualquer intenção de o fazer. Apenas desejei que fosse a senhora a falar com ele, e a fazê-lo reconsiderar. A festa não estará completa sem ele, pois não?

– De modo algum. Senhor Gordon, não quer reconsiderar? Decerto que não nos irá dececionar. – Ela inclinou-se rangendo, e bateu no tornozelo. – Desculpem-me.

– Não. Lamento. Tenho trabalho a fazer.

A Sr.ª Maurier transferiu a sua expressão de espanto e desânimo para o Sr. Talliaferro.

– Não pode ser por ele não querer ir. Deve haver outro motivo. Diga-lhe qualquer coisa. Nós temos mesmo de o ter entre nós. O senhor Fairchild vai, e a Eva e a Dorothy; temos mesmo de ter um escultor. Convença-o, senhor Talliaferro.

– Tenho a certeza de que a sua decisão não é final; tenho a certeza de que ele não nos irá privar da sua companhia. Alguns dias passados no lago far-lhe-ão um bem enorme; irão refrescá-lo como um tónico. Ei, Gordon?

O rosto de falcão de Gordon erguia-se pensativo acima deles, distante e insuportável na sua arrogância. A sobrinha afastara-se, vagueando lentamente pela divisão, séria, calada e curiosa, tão direita como um choupo. A Sr.ª Maurier implorou a Gordon com uma expressão canina, temporariamente silenciosa. De repente, teve uma inspiração.

– Vamos, vamos todos jantar a minha casa. Depois, podemos discutir isto à vontade.

Talliaferro hesitou.

– Como sabe, esta noite tenho um compromisso – recordou-a.

– Oh, senhor Talliaferro. – Ela encostou a cabeça à sua manga. – Não me falhe também. Dependo sempre de si, quando as pessoas me falham. Não pode alterar o seu compromisso?

– Na verdade, receio bem que não. Neste caso, não – respondeu Talliaferro, num tom presunçoso. – Apesar de me sentir consternado...

A Sr.ª Maurier suspirou.

– Estas mulheres! O senhor Talliaferro é verdadeiramente terrível no que toca às mulheres – informou a Sr.ª Maurier, virando-se para Gordon. – Mas o senhor vem, não vem?

A sobrinha aproximou-se deles e parou a esfregar uma canela contra a outra. Gordon virou-se para ela.

– Vai lá estar?

Malditas as suas pequenas almas, sussurrou ela, inalando. Bocejou.

– Oh, sim. Eu como. Mas deito-me muito cedo. – Voltou a bocejar, dando uma palmadinha na oval ampla e pálida boca com os dedos morenos.

– Patricia! – exclamou a tia, num espanto chocado. – Claro que não vais fazer nada disso. Que ideia! Vamos, senhor Gordon.

– Não, obrigado. Também tenho um compromisso – respondeu ele, rigidamente. – Talvez noutra altura.

– Não vou aceitar um «não», como resposta. Ajude-me, senhor Talliaferro. Ele tem mesmo de ir.

– Quer que venha como está? – perguntou a sobrinha.

A tia olhou por instantes para a sua camisola interior, e estremeceu. Mas disse corajosamente:

– Claro que sim, se ele assim o desejar. O que é a roupa, comparada com isto? – Descreveu um arco com a mão; diamantes cintilaram na sua órbita. – Por isso, não se pode escapar, senhor Gordon. Tem de vir.

A sua mão pairou acima do braço dele, como se para o agarrar. Ele esquivou-se bruscamente.

– Desculpe.

Talliaferro evitou o seu movimento repentino mesmo a tempo, e a sobrinha disse perversamente:

– Há uma camisa atrás da porta, se é disso que anda à procura. Não vai precisar de uma gravata, com essa barba.

Ele pegou nela pelos cotovelos, como o teria feito a uma mesa alta e estreita, e colocou-a de lado. Depois o seu corpo alto e controlado encheu e esvaziou a porta, e desapareceu na escuridão do corredor. A sobrinha olhou para as costas dele. A Sr.ª Maurier olhou para a porta, depois para o Sr. Talliaferro num espanto silencioso.

– Mas que raio... – As suas mãos bateram em vão entre os seus variados pertences engrinaldados. – Onde é que ele vai? – acabou por dizer.

De repente, a sobrinha disse:

– Gosto dele. – Também olhou pela porta pela qual, ao passar, ele parecera ter esvaziado a divisão. – Aposto que não vai voltar – observou.

A tia soltou um guincho.

– Não vai voltar?

– Bem, eu não voltaria, se fosse ele. – Aproximou-se outra vez da peça de mármore, acariciando-a com um desejo lento. A Sr.ª Maurier olhou impotente para Talliaferro.

– Onde... – começou.

– Vou ver – ofereceu-se ele, quebrando o próprio transe. As duas mulheres olharam para as suas costas impecáveis a desaparecerem.

– Nunca na minha vida... Patricia, por que motivo te mostraste tão grosseira com ele? Claro que ficou ofendido. Não sabes como os artistas são sensíveis? E depois de eu ter trabalhado tão arduamente para o cultivar!

– Disparate. Vai-lhe fazer bem. Já pensa demasiado bem de si mesmo.

– Mas insultar um homem na sua própria casa. Não vos consigo perceber, a vocês, jovens. Ora, se eu tivesse dito uma coisa dessas a um cavalheiro, ainda por cima desconhecido... Nem consigo imaginar qual a intenção do teu pai, deixando-te crescer desta maneira. Decerto devia saber que...

– Não tenho culpa do modo como ele se comportou. A tia é que tem a culpa. Imagine que estava sentada no seu quarto vestindo a camisa de noite, e dois homens que mal conhece tinham entrado e tentado convencê-la a ir a um sítio onde a senhora não queria ir, o que teria feito?

– Estas pessoas são diferentes – disse-lhe a tia, friamente. – Não as compreendes. Os artistas não precisam de privacidade como nós, para eles não tem qualquer significado. Mas qualquer pessoa, artista ou não, iria levantar objeções...

– Oh, cace lá a vela – interrompeu-a a sobrinha, grosseiramente. – Está a cambar.

Talliaferro reapareceu a arquejar, com uma repressão delicada.

– O Gordon foi chamado à pressa. Pediu-me para lhe apresentar as suas desculpas, e para expressar o quanto lamenta por ter de sair de modo tão pouco cerimonioso.

– Então, não vai jantar. – A Sr.ª Maurier suspirou, sentindo a sua idade, a proximidade da escuridão e da morte. Parecia não apenas incapaz de continuar a arranjar homens novos, mas também de manter os antigos, até mesmo... até mesmo o Sr. Talliaferro... a idade, a idade... Voltou a suspirar. – Vem, querida – disse ela, num tom estranhamente casto, mais baixo, de certo modo lastimoso. A sobrinha pousou as mãos bronzeadas no mármore, duro, duro. Ó bela, sussurrou numa saudação e numa despedida, afastando-se rapidamente.

– Vamos – disse ela. – Estou faminta.

O Sr. Talliaferro perdera a sua caixa de fósforos; estava desolado. Assim, viram-se obrigados a descer as escadas às apalpadelas, perturbando anos e anos de pó no corrimão. O corredor de pedra estava frio e húmido, prenhe de um zumbido baixo, reprimido. Avançaram apressados.

Já escurecera por completo, e o carro encontrava-se como que agachado na berma numa silhueta paciente; o motorista negro estava sentado no interior com todas as janelas fechadas. Dentro da sua familiaridade amistosa, a Sr.ª Maurier voltou a mostrar-se animada. Estendeu a mão ao Sr. Talliaferro, adocicando de novo a voz com uma coquetaria decadente.

– Então, vai voltar a visitar-me? Mas não prometa, eu sei como tem o seu tempo todo tomado... – Inclinou-se para a frente, dando-lhe uma palmadinha na face – Don Juan!

Ele riu-se depreciativamente, com prazer. A sobrinha, do seu canto, disse:

– Boa noite, senhor Tarver.

O Sr. Talliaferro ficou ali parado ligeiramente inclinado pelas ancas, gelado. Fechou os olhos como um cão à espera que o pau caísse, enquanto o tempo passava e passava... Voltou a abrir os olhos, sem saber quanto tempo tinha passado. Mas os dedos da Sr.ª Maurier estavam a afastar-se da sua face e a sobrinha mantinha-se invisível no seu canto: um mal incorpóreo. Depois ele endireitou-se, sentindo as entranhas frias a regressarem ao seu devido lugar.

O carro afastou-se e ele ficou a vê-lo, a pensar na juventude da rapariga, na sua juventude dura e limpa, com medo e um desejo infeliz e perturbador como uma velha mágoa. Seriam as crianças mesmo semelhantes a cães? Conseguiriam elas penetrar na dissimulação de alguém, conhecer alguém por instinto?

A Sr.ª Maurier recostou-se confortavelmente.

– O senhor Talliaferro é verdadeiramente terrível no que toca às mulheres – informou a sobrinha.

– Aposto que sim – concordou a sobrinha –, verdadeiramente terrível.

4

O Sr. Talliaferro casara ainda muito novo com uma jovem de rosto bastante simples, que ele estava a tentar seduzir. Mas agora, aos trinta e oito anos, era viúvo há oito. Ele fora o resultado final de uma pesquisa biológica bastante casual efetuada por duas pessoas que, como a maior parte, nem sequer tinham qualquer motivo para produzirem crianças. A família era originária do Norte do Alabama, e depois disso avançara lentamente para oeste, provando assim um certo impulso racial na espécie que um tal Horace Greeley[6] resumira num *slogan* tão

[6] Referência a uma citação de Horace Greeley (1811-1872), político reformista e editor do jornal *New York Tribune*. «Go West, young man» é uma citação popular nos Estados Unidos, que se refere ao Manifest Destiny, uma crença americana do século XIX de que os Estados Unidos estavam destinados a expandirem-se para oeste através do continente norte-americano. Viria a ser utilizada pelos democratas na década de 1840, para justificar a guerra contra o México. *(N. da T.)*

excruciantemente apropriado que ele mesmo não tivera de o observar, e que ainda não desaparecera. Tinha vários irmãos, e esses tinham adquirido os seus diferentes ofícios, em grande parte por acaso; ofícios que variavam de um paraíso prematuro por intermédio do cavalo de outrem, de uma corda e de um choupo do Texas, passando pelo ensino de uma cadeira clássica numa pequena universidade do Kansas, até uma legislatura estatal obtida pelos votos de outros. Aquele chegara tão longe quanto a Califórnia. Nunca souberam o que aconteceu à irmã do Sr. Talliaferro.

O senhor Talliaferro tivera aquilo a que se chama uma educação esmerada: fora forçado enquanto ainda muito jovem e manipulável a fazer todas as coisas contra as quais os seus impulsos naturais levantavam objeções, e a esquecer todas as coisas que se poderia ter divertido a fazer. Passado algum tempo, a natureza desistiu e aquilo tornou-se num hábito seu. A natureza rendeu-se-lhe sem hesitações: até mesmo os germes da doença pareciam ignorá-lo.

O seu casamento conduzira-o ao trabalho tal como a seca conduz os peixes rio abaixo para águas mais profundas, e as coisas tinham sido duras para eles durante os anos em que Talliaferro saltitara de posição em posição, curso por correspondência atrás de curso por correspondência, até obter conhecimentos superficiais, incorretos e impraticáveis respeitantes a todos os métodos possíveis e refinados de ganhar dinheiro antes de, por fim e inevitavelmente, gravitar até à secção feminina de uma grande loja.

Ali, sentira que chegara por fim ao seu meio (sempre se dera muito melhor com mulheres do que com homens), e a sua fé restaurada em si mesmo permitiu-lhe erguer-se com uma facilidade confortável até à ambicionada posição de comprador por atacado. Conhecia o vestuário feminino e, como se interessava pelas mulheres, era uma crença sua que o conhecimento das frágeis indumentárias íntimas que elas preferiam lhe dava uma perspetiva que mais nenhum homem possuía da psicologia feminina. Mas limitava-se a especular em relação àquilo, já que permanecia fiel à sua mulher, apesar de ela se encontrar acamada: uma inválida.

E depois, quando o sucesso estava ao seu alcance e por fim a vida se tornara tão suave para eles, a sua mulher morrera. Ele habituara-se ao casamento, estava sinceramente preso a ela, e a readaptação foi lenta. No entanto, com o tempo, habituou-se à novidade de uma liberdade amadurecida. Casara tão jovem que a liberdade era para ele um campo inexplorado. Sentia prazer nos seus aconchegados aposentos de solteirão num bairro adequado, na sua solitária rotina quotidiana: dirigir-se a pé para casa ao entardecer para bem da sua figura, examinando os corpos macios das raparigas de rua, sabendo que se quisesse possuir uma delas apenas as próprias raparigas se poderiam recusar; de se encaminhar sozinho para os seus jantares, ou na companhia de um amigo literário disponível.

O Sr. Talliaferro fez uma viagem pela Europa em quarenta e um dias adquirindo assim um ar mundano, leves noções de estética e um sotaque precioso, e regressou a Nova Orleães sentindo estar Completo. O seu único alarme era o cabelo, que enfraquecia, a sua única preocupação era o facto que alguém iria descobrir que nascera Tarver, e não Talliaferro.

Mas já há muito que o celibato o começara a oprimir.

5

Manuseando elegantemente a sua bengala, entrou no Broussard's. Tal como esperara, ali estava Dawson Fairchild, o romancista, assemelhando-se a uma morsa benevolente que se levantara demasiado recentemente da cama para ter tempo de tratar da sua higiene, a jantar na companhia de três homens. O Sr. Talliaferro deteve-se acanhadamente na entrada e um empregado de faces rosadas que se parecia com um universitário estudioso de Harvard, vestido com o casaco de cerimónia de um ator, assaltou-o cortesmente. Conseguiu por fim chamar a atenção de Fairchild, e o outro saudou-o do lado oposto da pequena sala, depois disse qualquer coisa aos seus três companheiros que fez com que eles se virassem nas cadeiras para o verem aproximar-se. O Sr. Talliaferro, para quem entrar num restaurante sozinho e arranjar uma mesa era um processo excruciante, juntou-se a eles aliviado. O empregado querubínico puxou habilmente uma cadeira de uma mesa vizinha e encostou-a aos joelhos do Sr. Talliaferro, enquanto este apertava a mão a Fairchild.

– Chegou mesmo a tempo – disse-lhe Fairchild, pousando em cima da mesa a mão que apertava o garfo. – Este é o senhor Hooper. Acho que conhece estes outros indivíduos.

O Sr. Talliaferro baixou a cabeça na direção de um homem com cabelo cinzento-aço e um rosto pomposo e sem graça semelhante ao de um catequista frustrado, que insistiu em lhe apertar a mão; depois o seu olhar abarcou os outros dois membros do grupo – um homem jovem, alto e fantasmagórico, com uma fina camada de cabelo loiro e uma boca pálida preênsil, e um homem calvo e semita com um rosto macilento, uma papada flácida e olhos tristes e perplexos.

– Estávamos a discutir... – começou Fairchild quando o desconhecido o interrompeu com uma insolência suave e verdadeiramente desinibida.

– Como disse que se chamava? – perguntou ele, de olhar fixo no Sr. Talliaferro. O Sr. Talliaferro enfrentou o olhar e sentiu de imediato um ligeiro desconforto. Respondeu à pergunta, mas o outro não prestou atenção à resposta. – Quero dizer, o seu primeiro nome. Não o consegui apanhar.

– Ora, Ernest – disse-lhe o Sr. Talliaferro, alarmado.

– Ah, sim, Ernest. Tem de me desculpar, mas viajar, conhecer novos rostos todas as terças-feiras, como eu o faço... – interrompeu-se com a mesma inconsciência suave. – Quais são as suas impressões da reunião de hoje? – Mas quando o Sr. Talliaferro ia responder, ele voltou a mudar de assunto. – Têm aqui uma esplêndida organização – informou-os de um modo geral, envolvendo-os com o olhar –, e uma cidade que é digna disso. Excetuando esta vossa preguiça sulista. Vocês precisam de algum sangue do Norte, para fazerem sobressair todas as vossas possibilidades. Apesar disso, não vos estou a criticar: vocês, rapazes, trataram-me bastante bem. – Levou alguma comida à boca e mastigou-a apressadamente, antecipando-se a qualquer um que pudesse ter a esperança de falar. – Estou satisfeito por o meu itinerário me ter trazido até aqui e estar hoje com vocês, rapazes, e pelo facto de um dos vossos jornalistas me ter dado a oportunidade de ver um pouco do vosso estilo de vida boémio ao encaminhar-me aqui para o senhor Fairchild, que, pelo que depreendi, é escritor. – Voltou a encarar a expressão de espanto cortês do Sr. Talliaferro. – Fico satisfeito ao ver como vocês, rapazes, continuam com o bom trabalho; devo dizer, o trabalho do Mestre, porque é apenas ao tomarmos diariamente o Senhor nas nossas vidas... – Voltou a olhar para o Sr. Talliaferro. – Como disse que se chamava?

– Ernest – esclareceu Fairchild, brandamente.

–... Ernest. As pessoas, o homem da rua, o chefe de família sobre o qual repousa o pesado fardo da vida, será que sabe aquilo que representamos, aquilo que lhe podemos dar apesar de si mesmo... esquecimento das tribulações do dia a dia? Ele não sabe nada dos nossos ideais de serviço, dos benefícios para nós mesmos, uns para os outros, para si – encarou o olhar trocista de Fairchild –, para ele mesmo. E, já agora – acrescentou, regressando de novo à terra –, há alguns pontos quanto a este assunto. Vou-me reunir amanhã com o vosso secretário. – Voltou a fixar o Sr. Talliaferro. – Quais são as suas impressões das minhas observações de hoje?

– Desculpe?

– O que achou da minha ideia de se obter cem por cento das presenças na igreja ao mantê-los assustados por poderem perder algo de bom se se mantiverem afastados?

O Sr. Talliaferro virou o seu rosto espantado para os outros, um a um. Passado um bocado, o seu interrogador dizia num tom de desagrado frio:

– Está a querer dizer que não se lembra de mim?

Talliaferro encolheu-se.

– Na verdade, senhor, sinto-me consternado...

O outro interrompeu-o bruscamente.

– Não esteve hoje no almoço?

– Não – respondeu o Sr. Talliaferro, com uma gratidão efusiva –, eu bebo apenas um copo de leitelho ao meio-dia. Tomo um pequeno-almoço tardio, percebe. – O outro homem olhou-o com um desagrado gélido, e o Sr. Talliaferro acrescentou inspirado: – Receio que me tenha confundido com outra pessoa.

O desconhecido olhou friamente o Sr. Talliaferro durante um momento. O empregado colocou um prato em frente do Sr. Talliaferro, e ele atirou-se à comida com a pressa de um intenso mal-estar.

– Quer dizer... – começou o desconhecido. Depois baixou o garfo e desviou a sua desaprovação fria para Fairchild. – Será que me equivoquei ao pensar que tinha dito que este... cavalheiro era membro dos rotários?

O Sr. Talliaferro suspendeu o garfo e também ele olhou para Fairchild, com uma expressão de descrença chocada.

– Eu, um membro dos rotários? – repetiu ele.

– Ora, eu tinha mais ou menos essa impressão – confessou Fairchild. – Vocês não ouviram dizer que o Talliaferro era um rotário? – apelou aos outros. Aqueles mantiveram-se evasivos e ele prosseguiu: – Parece que me lembro de ter ouvido alguém dizer que era um rotário. Mas também, vocês sabem como os rumores correm. Talvez seja devido à sua proeminência na vida comercial da nossa cidade. Talliaferro é membro de uma das nossas maiores lojas de vestuário feminino – explicou ele. – É o homem certo para o ajudar a encontrar uma maneira de meter Deus no negócio mercantil. Ensinar-Lhe o significado de serviço, ei, Talliaferro?

– Não; a sério, eu... – protestou o Sr. Talliaferro, alarmado. O desconhecido voltou a interrompê-lo.

– Bem, não há nada melhor sobre a Terra verde de Deus do que um rotário. O senhor Fairchild deu-me a entender que você era membro – acusou ele, regressando a uma desconfiança fria. O Sr. Talliaferro remexeu-se numa negação infeliz. O outro olhou-o de cima, depois tirou o relógio de bolso. – Bem, bem. Tenho de ir andando. Organizo o meu dia por meio de um horário. Ficariam espantados por saberem quanto tempo se consegue poupar ao cortar-se um minuto aqui e um minuto ali – informou-os. – E... Desculpe?

– O que faz com eles? – perguntou Fairchild. – Quando corta os minutos suficientes aqui e ali de modo a criar uma trapalhada mensurável, o que faz com eles?

– Darmos um limite de tempo a tudo que fazemos faz com que um homem consiga mais energia; pode dizer-se que faz com que se consiga atingir o cume das montanhas. – Uma gota de nicotina na ponta da língua é capaz de matar um cão, pensou Fairchild, rindo-se para si mesmo. Disse em voz alta:

– Os nossos antepassados reduziram a provérbios o processo de ganhar dinheiro. Mas nós batemo-los; reduzimos toda a existência a fetiches.

– A palavras de uma única sílaba, que ficam bem em letras grandes e vermelhas – corrigiu-o o homem semita.

O desconhecido ignorou-os. Virou-se na cadeira. Fez um gesto nas costas do empregado, depois estalou os dedos para lhe chamar a atenção.

– É o problema destes pequenos lugares de segunda categoria – disse-lhes. – Não há energia, nem eficiência, ao tratar-se do negócio. A conta, por favor – exigiu ele, brusco. O empregado querubínico inclinou-se acima deles.

– O jantar foi do vosso agrado? – perguntou.

– Claro, claro, muito bom. Traga-nos a conta, sim, George?

O empregado olhou hesitante para os outros.

– Não interessa, senhor Broussard – disse rapidamente Fairchild. – Não nos vamos já embora. Aqui o senhor Hooper é que tem de apanhar um comboio. É meu convidado – disse ele ao desconhecido. O outro protestou convencionalmente: ofereceu-se para deixar algumas moedas, mas Fairchild repetiu: – Esta noite é meu convidado. Uma pena que tenha de se apressar.

– Não tenho a indolência que vocês têm, aqui, em Nova Orleães – explicou o outro. – Quanto a mim, tenho de me manter sempre em movimento. – Levantou-se e apertou as mãos à sua volta. – Foi um prazer conhecer-vos, rapazes – disse a cada um deles. Agarrou o cotovelo do senhor Talliaferro com a mão esquerda, enquanto as suas mãos direitas se mantinham apertadas. O empregado foi-lhe buscar o chapéu, e ele deu ao homem meio dólar com um floreado. – Se alguma vez for à pequena cidade... – interrompeu-se para encorajar Fairchild.

– Claro, claro – concordou Fairchild animadamente, e voltaram a sentar-se.

O convidado apressado deteve-se junto da porta da rua durante um momento, depois desatou a correr gritando: «Táxi! Táxi!» O táxi levou-o até ao hotel *Monteleon*, a três quarteirões de distância, onde ele comprou dois dos jornais do dia seguinte e sentou-se no átrio durante uma hora, a dormitar por cima deles. Depois dirigiu-se ao seu quarto e deitou-se na cama a olhar para eles, até lançar a sua mente na inconsciência pela pura idiotice das palavras impressas.

6

– Agora – disse Fairchild –, que esta seja uma lição para vocês, meus jovens. É isto que irão encontrar ao juntarem-se às coisas, ao adquirirem esse hábito. Assim que um homem se começa a juntar a clubes e a lojas maçónicas, a sua fibra espiritual começa a desintegrar-se. Quando se é jovem, juntamo-nos a coisas porque elas professam ideais elevados. Nessa idade vocês acreditam em ideais, sabem. O que está certo, desde que se limitem a acreditar neles como ideais e não como critérios de conduta. Mas passado algum tempo juntam-se a mais coisas, começam a ficar velhos e mais ponderados e sensíveis; e acreditar em ideais é uma canseira demasiado grande, por isso vocês começam a vivê-los com a vossa vida exterior, nos vossos contactos com as pessoas. E quando transformaram um ideal numa forma de comportamento, esse deixa de ser um ideal, e vocês transformam-se num aborrecimento público.

– É culpa do próprio homem se os homens dos fetiches o aborrecem – disse o homem semita. – Hoje em dia, há coisas suficientes para que todos pertençam a alguma.

– No entanto, é um preço demasiado elevado para se pagar pela imunidade – protestou Fairchild.

– Isso não te devia incomodar – disse-lhe o outro. – Tu já o pagaste.

O Sr. Talliaferro pousou o garfo.

– Espero que ele não tenha ficado ofendido – murmurou.

Fairchild riu-se.

– Com o quê? – perguntou o homem semita. Ele e Fairchild olharam com uma expressão bondosa para o Sr. Talliaferro.

– Da pequena piada do Fairchild – explicou o Sr. Talliaferro.

Fairchild riu-se.

– Receio que o tenhamos dececionado. Ele provavelmente nem acredita que somos boémios, e muito menos que somos artísticos. Provavelmente, o mínimo que esperava era ser levado a jantar ao estúdio de duas pessoas que não fossem casadas uma com a outra, e que lhe oferecessem haxixe em vez de comida.

– E seria seduzido por uma rapariga com um avental cor de laranja e sem meias – acrescentou o jovem fantasmagórico, num tom sepulcral.

– Sim – disse Fairchild. – No entanto, ele não teria sucumbido.

– Não – concordou o homem semita. – Mas, como qualquer outro cristão, gostaria de ter a oportunidade de recusar.

– Sim, isso é verdade – admitiu Fairchild. – Acho que ele pensa que se não ficarmos acordados toda a noite a embebedarmo-nos e a violarmos alguém, não vale a pena ser-se artista.

– O que é pior? – murmurou o homem semita.

– Só Deus sabe – respondeu Fairchild. – Eu nunca fui violado... – Sugou o seu café. – Mas ele não é o primeiro homem que esperou ser violado e ficou desiludido. Passei muito tempo em lugares diferentes colocando-me à disposição de todos, e voltei sempre impoluto. Ei, Talliaferro?

O Sr. Talliaferro voltou a contorcer-se, acanhado. Fairchild acendeu um cigarro.

– Bem, são ambos vícios, e esta noite todos vimos ao que um vício descontrolado consegue levar um homem... Definir um vício como qualquer impulso natural que nos domina, como o instinto gregário de Hooper. – Interrompeu-se durante um instante. Depois voltou a rir-se. – Deus deve olhar para a nossa cena americana com uma boa dose de consternação, ao observar as palhaçadas destes voluntários que O estão a tentar ajudar.

– Ou com divertimento – corrigiu o homem semita. – Mas porquê cena americana?

– Porque os nossos feitos são muito mais cómicos. Outros países parecem ser capazes de considerar a possibilidade de Deus afinal não ser nem membro dos rotários, nem dos Elk, nem escuteiro. Nós não. E as convicções são sempre alarmantes, a não ser que se esteja a vê-las por trás.

O empregado aproximou-se com uma caixa de charutos. O homem semita tirou um. O Sr. Talliaferro terminou o seu jantar com um decoro expedito. O homem semita disse:

– O meu povo produziu Jesus, o vosso povo cristianizou-o. E desde então andam a tentar pô-lo fora da vossa Igreja. E agora que quase o conseguiram, vejam aquilo que enche o vácuo da sua partida. Vocês acham que o vosso novo ideal de Serviço, a bem ou a mal, sem apelo nem agravo, é melhor do que o vosso antigo ideal de humildade? Não, não – já que os outros iam falar –, não me refiro a resultados. Os únicos que alguma vez ganham com as maquinações espirituais da humanidade são uma pequena minoria que obtém exercício emocional ou mental ou físico com a atividade em questão, nunca a maioria passiva para quem a cruzada foi iniciada.

– Catarse por peristalse – murmurou o jovem loiro, que acarinhava a reputação de inteligente. Fairchild disse:

– Opões-te então à religião... quero dizer, num sentido geral?

– Claro que não – respondeu o homem semita. – O único sentido no qual a religião é geral é quando beneficia o maior número da mesma maneira. É o benefício universal da religião que consegue tirar as crianças de casa num domingo de manhã.

– Mas a educação tira-as de casa cinco dias por semana – salientou Fairchild.

– Isso também é verdade. Mas nesses dias eu também não estou em casa: a educação já me fez sair de casa seis dias por semana. – O empregado levou café ao Sr. Talliaferro. Fairchild acendeu outro cigarro.

– Então, achas que o único benefício da educação é o facto de nos manter fora de casa?

– Que outro resultado geral me podes indicar? Não nos torna a todos corajosos ou saudáveis ou felizes ou sensatos, nem sequer nos mantém casados. De facto, concluir uma educação pelo processo moderno é como casar à pressa e passar o resto da vida a tentar obter o melhor dela. Mas, vê se me compreendes, não tenho qualquer problema com a educação. Acho que não nos magoa muito, apenas nos torna infelizes e incapazes para o trabalho, com o qual os deuses amaldiçoaram o homem antes de aprenderem o que era a educação. E se não fosse a educação, seria qualquer outra coisa igualmente má, ou talvez até pior. O homem tem de preencher o seu tempo com alguma coisa, sabes.

– Mas voltando à religião (O eterno espírito protestante, murmurou o jovem loiro, roucamente), estás a referir-te a uma religião em particular, ou apenas aos ensinamentos gerais de Cristo?

– O que tem Cristo a ver com o assunto?

– Bem, regra geral aceita-se que ele instigou um certo ramo da religião, quaisquer que tivessem sido os seus motivos.

– Regra geral aceita-se que primeiro tem de se ter um efeito para se discernir uma causa. E é uma característica humana impingir os erros da época e da espécie sobre alguém ou algo demasiado distante, imprudente ou fraco para resistir. Mas quando dizes religião, estás a pensar numa seita em particular, não estás?

– Sim – confessou Fairchild. – Penso sempre na religião protestante.

– A pior de todas – disse o homem semita. – Quero dizer, na qual se cria crianças. Por algum motivo, pode ser-se católico ou judeu e ser-se religioso em casa. Mas um protestante em casa é apenas um protestante. Parece-me que a fé protestante foi inventada com o único objetivo de encher as nossas prisões, morgues e reformatórios. Falo agora das suas manifestações mais raivosas, em especial das suas atividades em povoações mais pequenas. Como é que nas pequenas cidades os rapazes protestantes passam as tardes de domingo, quando o basebol e todos esses escapes naturais musculares lhes são negados? Eles matam, eles chacinam, roubam e queimam. Já alguma vez reparaste na quantidade de acidentes juvenis com armas de fogo que ocorrem aos domingos, quantos incêndios em celeiros e barracões acontecem nas tardes de domingo? – Interrompeu-se, e sacudiu cuidadosamente a cinza do charuto na sua chávena de café.

O Sr. Talliaferro vendo uma oportunidade, tossiu e falou.

– Já agora, vi hoje o Gordon. Tentei convencê-lo a juntar-se amanhã ao nosso grupo do iate. Na verdade, não pareceu muito entusiasmado. Embora eu lhe tivesse assegurado o quanto todos gostaríamos da sua companhia.

– Oh, ele irá – disse Fairchild. – Seria um tolo, se não deixasse que ela o alimentasse durante alguns dias.

– Iria pagar um valor bastante elevado pela sua comida – observou secamente o homem semita. Fairchild olhou-o, e ele acrescentou: – O Gordon ainda não cumpriu a sua aprendizagem, sabes. Tu já passaste pela tua.

– Oh. – Fairchild sorriu. – Bem, sim, acho que já lhe dei mais ou menos uma folga. – Virou-se para o Sr. Talliaferro. – Ela já lhe foi vender a viagem em pessoa?

O Sr. Talliaferro escondeu o seu ligeiro desconforto retrospetivo, atrás de um fósforo aceso.

– Sim. Passou por lá esta tarde. Na altura eu estava com ele.

– Que bom para ela – aplaudiu o homem semita, e Fairchild perguntou interessado:

– Passou? O que disse o Gordon?

– Ele saiu – confessou placidamente o Sr. Talliaferro.

– Abandonou-a, foi? – Fairchild olhou por instantes para o homem semita. Riu-se. – Tens razão – concordou. Voltou a rir-se, e o Sr. Talliaferro disse:

– Ele devia mesmo ir, sabe. Pensei que talvez – acanhadamente – me ajudasse a convencê-lo. O facto de ir connosco, e da sua... hum... posição assegurada no mundo criativo...

– Não, acho que não – decidiu Fairchild. – Não sou muito bom a alterar as opiniões das pessoas. Acho que não me vou meter no assunto.

– Mas, a sério – insistiu o Sr. Talliaferro –, a viagem iria beneficiar o trabalho do homem. Além disso – acrescentou, inspirado –, ele iria compor o nosso grupo. Um romancista, um pintor...

– Também fui convidado – interveio o jovem loiro, num tom sepulcral. O Sr. Talliaferro aceitou aquilo com uma efusão apologética.

– Sim, claro, um poeta. Estava prestes a mencioná-lo, meu caro amigo. De facto, dois poetas, com a Eva W.

– Sou o melhor poeta de Nova Orleães – interrompeu-o o outro, com uma beligerância sepulcral.

– Sim, sim – concordou rapidamente o Sr. Talliaferro – ... e um escultor. Está a ver? – apelou ele ao homem semita. O homem semita encarou o olhar importuno do Sr. Talliaferro com uma expressão amável, sem resposta. Fairchild virou-se para ele.

– Iremos... – começou. Depois: – O que achas?

O homem semita olhou-o por instantes.

– Acho que, com toda a certeza, precisamos do Gordon.

Fairchild voltou a rir-se e concordou:

– Sim, presumo que tens razão.

7

O empregado levou o troco a Fairchild e manteve-se cortesmente ao lado deles, quando se levantaram. O Sr. Talliaferro captou a atenção de Fairchild e inclinou-se, timidamente, baixando o tom de voz.

– Ei? – disse Fairchild na sua voz forte e jovial, sem a baixar.

– Gostaria que me concedesse um momento, se tiver tempo. O seu conselho...

– Mas não esta noite? – perguntou Fairchild, alarmado.

– Sim. – O Sr. Talliaferro mostrava-se ligeiramente apologético. – Apenas alguns momentos, se estiver sozinho... – apontou significativamente para os outros dois com a cabeça.

– Não, esta noite não pode ser. O Julius e eu vamos passar o serão juntos. – O rosto do Sr. Talliaferro esboçou uma expressão desanimada, e Fairchild acrescentou num tom de voz bondoso: – Talvez numa noutra altura.

– Sim, claro – concordou o Sr. Talliaferro, com toda a correção. – Numa outra altura.

8

O carro subiu sibilante o caminho de acesso e deu a volta à casa. Havia uma luz vaga no alpendre, atrás das trepadeiras. Saíram do veículo e a Sr.ª Maurier atravessou o alpendre e entrou a tinir e a chocalhar pela porta envidraçada. A sobrinha contornou a esquina e seguiu pelo alpendre fora até ao lugar onde o seu irmão estava sentado, sem casaco, num divã, sob um candeeiro de parede, atrás de um recanto intervalado com verga e chita e revistas alegremente dispostas numa mesa. Havia um pequeno amontoado de aparas aos seus pés que se lhe agarrava às calças, e com a serra de carpinteiro na mão debruçava-se por cima de algo que tinha no colo. A serra arranhava rabugenta e monotonamente, e ela parou a seu lado a coçar o joelho. Naquele momento, ele levantou a cabeça.

– Olá – disse, sem qualquer entusiasmo. – Vai à biblioteca e traz-me um cigarro.

– Tenho um comigo, algures. – Ela vasculhou os bolsos do seu vestido de linho, mas sem êxito. – Onde? – Pensou por um instante, abriu o bolso com a mão e olhou para o interior. Depois disse: – Oh, sim – e tirou o chapéu. Tirou da copa um cigarro amassado. – Devo ter outro – pensou em voz alta, voltando a procurar no chapéu. – No entanto, parece que é só este. – Estendeu-lhe o cigarro e atirou o chapéu para o divã ao lado dele.

– Cuidado – disse o irmão, rapidamente –, não o ponhas aí. Preciso de todo este espaço. Põe-lo noutro sítio qualquer, está bem? – Empurrou o chapéu do divã para o chão, e aceitou o cigarro. O tabaco estava parcialmente desfeito e mole, como um verme. – O que andaste a fazer com ele? De qualquer maneira, há quanto tempo o tens? – Ela sentou-se ao seu lado e ele riscou um fósforo na coxa.

– Que tal está a correr, Josh? – perguntou, estendendo uma mão para o objeto que ele tinha no colo. Era um cilindro de madeira maior do que um dólar de prata e com uns sete centímetros e meio de comprimento. Ele desviou-a com a mão que segurava o fósforo aceso, enfiando o cotovelo debaixo do queixo da irmã.

– Estou-te a dizer para deixares isso em paz.

– Oh, está bem. Não te irrites. – Afastou-se ligeiramente e ele voltou a pegar na serra, pousando o cigarro aceso entre ambos no divã de verga. Uma fina espiral de fumo ergueu-se no ar sem vento, e passado pouco sentiu-se um ligeiro odor de algo a queimar-se. Ela pegou no cigarro, deu-lhe uma passa e voltou a pousá-lo de modo a que não queimasse a verga. A serra chiou sacudida e levemente; no exterior, para lá das trepadeiras, insetos esfregavam-se monotonamente uns contra os outros na escuridão densa, desfalecida. Uma traça, que se escapara da porta de arame do alpendre, girou idiotamente sob e à volta da luz. Ela levantou a saia para olhar para uma pequena mancha febril no seu joelho moreno... A serra chiou sacudidamente, parou, e ele voltou a colocá-la de lado. O cilindro estava dividido em duas secções que se encaixavam uma na noutra, e ela colocou um pé debaixo do outro joelho, debruçando-se para o observar, a respirar contra o seu pescoço. Ele moveu-se inquieto, e ela disse por fim:

– Diz-me, Gus, quanto tempo ainda demoras para o terminares?

Ele levantou o rosto, suspendendo a lâmina da sua faca. Eram gémeos: tal como havia algo de masculino no maxilar dela, havia algo de feminino no dele.

– Por amor de Deus – exclamou –, não me podes deixar em paz? Vai-te embora e puxa a roupa para baixo. Nunca te cansas de andares a exibir as pernas?

Um negro de tez clara num casaco engomado contornou silenciosamente a esquina. Quando levantaram os olhos, afastou-se sem falar.

– Está bem, Walter – disse ela. Mas ele já tinha desaparecido. Seguiram-no, deixando o cigarro a erguer a sua espiral firme e um ligeiro odor a verga queimada no ar sonolento.

9

tolo tolo tens trabalho a fazer ó amaldiçoado dos deuses amaldiçoado e esquecido formam-se formas astuciosamente suadas astuciosas até tomarem a forma da simplicidade saídas do caos mais satisfatórias do que pão para o estômago formadas pelo sonho de um louco que se introduz no corpo do caos *le garçon vierge* da alma encornada pela utilidade ó marido enganado da irrisão.

O armazém, o cais, era um retângulo formal sem perspetiva. Achatados como um cartão, a projetarem um ténue ângulo imóvel contra um céu ligeiramente mais claro e não tão próximo e fatigado, os mastros de um cargueiro erguiam-se contra a doca. Forma e utilidade, repetiu Gordon para si mesmo. Ou forma e acaso. Ou acaso e utilidade. Por baixo de tudo aquilo, na penumbra sombria do armazém, onde homens tinham suado e trabalhado, através do soalho vazio que recentemente trovejara com o ruído de camiões, entre os odores ricos e demasiado maduros dos confins da terra – café e resina e estopa e fruta – ele caminhou, cercado por fantasmas, continuando a avançar.

O casco do cargueiro avolumava-se, castelo da proa e popa a levantarem-se escuros aguçados, sólidos, a cortarem a visão, a erguerem a sua superestrutura para o céu. O rio invisível continuava a bater um som incessante contra o casco, a embalá-lo com uma simulação do mar, à volta dos pilares do pontão. A costa e o rio curvavam-se como os corpos de dois adormecidos escuros e abraçados, curvados um sobre o outro no seu sono; e muito à distância do outro lado do Point, luzes amontoadas tremeluziam como uma pilha de cinzas ainda vivas ao vento. Gordon deteve-se, debruçando-se sobre a extremidade do pontão, a olhar para a água.

estrelas no meu cabelo no meu cabelo e barba estou coroado com estrelas cristo pela sua própria mão um autogetsémani escuro esculpido no espaço puro mas não rígido não não um lamaçal fecundo e sórdido sem músculo o corpo trágico plácido de uma mulher que concebe sem prazer que aguenta sem dor

o que é que eu lhe diria tolo tolo tens trabalho a fazer não tens nada amaldiçoado intolerante e sujo demasiado quentes os teus malditos ossos depois o uísque também irá servir ou um cinzel e um malho qualquer maldito esquilo se mantém quente numa gaiola continua continua depois israfel[7] revoltou-se surpreendido atrás de uma pequena meda de feno por um parente masculino força de moral transformou-se na chama de um fósforo abafada por uma pequena barriga branca onde é que foi que eu uma vez vi um cornizo não branco mas castanho-claro como nata o que é que lhe dirás a ela amarga e jovem como uma chama queimada pelo sol amarga e jovem aqueles dois pequenos caracóis sedosos algures sob o seu vestido de corninhos rosados e no entanto relutantes ó israfel encerai as vossas asas com a ligeira humidade inodora das suas coxas estrangula o teu coração com cabelo louco louco amaldiçoado e esquecido por deus

---

[7] O anjo da trombeta do islamismo, apesar de o seu nome nunca surgir citado no Corão. Juntamente com Miguel, Djibril e Izra'il é um dos quatro arcanjos do islão. *(N. da T.)*

Lançou a cabeça para trás e soltou uma gargalhada ruidosa na solidão. A sua voz ergueu-se como uma vaga escura contra o muro atrás dele, de seguida vazou para o exterior sob o rio impercetível, sem forma, e morreu lentamente ao longe... depois da outra costa um eco sem alegria troçou dele, e também esse morreu ao longe. Continuou a avançar pelo pontão escuro que cheirava a resina.

Naquele momento chegou a uma fenda na monotonia negra e sem fundo do muro, e de novo o muro assumiu o significado formal puro e inevitável aguçado contra o brilho da cidade. Virou as costas ao rio e passado pouco encontrava-se entre os vagões de mercadorias pretos e angulares, indefinidos; e pelos carris abaixo, muito mais longe do que parecia, um motor cintilou e arfou enquanto filamentos de aço irradiavam dele em direção e à volta dos seus pés e eram como veias incandescentes numa folha escura.

Havia uma Lua, baixa e gasta no céu, parcialmente manuseada como uma moeda velha, e ele continuou. Acima de palmeiras e bananeiras, as espiras da catedral erguiam-se sem perspetiva no céu quente. Olhar por entre a vedação alta para a Praça Jackson era como olhar para dentro de um aquário – um verde nebuloso húmido e imóvel de uma cor de absinto de todas as tonalidades desde um negro tinta a um ténue e rígido toque de prata em romãzeiras e mimosas –, como coral num mar sem marés, entre o qual luzes globulares pendiam como alforrecas embaciadas que não se tinham extraviado, incandescentes e no entanto sem parecerem emitir luz; e no centro daquilo, o êxtase de mergulho barroco de Andrew nimbado a toda a volta por leves centelhas como se também ele tivesse sido recentemente molhado.

Atravessou a rua para a sombra, seguindo o muro. Duas figuras indistintas encontravam-se junto da sua porta.

– Desculpe – disse ele, tocando perentoriamente no homem mais próximo, e ao fazê-lo o outro homem virou-se.

– Ora, aqui está ele – disse o homem que se virara. – Olá, Gordon, o Julius e eu andávamos à tua procura.

– Sim? – Gordon erguia-se acima dos dois homens mais baixos, a olhá-los de cima, distante e arrogante. Fairchild tirou o chapéu, e limpou o rosto. Depois sacudiu inutilmente o lenço à volta da cabeça.

– Não me importo com o calor – explicou ele, irritado. – De facto, até gosto dele. Como um velho cavalo de corridas, percebem. Está bastante disposto a correr, percebem, mas com o tempo frio quando os seus músculos estão rijos e os ossos lhe doem, os jovens exibem-se perante ele. Mas quando chega ao 4 de julho, quando o sol fica quente e os seus músculos se soltam e os seus velhos ossos já não se queixam, fica então tão bom quanto qualquer um deles.

– Sim? – repetiu Gordon, olhando por cima deles para a sombra. O homem semita tirou o charuto da boca.

– Amanhã, estar-se-á melhor na água – disse.

Gordon cismava acima deles. Depois recompôs-se.

– Subam – ordenou abruptamente, acotovelando o homem semita para um lado e estendendo a sua chave da entrada.

– Não, não – objetou Fairchild, rapidamente. – Não nos vamos demorar. O Julius acabou de me recordar: viemos ver se mudaste de ideias e vens connosco amanhã, no barco da senhora Maurier. Vimos o Tal...

– Mudei – Gordon interrompeu-o. – Também vou.

– Isso é ótimo – concordou Fairchild, animadamente. – Provavelmente não te vais arrepender muito. Ele até pode gostar, Julius – acrescentou. – Além disso, será sensato da tua parte ires e acabares com o assunto, depois ela deixa-te em paz. Afinal, não te podes dar ao luxo de ignorares pessoas que possuem comida e automóveis, sabes. Não pode, pois não, Julius?

O homem semita concordou.

– Quando ele se atravanca com pessoas (algo que não pode evitar fazer) que, pelo menos, seja com pessoas que possuem comida e uísque e carros a motor. Quanto menos inteligentes, melhor. – Acendeu um fósforo e aproximou-o do charuto. – Mas, de qualquer maneira, não vai durar muito tempo com ela. Vai durar ainda menos tempo do que nós – disse ele a Fairchild.

– Sim, parece-me que tens razão. De qualquer modo, devia manter uma trela nela. Se tu mesmo não consegues cavalgar ou conduzir a besta, é boa ideia mantê-la numa pastagem próxima; pode ser que um dia a possas trocar por alguma coisa, sabes.

– Por exemplo, por um Ford ou um rádio – sugeriu o homem semita. – Mas a tua analogia está errada.

– Errada? – repetiu o outro.

– Estavas a falar do ponto de vista do cavaleiro – explicou.

– Oh – disse Fairchild. Emitiu um som depreciativo. – O Ford é bom – disse ele, num tom pesado.

– Eu acho que o «rádio» também é bastante bom – disse o outro, num tom complacente.

– Oh, cala-te. – Fairchild voltou a pôr o chapéu. – Então, vens connosco – disse ele a Gordon.

– Sim. Vou. Mas não querem subir?

– Não, não, esta noite não. Conheço o teu lugar, sabes. – Gordon não respondeu, a sua cabeça alta a cismar na sombra. – Bem, vou-lhe telefonar e pedir que amanhã te envie um carro – acrescentou, tardiamente. – Boa noite. Vamos, Julius.

Atravessaram a rua e entraram na praça. Uma vez no interior dos portões foram assaltados, emboscados por trás de cada folha e lâmina de relva com um deleite silencioso, perverso.

– Santo Deus – exclamou Fairchild, fazendo rodar enlouquecidamente o lenço à sua volta –, vamos até ao cais. Talvez ali não haja nenhuns náuticos. – Apressou-se, o homem semita a avançar vagarosa e tranquilamente ao seu lado, a segurar o seu charuto apagado.

– É um tipo engraçado – observou o homem semita. Esperaram que passasse um elétrico, depois atravessaram a rua.

O cais, o molhe, era um retângulo formal com dois mastros esguios a projetarem-se acima deles num ângulo suave. Prosseguiram por entre dois edifícios escuros e voltaram a parar enquanto uma locomotiva de manobras puxava uma interminável monotonia de vagões pelos carris acima.

– Ele devia sair mais vezes de si mesmo – observou Fairchild. – Não se pode ser sempre um artista. Acaba por se enlouquecer.

– Tu não podias – corrigiu-o o outro. – Mas também não és artista. Há algures dentro de ti um estenógrafo com um dom para as pessoas, mas exteriormente podes ser qualquer coisa. Só és artista quando estás a falar de pessoas, enquanto o Gordon não é artista apenas quando está a cortar um pedaço de pedra ou madeira. E é muito difícil para um homem como ele estabelecer relações funcionais com as pessoas. Outros artistas estão demasiado ocupados a brincar com os seus próprios egos, pessoas prosaicas não podem ou não querem incomodar-se com ele, por isso as suas alternativas são a misantropia ou a interminável tagarelice de irmãs de acolhimento estéticas de ambos os sexos. Em especial se o seu grupo for banido da cidade de Nova Iorque.

– Aí estás tu; de novo a depreciar o nosso Bairro Francês. Onde está o teu orgulho cívico? Onde está até a tua cortesia comum? Nem o cão morde a mão que lhe dá de comer.

– Faixa de milho[8] – disse o outro, conciso –, conversa do Indiana. Vocês ali em cima nascem com o complexo do reforço,

---

[8] Nome que se dá à região agrícola dos Estados Unidos onde se cultiva predominantemente milho e que inclui os estados do Iowa, Illinois, Indiana, Nebraska e Kansas Oriental, Minnesota Meridional, e algumas partes do Missouri. *(N. da T.)*

não é verdade? Ou adquirem-no com os pescoços bronzeados?

– Oh, bem, nós, nórdicos, estamos em desvantagem – respondeu Fairchild. O seu tom era untuoso, e o outro detetou nele algo de falsamente honesto. – Temos de fixar as nossas ideias num lugar terrestre. Embora saibamos que é de segunda categoria, é o melhor que podemos fazer. Mas o teu povo tem todo o céu para a tua velha cidade natal, sabes.

– Eu podia perdoar tudo, exceto a grosseria imperdoável disso – disse-lhe o outro. – A tua ideia não é má. Porque não a dás ao Mark Frost, assim por alto, percebes, e deixas que ele a desembarace por ti? Tu e ele podiam ambos usá-la, isto é, se fores suficientemente rápido.

Fairchild riu-se.

– Agora estás a denegrir o nosso estilo de vida boémio de Nova Orleães; mantém-te afastado de nós, se não gostas dele. Quanto a mim, gosto: há uma espécie de futilidade encantadora em relação a isso, como...

– Como um *country club* onde se joga críquete em vez de golfe – sugeriu o outro.

– Bem, sim – concordou Fairchild. – Qualquer coisa desse género. – O armazém erguia-se acima deles, e entraram e passaram por entre os fantasmas dos confins da terra. – Um jogador de críquete pode não ser um grande fura-vidas, mas o que achas de um homem que se limita a ficar sentado a criticar o críquete?

– Bem, eu sou como o resto de vocês, imortais: tenho de passar o tempo de alguma maneira, para conseguir arranjar alguma ideia do que fazer na eternidade – respondeu o homem semita.

Atravessaram o armazém e saíram para a doca. Ali estava mais fresco, mais silencioso. Dois *ferries* passaram e voltaram a passar como um par de cisnes dourados num ciclo estéril de cortejamento. A costa e o rio curvavam-se ao longe numa sonolência escura envolvente até ao local onde um amontoado de minúsculas luzes tremeluziam e tremiam, incorpóreas e longínquas. Ali estava muito mais fresco e eles tiraram os chapéus. O homem semita tirou o charuto apagado da boca e atirou-o para a frente. Silêncio, água, noite absorveram-no sem um som.

O PRIMEIRO DIA

Dez Horas

O *Nausikaa* estava ancorado na doca – uma coisa bonita, com o seu casco branco, matronal, uma superstrutura de mogno e bronze, e a bandeira do clube náutico no cimo. Um vento firme e estável soprava vindo do lago e a Sr.ª Maurier, tendo já sentido nele um sabor a mar, pusera na cabeça o seu boné de vela e agora chocalhava e tinia num êxtase alegre, sem significado. Os seus dois carros tinham feito diversas viagens e iriam fazer mais umas quantas, rastejando e saltando ao longo da estrada macadamizada inferior sobre e ao lado da qual o rasto de Coca-Cola e de chocolate de amêndoas traía o covil dos cachorros quentes e dos menos de um por cento. Toda a alegria da partida sob um dia perfeito, deixando para trás a cidade carregada de calor, e uma brisa demasiado firme para que as malditas coisas se lançassem sobre eles. Os seus convidados, cada um com o seu frasco de loção de amêndoa e protetor solar, embarcavam em vagas tagarelas e animadas, chamando, «Ó de bordo», e outros gritos náuticos adequados, enquanto várias pessoas reunidas ao longo do cais os observavam com um interesse taciturno. A Sr.ª Maurier com o seu boné de vela chocalhava e tinia numa excitação alegre e sem sentido.

No convés superior, onde o criado de bordo lhes abria espreguiçadeiras, juntavam-se os seus convidados com a sua roupa colorida, vestidos em *batik*, gravatas esvoaçantes e colarinhos abertos para o mar alto, informais e coloridos com a exceção de Mark Frost, o jovem fantasmagórico, poeta que produzia um ocasional poema obscuro e cerebral em quatro ou sete linhas que de algum modo nos fazia recordar uma evacuação excruciante e incompletamente executada. Vestia sarja bem passada e um colarinho alto e engomado, e pediu um cigarro ao criado de bordo e estendeu-se imediatamente ao comprido sobre qualquer coisa, como era seu hábito. A Sr.ª Wiseman e Jameson, a flanquearem o Sr. Talliaferro, também estavam sentadas com cigarros nas mãos. Fairchild acompanhado por Gordon, pelo homem semita e por um desconhecido corado com roupa de *tweed* grossa, transportavam entre eles várias malas de aparência pesada, e tinham descido de imediato.

– Estamos todos aqui? Estamos todos aqui? – cantarolava a senhora Maurier sob o seu boné de vela, movendo o olhar por entre os seus convidados. A sua sobrinha encontrava-se apoiada à amurada da popa ao lado de uma rapariga loira e afável, com um vestido verde ligeiramente molhado. Olhavam ambas para terra onde na ponta do passadiço vagueava um jovem numa espécie de beligerância taciturna, a fumar cigarros. A sobrinha disse, sem virar a cabeça:

– O que se passa com ele? Porque não sobe a bordo?

A atenção do jovem parecia estar concentrada em qualquer outro lugar, menos no barco, e, no entanto, ele estava tão obviamente ali, à vista, beligerante e taciturno. A sobrinha exclamou:

– Ei! – Depois disse: – Como é que ele se chama? Era melhor dizeres-lhe para subir, não era?

A rapariga loira silvou «Pete» num tom reprimido. O jovem inclinou um centímetro o seu chapéu de palha rijo e a rapariga loira acenou-lhe. Ele empurrou o chapéu para a nuca: toda a sua atitude dava a impressão de que estava muito longe dali.

– Não vens connosco? – perguntou a rapariga loira, naquele tom sub-reptício.

– Qu' tás a dizer? – respondeu ruidosamente, de modo que todos olharam para ele; até o poeta reclinado levantou a cabeça.

– Sobe a bordo, Pete – chamou a sobrinha. – Sê tu mesmo.

O jovem tirou outro cigarro do maço. Abotoou o casaco justo.

– Bem, acho que o vou fazer – concordou, no seu tom elevado.

A Sr.ª Maurier manteve a sua expressão de espanto infantil enquanto o jovem subia o passadiço. Ele evitou-a delicadamente, saltando por cima da amurada com aquela agilidade fluida dos jovens.

– És o novo criado de bordo? – perguntou ela, num tom de dúvida, piscando os olhos.

– Claro, minha senhora – concordou, cortês, enfiando o cigarro na boca. Os outros convidados olharam para ele das suas espreguiçadeiras, e, inclinando o chapéu para a frente, expôs-se aos seus olhares, dirigindo-se à popa para se juntar às duas raparigas. A Sr.ª Maurier olhou espantada para as costas do seu casaco aberto. Depois olhou para a rapariga loira ao lado da sobrinha. Voltou a piscar os olhos.

– Ora... – começou. De seguida, disse: – Patricia, quem...

– Oh, sim – disse a sobrinha –, esta é... – virou-se para a rapariga loira. – Como te chamas, Jenny? Esqueci-me.

– Genevieve Steinbauer – disse a rapariga loira.

–... a menina Steinbauer. E este é o Pete Qualquer Coisa. Encontrei-os na Baixa. Eles também querem ir.

A Sr.ª Maurier transferiu o seu espanto da beleza vagamente madura de Jenny para o rosto ousado e desconfortável de Pete.

– Mas, ele é o novo criado de bordo, não é?

– Não sei. – A sobrinha voltou a olhar para Jenny. – É? – perguntou. Jenny também não o sabia. O próprio Pete parecia desconfortavelmente reservado.

– Nã sei – respondeu ele. – Disseste-me para vir – acusou a sobrinha.

– Ela quer saber – explicou a sobrinha –, se vieste para trabalhar no barco.

– Eu não – respondeu rapidamente Pete. – Não sou marinheiro. Se espera que eu dirija este *ferry* por ela, eu e a Jenny vamos voltar à cidade.

– Não tens de o dirigir. Ela tem os homens habituais para o fazer. De qualquer maneira, ali está o seu criado de bordo, tia Pat – disse a sobrinha. – O Pete apenas queria vir com a Jenny. Apenas isso.

A senhora Maurier olhou. Sim, ali estava o criado de bordo, a descer as escadas com um monte de bagagem. Ela voltou a olhar para Pete e Jenny, mas naquele momento vozes vindas da popa quebraram o seu espanto. O capitão desejava saber se podia zarpar: a mensagem foi retransmitida por todos os presentes.

– Estamos todos aqui? – voltou a Sr.ª Maurier a cantarolar, esquecendo Jenny e Pete. – O senhor Fairchild... Onde é que ele está? – Virou o seu rosto redondo e frenético, tentando contar narizes. – Onde está o senhor Fairchild? – repetiu ela, em pânico. O seu carro estava a fazer marcha atrás e a preparar-se para virar, e correu até à amurada e gritou ao motorista. Ele parou o carro, bloqueando completamente a estrada, e deixou pender a cabeça resignado. A Sr.ª Wiseman disse:

– Ele está cá. Veio com o Ernest. Não veio?

O Sr. Talliaferro corroborou o que ela dissera e a Sr.ª Maurier virou de novo o seu olhar frenético, tentando contá-los. Um marinheiro saltou para terra e começou a retirar os cabos de popa e proa sob o olhar taciturno das pessoas ali paradas. O timoneiro enfiou a cabeça pela janela da casa do leme, e ele e o marinheiro de convés berraram um com o outro. O marinheiro voltou a saltar para bordo e o *Nausikaa* moveu-se ligeiramente na água, como um suspiro a despertar sem som. O criado de bordo puxou o passadiço para cima e o telégrafo da casa das máquinas soou ao longe. O *Nausikaa* avançou, estremecendo um pouco, e à medida que um intervalo de água aumentava entre o cais e o barco sem qualquer sensação de movimento, o segundo carro da Sr.ª Maurier surgiu a oscilar e a buzinar enlouquecidamente perante todos, e a sobrinha, que estava sentada no convés a descalçar as meias disse:

– Aí vem o Josh.

A Sr.ª Maurier guinchou. O carro parou e o seu sobrinho saiu sem pressas. O criado de bordo, que enrolava o cabo de popa no chão, voltou a levantá-lo e atirou-o borda fora por cima do intervalo de água crescente. O telégrafo voltou a tocar e o *Nausikaa* suspirou e voltou a adormecer, embalando-se tranquilamente.

– Despacha-te, Josh – gritou a irmã.

A Sr.ª Maurier voltou a guinchar e duas das pessoas que se encontravam no cais apanharam o cabo e cravaram os calcanhares no chão enquanto o sobrinho, sem casaco nem chapéu, se aproximava sem pressas e subia a bordo, carregando uma nova serra de carpinteiro.

– Tive de ir à Baixa comprar uma – explicou ele, casualmente. – O Walter não me deixou trazer a sua.

Onze Horas

Por fim, a Sr.ª Maurier conseguiu apanhar a sobrinha. Nova Orleães, o cais, o clube náutico, estavam já muito para trás. O *Nausikaa* acelerava juvenil e alegremente sob um dia azul e sonolento, e sob o seu beque erguia-se uma pequena onda de proa que se abria num leque calmo e desvanecido. Agora os convidados da Sr.ª Maurier não lhe podiam escapar. Tinham-se instalado confortavelmente no convés: não havia nada para onde olharem exceto uns para os outros, nada a fazer exceto esperarem pelo almoço. Todos, exceto Jenny e Pete. Pete, que segurava o chapéu na cabeça, ainda se encontrava na amurada da popa com Jenny ao seu lado. A expressão dela era a de uma adulação afável e fútil, e Pete mostrava-se contido e insensível. A Sr.ª Maurier soltou um suspiro de espanto e alívio temporário, e puxou a sobrinha para as escadas da popa.

– Patricia – exigiu –, por que raio convidaste aqueles dois... jovens?

– Só Deus o sabe – respondeu a sobrinha, olhando para lá do boné de vela da tia para Pete, beligerante e constrangido ao lado da placidez bovina e branca de Jenny. – Só Deus o sabe. Se quer voltar para trás e deixá-los em terra, não deixe que eu me meta no seu caminho.

– Mas porque os convidaste?

– Bem, eu não podia adivinhar que eles se iam mostrar tão irritantes, pois não? E foi a tia que disse que não vinham mulheres suficientes. Disse-o ainda ontem à noite.

– Sim, mas para quê convidar aqueles dois? Quem são eles? Onde é que conheceste tais pessoas?

– Conheci a Jenny na Baixa. Ela...

– Eu sei; mas como é que a conheceste? Há quanto tempo a conheces?

– Conheci-a hoje de manhã, na Baixa. No Holmes, enquanto estava a comprar um fato de banho. Ela disse que gostaria de vir, mas o outro estava à espera dela na rua e fez finca-pé, disse que não podia vir sem ele. Presumo que seja o seu noivo.

O espanto da Sr.ª Maurier era agora genuíno.

– Estás a dizer – perguntou ela, numa descrença chocada –, que nunca viste estas pessoas antes? Que convidaste duas pessoas que nunca viste antes para te acompanharem numa festa, no meu barco?

– Só convidei a Jenny – explicou pacientemente a sobrinha. – O outro teve de vir para ela também o poder fazer. Não queria particularmente que ele o fizesse. E como a podia conhecer se nunca a tinha visto antes? Se a conhecesse, a tia pode apostar que não a teria convidado. No que me diz respeito, é uma verdadeira desgraça. Mas hoje de manhã não consegui ver isso. Na altura, achei que estava tudo bem com ela. Raios, olhe para eles. – Viraram-se ambas para olharem para Jenny no seu vestido verde e banal, e para Pete, que ainda segurava o chapéu. – Bem, eu é que os trouxe; acho que terei de evitar que os ofendam. De qualquer maneira, acho que vou arranjar um cordel ao Pete para que ele mantenha o chapéu enfiado na cabeça. – Içou-se facilmente escadas acima; a Sr.ª Maurier viu com uma surpresa horrorizada que ela não usava nem meias nem sapatos.

– Patricia! – guinchou. A sobrinha parou, olhando por cima do ombro. Sem falar, a tia apontou para as suas pernas nuas.

– Cace lá a vela, tia Pat – respondeu a sobrinha, bruscamente –, está a cambar.

O almoço foi servido no convés, em mesas de jogo desmontáveis encostadas umas às outras. Quando ela apareceu todos os seus convidados a olharam animados, um pouco curiosos. A Sr.ª Maurier, distraída, apascentou-os em direção às mesas.

– Sentem-se onde quiserem, meus amigos – disse ela, num tom cantarolado. – Nesta viagem, as raparigas constituirão o prémio. Lembrem-se de que ao vencedor pertence a rapariga mais bela. – Aquilo soou-lhe um pouco estranho, por isso repetiu: – Sentem-se onde quiserem, meus amigos; os cavalheiros devem fazer... – Olhou em volta para os seus convidados e a sua voz interrompeu-se. O seu grupo consistia na Sr.ª Wiseman, na menina Jameson, nela mesma, em Jenny e Pete amontoados atrás da sua sobrinha, no Sr. Talliaferro e no seu sobrinho, que já se sentara. – Onde estão os cavalheiros? – perguntou para a geral.

– Saltaram borda fora – murmurou Pete sombriamente, sem ser ouvido, a segurar o chapéu. Os outros ficaram calados, a observá-la animados.

– Onde estão os cavalheiros? – repetiu a Sr.ª Maurier.

– Se parasse de falar por um momento, não teria de o perguntar – disse-lhe o sobrinho. Ele já se sentara e comia agora à colherada uma toranja com uma celeridade preocupada.

– Theodore! – exclamou a tia.

Ouviu-se vinda de baixo uma mistura indistinguível de sons, vagamente joviais.

– Grande algazarra – acrescentou o sobrinho, erguendo os olhos para a expressão reprovadora da tia. – Tenho pressa – explicou ele. – Tenho de terminar. Não posso esperar por aquelas aves. – Reparou pela primeira vez nos convidados da irmã. – Quem são os teus amigos, Gus? – perguntou, desinteressado. Depois voltou a lançar-se à sua toranja.

– Theodore! – voltou a exclamar a tia. Os sons joviais e indistinguíveis aumentaram, transformando-se em gargalhadas. A Sr.ª Maurier revirou os seus olhos espantados. – O que poderão eles estar a fazer?

O Sr. Talliaferro moveu-se deferente, delicado.

– Se quiser...?

– Oh, senhor Talliaferro, se tivesse essa amabilidade – aceitou a Sr.ª Maurier, emocionada.

– Mande o criado de bordo, tia Pat. Vamos comer – disse a sobrinha, empurrando Jenny para a frente. – Vamos, Pete. Dá-me o teu chapéu – acrescentou, oferecendo-se para ficar com ele. Pete recusou-se a entregá-lo.

– Esperem – interveio o sobrinho. – Vou fazê-los subir. – Pegou no prato grosso e, atirando a casca da toranja borda fora, virou-se de lado na cadeira e com o prato martelou no convés um *staccato* vigoroso.

– Theodore! – exclamou a tia pela terceira vez. – Senhor Talliaferro, se não se importar...

O Sr. Talliaferro apressou-se em direção às escadas e desapareceu.

– Ah, mande o criado de bordo, tia Pat – repetiu a sobrinha. – Vá lá, vamo-nos sentar. Para com isso, Josh, por amor de Deus.

– Sim, senhora Maurier, não vamos esperar pelos outros – concordou a Sr.ª Wiseman, que também se sentou. Os outros seguiram-na de imediato. A Sr.ª Maurier revirou os seus olhos inquietos.

– Bom – acabou por dizer. Depois olhou para Pete, ainda a segurar o chapéu. – Eu fico com o seu chapéu – ofereceu, estendendo a mão. Pete esquivou-se-lhe rapidamente.

– Cuidado – disse –, é meu. – Moveu-se por trás de Jenny e colocou o chapéu atrás dele na sua cadeira.

Nesse momento apareceram os cavalheiros vindos de baixo, a falarem ruidosamente.

– Ah, desgraçados – começou a anfitriã com uma coquetaria flácida, a apontar-lhes o dedo. Fairchild vinha à frente, volumoso e jovial, com passos ligeiramente cambaleantes. O Sr. Talliaferro fechava a retaguarda: também ele tinha agora um ar temporariamente emancipado.

– Imagino que tenha pensado que tivéssemos saltado do barco – sugeriu Fairchild, alegremente apologético. A Sr.ª Maurier procurou os olhos evasivos do Sr. Talliaferro. – Estávamos a ajudar o major Ayers a encontrar os seus dentes – acrescentou Fairchild.

– Perdi-os naquela pequena coelheira, onde nos encontramos – explicou o homem corado. – Não os consegui encontrar logo. Sem dentes, nada de paparoca, compreende. Se não se importa? – murmurou ele delicadamente, sentando-se ao lado da Sr.ª Wiseman. – Ah, toranja. – Voltou a levantar a voz. – Que agradável, não via uma toranja desde que partimos de Nova Orleães, ei, Julius?

– Perdeu os seus dentes? – repetiu a Sr.ª Maurier, atordoada. A sobrinha e o seu irmão olharam interessados para o homem corado.

– Caíram-lhe da boca – explicou Fairchild, sentando-se ao lado da menina Jameson. – Estava a rir-se de qualquer coisa que o Julius disse, e caíram-lhe da boca e alguém deu-lhes um pontapé para debaixo do beliche, percebe. O que disseste, Julius?

Talliaferro preparou-se para se sentar ao lado do homem corado. A Sr.ª Maurier voltou a chamar-lhe a atenção, forçando-o e conquistando-o com uma ordem alegre. Levantou-se e sentou-se na cadeira junto da dela, e ela inclinou-se para ele, a fungar.

– Ah, senhor Talliaferro – murmurou, com uma implacabilidade brincalhona –, que maroto, que maroto.

– Foi apenas um golinho... eles foram bastante insistentes – desculpou-se o Sr. Talliaferro.

– Vocês, homens, seus homens marotos. Contudo, desta vez, perdoo-vos – respondeu ela. – Toque a campainha, por favor.

O rosto flácido e olhos escuros e compassivos do homem semita presidiam à cabeceira da mesa. Gordon manteve-se de pé durante um pouco depois de os outros se terem sentado, e de seguida aproximou-se e sentou-se entre a Sr.ª Maurier e a sua sobrinha, com uma arrogância repentina. A sobrinha olhou para ele por instantes.

– Olá, Barba Negra. – A Sr.ª Maurier sorriu-lhe, automaticamente. Disse:

– Oiçam, meus amigos. O senhor Talliaferro tem algo a anunciar. A respeito da prontidão – acrescentou ela a Talliaferro, pousando a mão na sua manga.

– Ah, sim. Tenho a dizer-vos que vocês, meus amigos, quase perdiam o almoço. Nós não íamos esperar. A partir de hoje, a hora de almoço é meia hora depois do meio-dia, e todos devem estar imediatamente presentes. Disciplina náutica, percebem. Ei, comodoro?

A anfitriã corroborou.

– Têm de ser bons meninos – acrescentou ela, com um alívio brincalhão, a olhar em volta da mesa. A sua expressão preocupada voltou. – Mas, há um lugar vazio. Quem não está aqui? – Passou os olhos por eles num alarme crescente. – Alguém não está aqui – repetiu. Teve uma visão rápida e terrível de ter de voltar por causa de um convidado, de interrogatórios e repórteres e cabeçalhos, e de nádegas a boiarem inertes em alguma ponta isolada do lago, nádegas que mais tarde iriam dar à costa com aquela implacabilidade muda e inoportuna dos afogados. Os convidados olharam uns para os outros, depois para o lugar vago, de seguida de novo uns para os outros. A Sr.ª Maurier tentou fazer uma chamada mental, olhando para cada um. Naquele momento, a menina Jameson disse:

– Ora, mas é o Mark, não é?

Era o Mark. Tinham-se esquecido dele. A Sr.ª Maurier despachou o criado de bordo, que encontrou o poeta fantasmagórico ainda estendido ao comprido no convés superior. Ele apareceu na sua sarja engomada, banhando-os por instante no seu olhar claro.

– Deixou-nos um pouco aflitos, meu caro amigo – informou-o o Sr. Talliaferro reprovador, tomando nas suas mãos os deveres de anfitrião.

– Estava a perguntar-me quanto tempo se passaria, até que alguém achasse adequado informar-me de que o almoço estava pronto – respondeu o poeta com uma dignidade fria, sentando-se.

Fairchild, que o observava, respondeu abruptamente:

– Diz-me, Julius, o Mark é o homem indicado para o major Ayers, não achas? Ora, major, aqui está um homem que lhe vai ficar com o primeiro frasco. Conte-lhe a sua ideia.

O homem corado olhou afavelmente para o poeta.

– Ah, sim. São sais, percebe. Deita-se um pouco com uma colher na sua...

– São quê? – perguntou o poeta, pousando a colher e olhando para o homem corado. Os outros também pousaram os seus talheres e olharam para o homem corado.

– São sais – explicou ele. – Como os sais que temos em casa, percebe...

– São...? – repetiu a Sr.ª Maurier. Os olhos do senhor Talliaferro sobressaíram ligeiramente.

– Todos os americanos estão obstipados – continuou jovialmente o homem corado –, e podiam servir-se de manhã de um pouco de sais num cálice de água. Ora, a minha ideia é...

– Senhor Talliaferro! – implorou a Sr.ª Maurier. O Sr. Talliaferro mostrou-se trocista.

– Meu caro senhor – começou ele.

–... é colocar os sais num frasco ornamentado, um frasco que fique bem sobre a mesa de cabeceira de qualquer pessoa: alguma espécie de desenho elegante. Todos os americanos o irão comprar. Agora, calculo que a população do vosso país é de vários milhões; e se tivermos em consideração o facto de que todos os americanos sofrem de obs...

– Meu caro senhor – disse o Sr. Talliaferro, mais alto.

– Ei? – disse o homem corado, olhando para ele.

– Em que tipo de frasco é que os colocaria? – perguntou o sobrinho, a sua mente a inflamar-se.

– Alguma espécie de frasco ornamentado que todos os americanos irão comprar...

– A bandeira americana e duas pombas a segurarem notas de dólar nos bicos, com um cabo que quando se puxa é um saca-rolhas – sugeriu Fairchild. O homem corado olhou para ele com uma expressão de interesse calculista.

– Ou – sugeriu o homem semita –, uma pequena tabela condensada para calcular juros de um lado e uma boa receita para cerveja do outro. – O homem corado olhou para ele com interesse.

– Isso é apenas para homens – disse a Sr.ª Wiseman. – E quanto aos ofícios das mulheres?

– Um pedaço de espelho será suficiente para elas, não acha? – sugeriu o homem corado. – Cercado por um desenho colorido, ei?

A Sr.ª Wiseman lançou-lhe um olhar assassino, e o poeta acrescentou:

– E uma fórmula para evitar a conceção, e um lugar secreto para guardar ganchos de cabelo.

A anfitriã gemeu, senhor Talliaferro! A Sr.ª Wiseman disse, selvaticamente:

– Tenho uma ideia melhor do que essa, para ambos os sexos: a sua fotografia de um lado e a Regra Dourada[9] do outro. – O homem corado olhou para ela com interesse. O sobrinho voltou a intervir:

– Quero dizer, já inventou um frasco, já inventou uma maneira de tirar essa coisa do frasco?

– Oh, sim. Já fiz isso. Tira-se com uma colher, percebe.

– Mas diga-me como é que sabe que todos os americanos estão obstipados – sugeriu Fairchild.

A Sr.ª Maurier tocou furiosa e demoradamente a campainha de serviço. O criado de bordo apareceu e ao tirar os pratos e substituí-los por outros, o homem corado inclinou-se para a Sr.ª Wiseman.

– O que é aquele tipo? – perguntou ele, apontando para o Sr. Talliaferro.

– O que é ele? – repetiu a Sr.ª Wiseman. – Ora... acho que vende coisas na Baixa. Não é verdade, Julius? – apelou ao irmão.

– Quero dizer, a que... hum... raça é que ele pertence?

– Oh. Reparou então no seu sotaque?

– Sim. Reparei que ele não fala como os americanos. Pensei que talvez fosse um dos vossos nativos.

– Um dos nossos...? – Ela fixou-o.

– Os vossos peles-vermelhas, percebe – explicou ele.

---

[9] A Regra Dourada ou a ética da reciprocidade é um código ético que afirma essencialmente o seguinte: Devem tratar-se os outros como gostaríamos que eles nos tratassem (forma positiva); e, Não se devem tratar os outros de maneiras que não gostaríamos de ser tratados (forma negativa, também chamada a Regra Prateada). A Regra Dourada é considerada por alguns a base essencial do conceito moderno dos direitos humanos, segundo a qual cada indivíduo tem direito a um tratamento justo, e a uma responsabilidade recíproca que garanta a justiça para outros. *(N. da T.)*

A Sr.ª Maurier voltou a tocar a sua pequena campainha, quase palrando consigo mesma.

Catorze Horas

A Sr.ª Maurier deu por findo o almoço assim que o pôde fazer com alguma decência. Se os conseguisse separar, e metê-los num jogo de brídege, pensou ela em agonia. Chegara ao ponto em que cada vez que um dos cavalheiros emitia o som precursor da fala, a Sr.ª Maurier estremecia e encolhia-se junto do Sr. Talliaferro. Pelo menos podia confiar nele, desde que... Mas, naquele caso, ela é que teria de tratar do assunto. Tinham discutido os sais do major Ayers durante a refeição. Eva Wiseman tornara-se renegada e cúmplice deles, apesar da atmosfera de reprovação que a Sr.ª Maurier tentara adotar e apoiar. E, para cúmulo de tudo aquilo, o jovem desconhecido tinha a maneira mais estranha de utilizar a faca e o garfo. Os modos do Sr. Fairchild eram... bem, grosseiros; mas, afinal, tem de se pagar o preço pela Arte. Jenny, por outro lado, tinha um estilo inegavelmente distinto, alimentando-se com o dedo mindinho estendido num ângulo rígido e elegante da mão. E, naquele momento, Fairchild estava a dizer:

– Ora, aqui temos um caso óbvio de justiça poética. Há uns cento e tal anos, o avô do major Ayers quis vir para Nova Orleães, mas os nossos avôs detiveram-no naqueles pântanos de Chalmette e deram-lhe uma coça dos diabos. E agora o próprio major Ayers vem para a cidade e conquista-a com um laxante tão suave que, como ele o diz, nem sequer se repara nele. Ei, Julius?

– Também confunde todas as antigas convicções que dizem respeito à inconciliabilidade da ciência e da arte – sugeriu o homem semita.

– Ei? – disse Fairchild. – Oh, claro. Está certo. Ora, ele decerto que deveria oferecer ao Al Jackson um frasco, não devia?

O poeta magro resmungou sepulcralmente. O major Ayers repetiu:

– Al Jackson?

O criado de bordo tirou a toalha de mesa. A mesa era formada por algumas mesas de jogo; segundo instruções da senhora Maurier, ele não as tirou. Chamou-o até junto de si, e sussurrou-lhe qualquer coisa ao ouvido; ele desceu.

– Mas, não ouviu falar do Al Jackson? – perguntou Fairchild, com uma surpresa untuosa. – É um homem engraçado, descendente direto do velho Hickory que deu cabo de vocês em 1812, segundo ele afirma. É uma personagem bastante conhecida em Nova Orleães. – Os outros convidados escutavam Fairchild com uma espécie de atenção cautelosa. – Sabe-se quem ele é, porque anda sempre com botas do congresso[10]...

– Botas do congresso? – murmurou o major Ayers, a olhar para ele. Fairchild explicou, levantando o pé acima do nível da mesa para lhas mostrar.

– Claro. Na rua, em reuniões formais, até com fatos de cerimónia ele as usa. Até as usa no banho.

– No banho? Mas que coisa. – O major Ayers olhou para o narrador com os seus olhos redondos, de um azul-porcelana.

– Claro. Não deixa que ninguém o veja descalço. Uma deformidade de família, percebe. O velho Hickory também a tinha: foi por esse motivo que conseguiu vencer os ingleses nestes pântanos. Quando chegar à cidade, vá até à Praça Jackson e olhe para a estátua do velho. Ele está calçado com botas do congresso. – Virou-se para o homem semita. – Já agora, Julius, lembras-te da cavalaria do velho Hickory, não te lembras?

---

[10] Botins curtos usados pelos homens, de lados constituídos por elásticos, e muito populares em finais do século XIX e início do século XX. Viriam a ser muito utilizados pelos políticos norte-americanos, daí serem chamados botas do congresso. *(N. da T.)*

O homem semita manteve-se calado, e Fairchild prosseguiu:

– Bem, o velho general comprou uma propriedade na Florida. Uma quinta para reprodução, foi o que lhe disseram que era, e ele reuniu um grupo de homens das montanhas lá da sua terra no Tennessee e enviou-os até lá abaixo com uma manada de cavalos. Bem, major, quando lá chegaram descobriram que o lugar era praticamente só pântano. Mas eram tipos endurecidos, por isso entraram por ali adentro para o aproveitarem o melhor possível. Entretanto...

– Fizeram o quê? – perguntou o sobrinho.

– Ei? – disse Fairchild.

– O que iam fazer na Florida? É isso que todos queremos saber – disse a Sr.ª Wiseman.

– Vender terras aos índios – sugeriu o homem semita. O major Ayers fixou-o com os seus pequenos olhos azuis.

– Não, eles iam arranjar um rancho de turismo rural para os grandes hotéis de Palm Beach – disse-lhes Fairchild. – Mas entretanto alguns daqueles cavalos perderam-se nos pântanos, e de algum modo a espécie cruzou-se com jacarés. E, assim, quando o velho Hickory descobriu que ia ter de travar a sua batalha ali em baixo naqueles pântanos de Chalmette, mandou alguns homens à sua propriedade na Florida e ordenou que reunissem tantos meios cavalos meios jacarés quantos conseguissem, e depois montou alguma da sua infantaria neles e os ingleses não os conseguiram travar de modo algum. Os ingleses não conheciam a Florida...

– Isso é verdade – interveio o homem semita. – Na altura não houve incursões.

–... e eles nem sequer sabiam o que eram aquelas coisas, percebe.

O major Ayers e a Sr.ª Maurier olharam para Fairchild com um espanto silencioso e infantil.

– Continue – disse por fim o major Ayers –, está a gozar comigo.

– Não, não, pergunte ao Julius. Mas também é verdade que é um pouco difícil para um estrangeiro perceber-nos. Nós, americanos, somos um povo simples, um pouco infantil e animados. E tem de se ser ambos para se cruzar um cavalo com um jacaré, e depois encontrar alguma utilidade para um tal animal, sabe. Isso faz parte do nosso temperamento nacional, major. Irá compreendê-lo melhor quando estiver há mais tempo entre nós. Não é verdade, Julius?

– Sim, ele vai ser capaz de nos compreender bastante bem quando estiver na América há tempo suficiente para adquirir os nossos hábitos. É o hábito que faz o homem, sabe.

– Ah, sim – disse o major Ayers, piscando-lhe o olho. – Mas há um dos vossos hábitos que não serei capaz de adquirir: o vosso hábito de comer tartes de maçã. Nós não temos tartes de maçã no meu país, sabem. Nenhum inglês, galês ou escocês comeria uma tarte de maçã.

– Não as comem? – repetiu Fairchild. – Ora, parece que me lembro...

– Mas tartes de maçã não, meu velho. Temos outros géneros de tartes, mas nada de tartes de maçã. Sabe, há alguns anos era costume em Eton que os jovens saíssem a qualquer momento para irem comprar tartes de maçã. E um dia um fulano, filho de um membro do governo, morreu devido a um excesso de tartes de maçã, e em consequência disso o pai fez com que o parlamento aprovasse uma lei em que nenhum menor poderia comprar tartes de maçã em domínios britânicos. Assim, esta geração cresceu sem elas; a anterior geração morreu, e agora a atual geração nunca ouviu falar de tartes de maçã. – Virou-se para o homem semita. – Um hábito, como observou.

O poeta fantasmagórico, à espera da sua oportunidade, murmurou «Secretário do Interior», mas aquilo foi ignorado. A Sr.ª Maurier olhou para o major Ayers, e Fairchild e os outros olharam para o rosto insípido e corado do major Ayers, e houve um intervalo de silêncio durante o qual a anfitriã olhou impotente para os seus convidados. O criado de bordo reapareceu e ela chamou-o com um enorme alívio, voltando a tocar a sua pequena campainha num modo de comando. Os outros olharam-na, e ela olhou de rosto em rosto.

– Agora, meus amigos, às quatro horas estaremos numa zona de boas águas para banhos. Até essa altura, o que é que me dizem a um agradável jogo de brídege? Claro que aqueles que têm mesmo de fazer uma sesta serão desculpados, mas tenho a certeza de que ninguém vai querer ficar lá em baixo num dia como este – acrescentou ela, animada. – Vejamos... Senhor Fairchild, senhora Wiseman, Patricia e Julius, serão a mesa número um. O major Ayers, a menina Jameson, o senhor... Talliaferro... – O seu olhar pousou em Jenny. – Joga brídege, menina... filha?

Fairchild levantara-se com uma certa ansiedade.

– Diz-me, Julius, o major Ayers faria melhor se se deitasse um pouco, não achas? Não estando ainda habituado ao nosso clima quente, percebes. E o Gordon também. Ei, Gordon, não achas que nos devíamos deitar um bocado?

– Tem toda a razão – concordou o major Ayers com uma enorme vivacidade, levantando-se de seguida. – Isto é, se as senhoras nos desculparem. Posso apanhar demasiado sol, sabem – acrescentou, olhando por instantes para o toldo acima das suas cabeças.

– Mas, a sério – disse a Sr.ª Maurier, impotente. Os cavalheiros, em grupo, moveram-se em direção às escadas.

– Vens, Gordon? – chamou-o Fairchild.

Gordon olhou para a sobrinha. Ela enfrentou calmamente o seu olhar duro e arrogante, e ele virou-se.

– Sim. Não jogo cartas – respondeu ele, conciso.

– Mas, a sério – repetiu a Sr.ª Maurier. Talliaferro e Pete ficaram. O sobrinho já se afastara para a sua nova serra de carpinteiro. A Sr.ª Maurier olhou para Pete. Depois afastou os olhos. Nem sequer era necessário perguntar a Pete se ele jogava brídege. – Não querem mesmo jogar? – gritou ela, impotente, para as costas dos cavalheiros que se afastavam.

– Claro, voltaremos mais tarde – tranquilizou-a Fairchild, apascentando o seu grupo pelas escadas abaixo. Desceram ruidosamente.

A Sr.ª Maurier olhou para o seu grupo desfalcado com um desespero espantado. A sobrinha olhou por um instante para as escadas vazias, depois em volta, para o resto do grupo reunido à volta das mesas de jogo supérfluas.

– E a tia ainda disse que não havia mulheres suficientes – observou.

– Mas, de qualquer maneira, podemos fazer uma mesa – animou-se subitamente a Sr.ª Maurier. – Temos a Eva, a Dorothy, o senhor Talliaferro e o M... Ora, onde está o Mark – exclamou. Tinham-se voltado a esquecer dele. – O Mark, é claro. Eu dou esta mão.

Talliaferro disse, timidamente:

– Nem pensar. Eu dou-a. A senhora pode jogar. Insisto.

A Sr.ª Maurier recusou. O Sr. Talliaferro tornou-se insistente e ela examinou-o com uma especulação fria. Por fim, o Sr. Talliaferro desviou os olhos e a Sr.ª Maurier olhou por instantes para as escadas. Mostrou-se firme.

– Pobre Talliaferro – disse o homem semita. Fairchild conduzia-os ao longo do corredor, e parou junto da sua porta com o grupo a segui-lo de muito perto. – Viram a cara dele? A partir de agora, ela vai mantê-lo com a rédea curta.

– Não tenho pena dele – disse Fairchild. – Acho que até gosta; parece sempre muito pouco à vontade com homens, sabes. Encontrar-se entre um monte de mulheres parece restaurar-lhe a confiança em si mesmo, dá-lhe uma sensação de superioridade, enquanto os seus contactos com homens parecem deixá-lo muito em baixo. Presumo que o mundo possa parecer uma espécie de lugar grosseiro para um homem que passa oito horas por dia cercado de crepe da china debruado a renda – acrescentou ele, mexendo na porta. – Além disso, não pode vir ter comigo a pedir-me conselhos de como seduzir alguém. É um homem bastante inteligente, mais sensível do que a maioria, e no entanto também ele labora na ilusão errónea de que a arte é apenas uma camuflagem válida para se estar com o cio. – Abriu por fim a porta e entraram e sentaram-se em vários lugares, enquanto ele se ajoelhava e arrastava uma mala pesada de baixo do beliche.

– Ela é bastante rica, não é? – perguntou o major Ayers do beliche. O homem semita, como era seu hábito, já ocupara a única cadeira. Gordon encostou as costas à parede, alto, andrajoso e arrogante.

– Podre de rica – respondeu Fairchild. Tirou uma garrafa da mala, levantou-se, e de seguida ergueu a garrafa contra a luz, a regozijar-se. – É proprietária de plantações ou qualquer coisa assim, não é, Julius? Dinheiro de família, ou qualquer coisa desse género?

– Qualquer coisa desse género – concordou o homem semita. – Ela é do Norte. Casou com o dinheiro. Quanto a mim, acho que isso a explica.

– «A» explica? – repetiu Fairchild, estendendo copos aos outros.

– É uma longa história. Um dia destes conto-ta.

– Vai ser preciso uma longa história para a explicar – animou-se Fairchild. – Diz-me, ela seria uma aposta melhor para o major Ayers do que a história do laxante, não seria? Eu preferiria ser proprietário de plantações do que ter a patente de uma planta medicinal.

– De qualquer maneira, ele teria de afastar o Talliaferro – observou o homem semita.

– O Talliaferro não está a pensar seriamente nela, pois não?

– É melhor que esteja – respondeu o outro. – Eu não diria que tem exatamente intenções em relação a ela – corrigiu-se. – Só está ali sem o saber: um perigo natural, no que se refere às perspetivas de qualquer outro indivíduo.

– A liberdade e o negócio do laxante, ou plantações e a senhora Maurier – refletiu Fairchild, em voz alta. – Bem, eu não sei.... O que achas, Gordon?

Gordon mantinha-se encostado à parede, ausente, sem os ouvir com muita atenção, observando no interior da solidão amarga e arrogante do seu coração uma forma estranha e nova como fogo a girar, sem cabeça, sem braços, sem pernas, mas quando o seu nome foi proferido, ele remexeu-se.

– Vamos beber qualquer coisa – disse.

Fairchild encheu os copos: os músculos nas bases dos seus narizes apertaram-se.

– Esta é uma resposta bastante boa a todas as emergências que a vida pode oferecer... como um cumprimento do Squire Western[11] – disse o homem semita.

– Sim, mas a liberdade... – começou Fairchild.

– Bebe o teu uísque – disse-lhe o outro. – Toma qualquer pequena liberdade que conseguires, enquanto podes. A liberdade da polícia é a maior liberdade que o homem pode exigir ou esperar.

– Liberdade – disse o major Ayers –, a única liberdade é em tempo de guerra. Todos demasiado ocupados a lutar ou a arran-

---

[11] Referência a um personagem da obra *Tom Jones*, de Henry Fielding. *(N. da T.)*

jarem medalhas ou um beliche aconchegado, só para nos irritarem. Samurais ou caçadores de cabeças, é só escolher. Lama e glória, ou parte de uma condecoração numa farda limpa. Lama e abnegação e o querido uísque e Inglaterra cheia das vossas insuportáveis forças expedicionárias. No entanto, vocês eram melhores do que os canadianos – admitiu ele –, não eram tão amaldiçoadamente tantos. Foi uma guerra inestimável, ei?... Quanto a mim, gosto de um pouco de vermelho – confidenciou. – As insígnias no colarinho do Estado-Maior valem duas no peito: só se vê o peito de um lado. No entanto, as medalhas são boas em tempo de paz.

– Mas nem mesmo a paz pode durar para sempre, pois não? – acrescentou o homem semita.

– Esta... vai durar algum tempo. Não podemos ter já outra guerra. Haveria demasiados a detê-la. As tropas regulares iriam saltar e conseguir todos os empregos confortáveis de imediato: aprenderam com a última, percebem; e os outros iriam todos irritar-se e recusarem-se a ir de novo. – Meditou durante um momento. – A última tornou a guerra demasiado impopular com o proletariado. Eles exageraram. Como o artista que enche o palco de modo que até as pessoas nas coxias o conseguem ver.

– Vocês foram bastante bons na guerra dos *bunkers*, não foram? – disse Fairchild.

– Guerra dos *bunkers*? – repetiu o major Ayers.

Fairchild explicou.

– No entanto, não pagámos dinheiro por isso – respondeu o major Ayers. – Só demos medalhas... Um uísque bastante bom, ei?

– Se queres que o faça – disse Jenny –, eu guardo-o algures no meu quarto.

Pete enfiou o chapéu na cabeça, mantendo-a rígida e um pouco inclinada para o lado do vento. O vento estava a arrancar-lhe o cigarro da boca: ele estendeu a mão como um escudo, fumando atrás da mão.

– Está tudo bem – respondeu. – De qualquer maneira, onde é que o irias pôr?

–... Algures. Só o iria guardar algures. – O vento soprava contra o vestido, moldando-o, e apertando a amurada com as mãos ela baloiçou para trás de braços estendidos enquanto o vento lhe moldava as coxas. O casaco de Pete, abotoado, enfunou-se fazendo as abas esvoaçar.

– Sim – disse ele –, eu também o posso guardar, quando quiser... Cuidado, miúda. – Jenny voltara a aproximar-se da amurada. A amurada chegava-lhe ao peito, mas se enrolasse as pernas à volta da parte inferior conseguia manter-se direita, e ao dobrar a jovem barriga sobre a parte superior estava demasiado inclinada sobre a água. A água sulcada era cremosa: uma diluição branca por entre jade leitoso até se transformar de novo em azul, e soltava-se dela uma espuma fina e batida, que se espalhava como chumbo miúdo. – Vamos, volta a entrar para o barco. Nesta viagem não estamos a viajar ilegalmente de comboio.

– Céus – disse Jenny, contraindo a barriga jovem, suspensa sobre a água, enquanto o vento lhe moldava e agitava a saia curta, revelando a parte rosada e posterior dos seus joelhos acima das meias. O timoneiro colocou a cabeça de fora da casa do leme e gritou-lhe, e Jenny esticou o pescoço para olhar para ele, agitando o seu cabelo soprado e sonolento.

– Não se irrite, irmão – gritou Pete em resposta ao grito do timoneiro, por uma questão de princípio. – O que é que eu te disse, idiota? – silvou a Jenny, puxando-a para baixo. – Agora, vamos, o barco é deles. Tenta portar-te como deve ser.

– Não o estava a magoar – respondeu Jenny, placidamente. – Acho que posso fazer isto, não achas? – Voltou a deixar o corpo baloiçar a toda a extensão dos braços. –... Ouve, ali está ele outra vez com aquela serra. Pergunto-me o que estará a fazer.

– O que quer que seja, provavelmente não precisa da nossa ajuda – respondeu Pete. – Ouve, quanto tempo é que ela disse que isto ia durar?

– Não sei... talvez passado algum tempo eles dancem ou qualquer coisa. Isto até é divertido, não achas? Não vão a lado nenhum, e não fazem nada... como uma espécie de filme ou qualquer coisa do género. – Jenny pensou no assunto, a olhar para o sobrinho onde aquele estava sentado com a sua serra a sotavento da casa do leme, absorto e indiferente. – Se eu fosse rica, ficaria onde o poderia gastar. Não o gastaria desta maneira, onde nem sequer há alguma coisa para onde se possa olhar.

– Sim. Se fosses rica, comprarias muita roupa e joias e um automóvel. E depois o que farias? Vestirias a tua roupa e sentar-te-ias no teu automóvel, ei?

– Presumo que sim... De qualquer maneira, não compraria um barco... Acho que ele é bastante atraente. No entanto, não é muito bonito. Pergunto-me o que estará a fazer.

– É melhor ires perguntar-lhe – respondeu Pete, cortante. – Eu não sei.

– De qualquer maneira, também não quero saber. Só me estava a questionar. – Voltou a baloiçar-se devagar a toda a extensão dos braços, contra o vento, lentamente, até se aproximar de Pete, encostando as costas a ele.

– Vai lá perguntar-lhe – insistiu Pete, os cotovelos presos por cima da amurada, ignorando o peso leve de Jenny. – Um rapaz bonito como aquele não te vai morder.

– Não me importo que me mordam – respondeu Jenny, placidamente. – Peter...?

– Afasta-te, miúda; sou respeitável – disse-lhe Pete. – Vai lá tentar o teu rapaz bonito; vê se consegues competir com aquela serra.

– Gosto de homens de aparência enérgica – observou Jenny. Suspirou. – Céus, quem me dera que houvesse um cinema onde pudéssemos ir ou qualquer coisa assim. (Pergunto-me o que estará a fazer.)

– Quantos cavalos-vapor desenvolve? – perguntou o sobrinho, erguendo a voz acima da vibração profunda do motor, a olhar hipnotizado para ele. Estava tão limpo como um relógio, níquel e alumínio, um poder latente e perturbador sob uma fina camada de óleo de lubrificação dourado como uma película de humidade sobre um esplêndido funcionamento animal, físico com perfeição. O capitão, com um chapéu outrora branco e um emblema embaciado na pala, e uma camisola interior fina manchada de óleo, disse-lhe quantos cavalos-vapor o motor desenvolvia.

Ele mantinha-se parado numa atmosfera confinada, opressiva de energia: um formigueiro extático que penetrava até ao núcleo do seu corpo, dando às suas entranhas uma sensação ligeiramente desagradável de leveza, a olhar arrebatado para o motor. Era tão belo quanto um cavalo de corrida e de certo modo aterrorizador, já que com todo o seu poder implacável e sem alma não havia movimento que se visse exceto um estremecimento nervoso e trivial do balancim – um estalido leve e animado que cavalgava mesmo acima daquele trovão distante e contemplativo. As placas da quilha abanavam com aquilo, até as anteparas tremiam com aquilo, como se se estivesse a aproximar o momento em que fosse irromper o aço como um casulo a abrir-se, e erguer-se-ia para cima e para fora em asas temíveis e esplêndidas de energia e chamas...

Mas o motor estava bem aparafusado com parafusos enormes, limpo e firme, o alumínio impecável; parafusos que nada poderia quebrar, tão firmemente fixos como as fundações mais profundas do mundo. Atrás do motor, por cima dos balancins, o chapéu encardido do capitão aparecia e desaparecia. O sobrinho movia-se cuidadosamente à volta do motor, a segui-lo.

Havia uma escotilha à altura dos olhos e ele viu para lá dela o céu dividido por uma extensão curva e rígida de água, com uma energia que se desvanecia em bronze. O capitão estava ocupado com um pedaço de desperdício de algodão, pairando acima do motor, a friccionar a sua anatomia imaculada com uma paixão maternal e desnecessária. O sobrinho observava com interesse. O capitão inclinou-se mais, passando o seu desperdício por uma pequena acumulação de óleo na base da haste de comando do balancim, e ergueu-a à luz. O sobrinho aproximou-se, espreitando por cima do ombro do capitão. Era um grão minúsculo, bastante morto.

– O que é, Josh? – perguntou-lhe a irmã, respirando-lhe contra o pescoço. O sobrinho virou-se repentinamente.

– Nada da tua conta – disse ele. – O que estás a fazer aqui em baixo? Quem te disse para vires aqui abaixo?

– Também quis vir – respondeu ela, apertando-se contra o irmão. – O que é, capitão? O que é que o senhor e Gus têm aí?

– Olha – lançou-lhe o irmão –, volta a subir ao convés, onde pertences. Não tens nada a fazer aqui em baixo.

– O que é, capitão? – repetiu ela, ignorando-o. O capitão estendeu o seu trapo. – O motor matou-o? – perguntou. – Céus, quem me dera que pudessem descer todos cá abaixo e fechar a porta por um bocado, não acha? – Olhou para o motor, para os balancins trémulos. Soltou um guincho. – Olhem! Vejam a rapidez com que anda. Vai terrivelmente depressa, não vai, capitão?

– Sim, minha senhora – respondeu o capitão. – Muito depressa.

– Qual é o curso do êmbolo? – perguntou o sobrinho. O capitão examinou um mostrador. Depois virou ligeiramente uma válvula. De seguida voltou a olhar para o mostrador. O sobrinho repetiu a sua pergunta e o capitão disse-lhe qual o curso do êmbolo.

– Faz bastante bem as rotações, não faz? – disse o sobrinho, passado um bocado.

– Sim, senhor – respondeu o capitão. Estava ocupado a fazer qualquer coisa com duas pequenas alavancas, e o sobrinho ofereceu-se para ajudar. A irmã seguiu-o, curiosa e atenta.

– Espero que me deixe fazer isto sozinho – disse o capitão, cortês e firme. – Acho que o conheço melhor do que o senhor... Que tal o senhor e a jovem menina ficarem ali por um bocado?

– Capitão, o senhor mantém-no mesmo limpo – disse a sobrinha. – Suficientemente limpo para se poder comer em cima dele, não é?

O capitão descontraiu-se.

– Vale a pena mantê-lo limpo. O melhor motor marítimo jamais feito. Alemão. Custou doze mil dólares.

– Céus – observou a sobrinha num tom de voz abafado. O irmão virou-se para ela, empurrando-a à sua frente para fora da divisão.

– Olha lá – disse ele ferozmente, a voz a tremer-lhe, quando se encontravam de novo no corredor. – O que estás a fazer, a seguir-me por todo o lado? O que te disse que te faria, se me continuasses a seguir?

– Não te estava a seguir. Eu...

– Estavas sim – interrompeu-a ele, abanando-a –, estavas a seguir-me. Tu...

– Também só queria ver. Além disso, o barco é da tia Pat, não é teu. Tenho tanto direito de estar aqui em baixo como tu.

– Ah, sobe lá ao convés. E se te volto a apanhar a andares atrás de mim... – A sua voz desvaneceu-se numa ameaça terrível e sem nome. A sobrinha virou-se na direção das escadas.

– Oh, caça lá a vela, estás a cambar.

Dezasseis Horas

Sentaram-se a jogar o seu brídege no convés, a baralhar as cartas, a dá-las, falando em monossílabos escassos. O *Nausikaa* avançava tranquilamente sob a tarde azul sonolenta. Ao longe no horizonte, a mancha indolente do *ferry* de Mandeville.

Na periferia do jogo, a Sr.ª Maurier olhava distraidamente a intervalos para o espaço. Abaixo deles erguia-se um som indistinguível, que aumentava por momentos e depois voltava a cair, e o Sr. Talliaferro tornou-se inquieto. O som morria por instantes e depois voltava a erguer-se. O *Nausikaa* avançava tranquilamente.

Jogaram todas as suas cartas, voltaram a dá-las e a baralhá-las de novo. O Sr. Talliaferro estava a tornar-se distraído. De vez em quando, a atenção desviava-se e ao regressar encontrava os olhos da Sr.ª Maurier pousados nele, friamente contemplativos, e voltava a debruçar-se sobre as suas cartas... O som indistinguível voltava a aumentar. Talliaferro jogou os seus trunfos sobre a rainha do seu parceiro, e os cavalheiros em fato de banho subiram as escadas.

Ignoraram por completo aqueles que jogavam às cartas, avançando em grupo para a popa e falando ruidosamente; qualquer coisa acerca de uma aposta. Pararam junto da amurada, na qual naquele momento o criado de bordo estava encostado; agruparam-se ali por instantes, depois o major Ayers separou-se do grupo e lançou-se vigorosa e desajeitadamente borda fora.

– Viva – rugiu Fairchild. – Ele vence!

A Sr.ª Maurier levantara o rosto quando eles passaram, falara com eles, observara-os quando pararam, e viu o major Ayers a saltar borda fora com uma dúvida chocada e receosa na expressão. Depois gritou.

O criado de bordo despiu o casaco, desenganchou e atirou uma boia de salvação e depois seguiu-a, mergulhando para a frente e para longe da hélice.

– Já vão dois – uivou Fairchild, com alegria. – Nós apanhamo-vos quando voltarmos a passar – gritou, com as mãos a formarem um megafone.

O major Ayers subiu à superfície na esteira do iate, nadando vigorosamente. O *Nausikaa* deu a volta, o telégrafo tocou. O major Ayers e o criado de bordo chegaram ao mesmo tempo à boia de salvação, e antes que o iate perdesse completamente o rumo, o timoneiro e o marinheiro de convés tinham lançado o bote à água, e passado pouco içaram selvaticamente o major Ayers para a pequena embarcação.

O *Nausikaa* imobilizou-se. A Sr.ª Maurier foi ajudada a descer à sua cabina abaixo do convés, onde naquele momento o seu irado capitão estava a assisti-la. Entretanto, os outros cavalheiros irromperam pelo convés e começaram a bajular as senhoras, por isso o resto do grupo desceu e vestiu os seus fatos de banho.

Jenny não tinha nenhum: os únicos preparativos que fizera para a viagem consistiam da compra de um batom e de um pente. A sobrinha emprestou a Jenny o seu, e naquele fato de banho emprestado que lhe ficava demasiado bem, Jenny agarrou-se ao talabardão do bote, a segurar-se à mão de Pete, o seu rosto rosa e branco como um balão a pairar seco acima da água enquanto, carrancudo, Pete se mantinha sentado completamente vestido no barco, o chapéu ainda na cabeça.

O fato de banho de Talliaferro era vermelho, o que lhe dava um ar dissecado, como um dente acabado de arrancar. Também usava uma touca de borracha vermelha e entrou desajeitadamente na água, primeiro os pés sobre a popa do bote, e ficou ali agarrado junto da plácida Jenny, tentando envolvê-la numa conversa banal sob o olhar furioso de Pete. O poeta fantasmagórico na sua sarja engomada – ele não nadava – estendeu-se ao comprido sobre quatro espreguiçadeiras, esticando o seu rosto pálido e preênsil acima dos banhistas.

Fairchild parecia-se mais do que nunca com uma morsa: uma morsa enganadoramente tranquila de meia-idade, mostrando subitamente vestígios de uma puerilidade demoníaca. Ele chafurdou e chapinhou, pesadamente brincalhão, e, seguido pelo major Ayers, irritou as senhoras ao beliscá-las debaixo de água e salpicou-as, molhando liberalmente Pete onde aquele estava sentado a fervilhar com Jenny agarrada à sua mão aos guinchos, enquanto tentava proteger a maquilhagem. O homem semita chapinhou de um lado para o outro, com a intensidade ridícula de um homem gordo a nadar. Gordon sentou-se na amurada, a olhar em frente. Fairchild e o major Ayers conseguiram por fim voltar a conduzir as senhoras até ao bote, à volta do qual eles salpicaram e ganiram com a jovialidade sem tato de cães enquanto Pete os refreava, «Cuidado malditos tenham cuidado Cristo mas qu' raio tão a fazer», e lhes batia nos dedos com um dos sapatos ensopados que descalçara.

Acima daquela animação parcial a sobrinha surgiu aprumada no cimo da casa do leme, invisível àqueles que se encontravam dentro de água. A princípio eles aperceberam-se de uma seta branca a cruzar o céu. A água acolheu-a indolentemente, e enquanto eles olhavam para o remoinho lento e verde que se formara no local por onde ela entrara houve uma agitação atrás de Fairchild, e quando ele abriu a boca a sua surpresa boquiaberta desapareceu abaixo da superfície. No seu lugar a sobrinha equilibrou-se por momentos em algo que se encontrava debaixo de água, depois mergulhou na direção do espanto passivo do major Ayers.

As senhoras gritaram encantadas. O major Ayers também desapareceu, e a sobrinha continuou a mergulhar. Fairchild apareceu naquele momento, a tossir e a arquejar, e subiu vigorosamente para o barco, onde o senhor Talliaferro com uma presença de espírito admirável já se encontrava, tendo abandonado Jenny sem qualquer escrúpulo.

– Já tive o suficiente – disse Fairchild, quando conseguiu falar.

Contudo, o major Ayers aceitou o desafio. A sobrinha sulcou a água e esperou por ele.

– Afoga-o, Pat! – guincharam as senhoras.

Mesmo antes de se aproximar dela, a cabeça escura e molhada da sobrinha desapareceu e durante um bocado o major Ayers mergulhou à volta dela numa espécie de resignação ativa. Depois voltou a desaparecer e a sobrinha, que vestia um conjunto de roupa interior do irmão – uma camisola de malha tricotada e sem mangas, e uns calções curtos e justos – ergueu-se da água, em pé em cima dos seus ombros. Depois pousou um pé no cimo da sua cabeça e fê-lo descer ainda mais profundamente. De seguida, continuou a mergulhar e voltou a sulcar a água.

O major Ayers reapareceu por fim, já a dirigir-se para o barco. Também ele já tivera o suficiente, e os cavalheiros puxaram-no para bordo e atravessaram o convés a pingar água e desceram as escadas, para grande divertimento das senhoras.

As senhoras subiram a bordo sozinhas. Pete, que se mantinha de pé no bote, estava a tentar içar Jenny para fora de água. Ela estava suspensa das suas mãos, como um manequim dispendioso, e levantava a intervalos indolentes uma perna branca e adorável enquanto o Sr. Talliaferro, ajoelhado, lhe apalpava os ombros.

– Vá lá, vá lá – silvava Pete a Jenny.

A sobrinha aproximou-se a nadar e empurrou por trás as coxas macias de Jenny até que esta acabou por cair no interior do bote, num suave abandono loiro: uma inépcia encantadora. A sobrinha manteve o bote firme enquanto eles subiam a bordo, depois deslizou habilidosamente para fora de água, esguia e a pingar como uma foca; e ao afastar do rosto o cabelo curto e áspero viu mãos, e a voz de Gordon disse:

– Estenda as mãos.

Ela agarrou os seus pulsos duros e sentiu-se voar. O Sol que se punha incidiu na barba dele e em todo o seu corpo alto e magro, e a pingar água ela endireitou-se e olhou-o com admiração.

– Céus, você é rijo – disse ela. Tocou-lhe de novo nos antebraços, depois bateu-lhe com o punho no peito alto e duro. – Faz-me isso outra vez?

– Volto a levantá-la? – perguntou ele.

Mas ela já se encontrava no bote, de braços estendidos, e o entardecer era uma bainha dourada e húmida que a envolvia. De novo a sensação que voava, de espaço e movimento e as mãos endurecidas dele que faziam parte daquela sensação; e, por um instante, ela deteve-se a meio do voo, mão na mão e braço agarrado a braço, muito acima do convés enquanto a água que pingava do seu corpo se transformava em ouro ao cair. Ele tinha o pôr do Sol nos olhos: uma glória que ele não conseguia ver; e o corpo simples e tenso dela, quase sem fôlego e com as ancas efémeras de um rapaz, era um êxtase de mármore dourado, e no seu rosto via-se o arrebatamento apaixonado de uma criança.

Por fim, os seus pés tocaram de novo o convés e ela virou-se. Correu em direção às escadas e quando se precipitou para baixo, o último raio de sol deslizou sobre e acima dela com alegria. Depois desapareceu, e Gordon ficou a olhar para as pegadas molhadas e simples dos seus pés nus no convés.

Dezoito Horas

Tinham-se aproximado de terra mais ou menos à mesma hora em que o major Ayers vencera a sua aposta, e enquanto aquilo que restava do dia se escoava do mundo, o *Nausikaa* a meia velocidade avançava vagaroso por uma embocadura de rio de corrente parada, roçando um crepúsculo violeta e intemporal entre os ciprestes barbados e solenes, imóveis como peças de bronze. Ao escutar-se, poder-se-ia ter ouvido um requiem lento naquela nave alta, poder-se-iam ter ouvido ali as preces cantadas do coração negro do mundo a adormecerem. O mundo começava a perder as suas dimensões, os ciprestes altos e barbados aproximavam-se uns dos outros atravessando-se sobre o rio lamacento com a implacabilidade sem alma de deuses pagãos, a baixarem os olhos para aquele intruso de mogno e bronze com uma falta de receio inescrutável. A água era como óleo, e o *Nausikaa* continuava a avançar sem qualquer sensação de movimento por aquele corredor sem teto nem chão.

O Sr. Talliaferro estava junto da amurada da proa ao lado de Jenny e da sua dama de companhia taciturna e enchapelada. Sob o entardecer, a placidez branca perturbadora de Jenny florescia como uma flor pesada, dominadora e madura como um odor mais indolente e intenso do que o dos lírios. Pete cismava atrás dela: a última luz do mundo estava concentrada na incandescência implacável do seu chapéu, fazendo com que a atmosfera que os rodeava se tornasse ainda mais escura; e na paixão exausta de agosto e no cair da noite, a voz interminável e seca do Sr. Talliaferro tornou-se cada vez mais baixa até que por fim parou por completo; e tornando-se subitamente consciente de uma angústia antiga, bateu repentina e consternadamente nas costas da mão, reparando ao mesmo tempo que Pete também estava inquieto e que Jenny se agitava como se se estivesse a esfregar interiormente contra a própria roupa. Depois, como se seguindo um sinal, viram-se cercados por eles, invisíveis, com uma terrível intensidade bucólica; e ao contrário dos seus primos urbanos, não emitiam qualquer som.

Jenny e Pete e Talliaferro abandonaram o convés. Nas escadas o poeta fantasmagórico juntou-se apressadamente a eles, batendo com o lenço no rosto e pescoço e no cimo da sua cabeça desvanecida e pouca acarinhada. Nesse momento, a voz da senhora Maurier ergueu-se algures numa adjuração espantada, e o *Nausikaa* avançou e voltou a abrir caminho até mar aberto e aí se manteve. E não o fez a meia velocidade.

Dezanove Horas

Anos antes a Sr.ª Maurier aprendera que o sumo de fruta não adulterado era salutar, ou antes, era indispensável à vida náutica. Uma informação estranha, irrelevante à primeira vista, no entanto, ao pensar-se melhor, bastante possível já para não dizer agradável de contemplar, por isso ela aceitou-a, absorvendo-a e fazendo dela uma inabalável convicção marítima. Assim voltou a servir toranjas ao jantar: ia inoculá-los primeiro, depois correr riscos.

O grupo de Fairchild acabou por ser escorraçado do covil que ele criara na sua cabina. Os outros convidados já estavam sentados e olharam os recém-chegados com interesse e agitação e, pela parte da Sr.ª Maurier, com verdadeiro alarme.

– Aí vem o turno de fim de tarde – observou animada a Sr.ª Wiseman. – São os cavalheiros, não são? Não vimos cavalheiros desde que partimos de Nova Orleães, ei, Dorothy?

O irmão sorriu-lhe tristemente.

– E o Mark e o senhor Talliaferro?

– Oh, o Mark é um poeta. Vamos deixá-lo fora disto. E o Ernest não é um poeta, por isso também o vamos deixar de fora – respondeu ela, com uma graciosa lógica feminina. – Não é verdade, Mark?

– Sou o melhor poeta de Nova Orleães – disse num tom carregado o jovem fantasmagórico, virando para ela o seu rosto pálido e preênsil.

– Estávamos mais ou menos a interrogar-nos onde estaria, Mark – disse Fairchild ao melhor poeta de Nova Orleães. – Ficámos com a ideia de que era suposto estar no barco connosco. Uma pena não ter aparecido – acrescentou, entediado.

– Talvez o Mark não se tivesse conseguido encontrar a tempo – sugeriu o homem semita, sentando-se.

– No entanto, encontrou o seu apetite – respondeu Fairchild. – Talvez encontre o resto de si mesmo, deitado algures aqui por perto. – Sentou-se e olhou para o prato que tinha à frente. Murmurou, Bem, bem, num tom distraído.

Os seus companheiros encontraram lugares e o major Ayers olhou para o seu prato. Também murmurou, Bem, bem. A Sr.ª Maurier mordeu nervosamente o lábio, e pousou a mão na manga do Sr. Talliaferro. O major Ayers murmurou:

– Isto parece familiar, não parece?

E Fairchild disse:

– Ora, é uma toranja; consigo percebê-lo sempre. – Olhou para o major Ayers. – Não vou comer a minha agora. Vou pô-la de lado e guardá-la.

– Tem razão – concordou prontamente o major Ayers. – Poupá-las, com toda a certeza. – Colocou cuidadosamente a sua toranja de lado. – Aconselhamo-vos a fazerem o mesmo – acabou por acrescentar.

– Poupá-las? – repetiu a Sr.ª Maurier, espantada. – Ora, mas há muitas mais. Temos várias caixas.

Fairchild olhou para ela e abanou a cabeça.

– Não posso arriscar. Podem perder-se borda fora ou qualquer coisa desse género, e nós a milhas de terra. Vou poupar a minha.

O major Ayers fez uma sugestão.

– De qualquer maneira, poupemos as cascas. Podemos precisar delas. Nunca se sabe o que pode acontecer no mar, percebem – disse ele, sabiamente.

– Claro – concordou Fairchild. – Podemos precisar delas para uma tisana, para evitar obstipações.

A Sr.ª Maurier voltou a apertar o braço de Talliaferro.

– Senhor Talliaferro! – sussurrou ela, implorante. Talliaferro interveio rapidamente.

– Agora que estamos por fim todos reunidos – começou ele, pigarreando –, o comodoro deseja que escolhamos o nosso primeiro porto de visita. Por outras palavras, pessoal, onde devemos ir amanhã? – Olhou em volta da mesa, de rosto para rosto.

– Ora, a lado nenhum – respondeu Fairchild, surpreendido. – Ainda ontem viemos de algum lugar, não viemos?

– Quer dizer hoje – disse a Sr.ª Wiseman. – Partimos de Nova Orleães, hoje de manhã.

– Oh, partimos? Bem, bem, a tarde demora muito tempo a passar, não demora? Mas nós não queremos ir a lado nenhum, pois não?

– Oh, sim – contradisse-o o Sr. Talliaferro, num tom suave. – Amanhã vamos subir o rio Tchufuncta e passar o dia a pescar. O nosso plano era subirmos o rio e passarmos ali a noite, mas descobriu-se que era impossível. Por isso, vamos subi-lo amanhã. É unânime? Ou fazemos uma votação?

– O raio é que fazemos – disse a sobrinha a Jenny –, fico em pulgas só de pensar nisso, não achas?

Fairchild animou-se.

– Subir o Tchufuncta? – repetiu ele. – Ora, é aí que fica o lugar do Jackson. Talvez o Al esteja em casa. O major Ayers tem de conhecer o Al, Julius.

– Al Jackson? – repetiu o major Ayers.

O melhor poeta de Nova Orleães resmungou, e a senhora Wiseman disse:

– Santo Deus, Dawson.

– Claro. Sabe, aquele de que lhe estive a falar durante o almoço.

– Ah, sim, o tipo dos jacarés, ei? – exclamou a Sr.ª Maurier. – Senhor Talliaferro. – De novo.

– Muito bem – disse o Sr. Talliaferro, em voz bem alta –, então está combinado. Vamos pescar. E, entretanto, o comodoro convida-vos a todos para um baile no convés logo a seguir ao jantar. Por isso, acabem de jantar, pessoal. Fairchild, você deve conduzir a grande marcha.

– Claro – Fairchild voltou a concordar. – Sim, é esse mesmo. O pai dele tem um rancho de peixes aqui em cima. Foi assim que o Al começou, e agora é o maior proprietário de peixes do mundo...

– Esta tarde viu o pôr do Sol, major Ayers? – perguntou a Sr.ª Wiseman, em voz alta. – Deliciosamente confuso, não achou?

– A natureza a vingar-se dos quadros de Turner – sugeriu o poeta.

– Isso vai demorar anos e anos – respondeu a Sr.ª Wiseman.

A Sr.ª Maurier interveio, exuberante.

– Os nossos ocasos no Sul, major Ayers... – Mas o major Ayers estava a olhar para Fairchild.

– Proprietário de peixes? – murmurou.

– Claro. Como os antigos ranchos de gado no Oeste, sabe. Mas em vez de um rancho de gado, o Al Jackson tem um rancho de peixe nos espaços abertos do golfo do México...

– Onde os homens são tubarões – interveio a Sr.ª Wiseman. – Não se esqueça de dizer isso.

O major Ayers olhou para ela.

– Certo. Onde os homens são homens. É aí que entra uma bela rapariga loira. Ali como a Jenny. Talvez a Jenny seja essa rapariga. És essa rapariga, Jenny?

O major Ayers olhou então para Jenny.

Jenny estava a olhar para o narrador, os seus olhos azuis inefáveis bastante redondos, a segurar um pedaço de pão na mão.

– Senhor? – disse, por fim.

– És a rapariga que vive naquele rancho de peixe, no golfo do México?

– Eu vivo em Esplanade – disse Jenny hesitante, passado um bocado.

– Senhor Fairchild! – exclamou a Sr.ª Maurier.

Talliaferro disse:

– Meu caro senhor!

– Não, acho que não és, ou então sabê-lo-ias. Parece-me que nem mesmo o Claude Jackson poderia viver num rancho de peixe no golfo do México, e não o saber. De qualquer maneira, essa rapariga é de Brooklyn... uma rapariga da sociedade. Foi até lá abaixo procurar o irmão. O seu irmão acabara de sair do reformatório e, por isso, o seu velho mandou-o ali para baixo para que os Jackson fizessem dele um tratador de peixes. Ele não mostrara aptidão para mais nada, percebe, e o seu velho sabia que não era necessária muita inteligência para apascentar peixes. A irmã dele...

– Mas, pergunto – interrompeu-o o major Ayers –, porque apascentam o peixe?

– Eles reúnem-no e marcam-no, percebe. O Al Jackson marca...

– Marcam-nos?

– Claro, marcam-nos para os poderem distinguir dos peixes vulgares e selvagens... diabretes, é como lhes chamam. E agora é proprietário de quase todos os peixes do mundo; um milionário de peixes, apesar de neste momento estar pobre de peixes. Sempre que vir um peixe marcado, é um peixe que pertence ao Al Jackson.

– Marca os seus peixes, ei?

– Claro, dá-lhes nós nas caudas.

– Senhor Fairchild – disse a Sr.ª Maurier.

– Mas, no meu país, os peixes têm nós nas caudas – disse o major Ayers.

– Bem, então são peixes Jackson que fugiram do rancho.

– Porque não arranja ele um agente inglês? – perguntou perversamente o poeta fantasmagórico.

O major Ayers olhou à sua volta, de rosto para rosto.

– Pergunto... – começou ele. Interrompeu-se. A anfitriã levantou-se determinada.

– Vamos, meus amigos, vamos para o convés.

– Não, não – disse a sobrinha rapidamente –, continue, conte-nos mais.

A Sr.ª Wiseman também se levantou.

– Dawson – disse ela, firmemente –, cala-te. Nós simplesmente não conseguimos aguentar mais. Esta tarde foi demasiado cansativa. Vamos, vamos subir – disse ela, conduzindo firmemente as senhoras para fora da sala, e levando também o Sr. Talliaferro.

Vinte e Uma Horas

Ele precisava de um bocado de arame. Chegara àquele impasse familiar a todos os inventores, onde não se consegue decidir qual a coisa a fazer a seguir. A sua criação atingira aquele estado de conclusão no qual a simplicidade do impulso inicial se dissolve num certo número de pormenores triviais e necessários; e deitado no seu beliche na cabina que ele e o senhor Talliaferro partilhavam, a serra à mão e uma camada fina de serradura e aparas a impermeabilizar a roupa da cama, ergueu o seu cilindro de madeira até à pequena e inadequada luz, e decidiu que lhe daria jeito um bocado de arame rijo ou qualquer coisa desse género.

Girou as pernas para fora do beliche e lançou-se para o chão num movimento belo e fluido, e atravessando o quarto de pés descalços vasculhou sem êxito as coisas do senhor Talliaferro, e acabou por sair da cabina.

Ainda descalço, avançou ao longo do corredor, e abrindo outra porta deixou que a luz amortecida do corredor entrasse numa cabina na qual se ouvia alguém a ressonar. Distinguiu vagamente o adormecido e, num gancho na parede, um boné branco e encardido. A cabina do capitão, concluiu, deixando a porta aberta e atravessando o quarto silenciosamente até uma outra porta.

Havia uma luz fraca naquela sala, cujo brilho baço incidia na anatomia pegajosa do motor agora imóvel. Mas naquele momento ignorou o motor, e dedicou-se à sua busca com uma diligência enérgica. Havia um armário de madeira encostado à parede: algumas das gavetas estavam trancadas. Ele vasculhou as outras, detendo-se por vezes para levantar certos objetos à luz para os inspecionar melhor, e depois voltando a largá-los. Fechou a última gaveta e parou com a mão pousada no armário, examinando a divisão.

Um pedaço de arame serviria, um pedaço curto de arame rijo... havia arames numa parede, passando entre e à volta de interruptores. Mas aqueles eram arames elétricos e provavelmente indispensáveis. Arames elétricos... sala da bateria. Devia ser ali, atrás daquela pequena porta.

Era ali – um cubículo cheio de sombras que cheirava a ácidos, a decomposição; um verdete de decadência. Havia ali muitos arames, mas nenhum que estivesse solto... Olhou em volta, e naquele momento viu algo que se mantinha na vertical e brilhava num tom baço. Era uma peça de mecanismo, de aço, macia e sem cheiro, bastante reconfortante naquele túmulo de cheiros, e examinou-a curiosamente, acendendo fósforos. E ali, presa a ela, estava exatamente aquilo de que precisava – uma pequena vareta reta de aço.

Pergunto-me para que servirá, pensou. Parece... talvez, uma espécie de molinete. Mas para que quereriam um molinete aqui em baixo? Evidentemente que é algo que não utilizam muito, tranquilizou-se. Demasiado limpo. Mais limpo do que o motor. Não está todo oleado como o motor. Devem usá-lo raramente... Ou uma bomba. Uma bomba, é isso que é. Nem devem precisar de uma bomba uma vez por ano: nenhum barco mantém o porão limpo como um piano de cauda. De qualquer maneira, é impossível que precisem dela até amanhã, e nessa altura eu já terei terminado. O mais certo é nem sequer darem pela sua falta, se a mantiver intacta.

A vareta saiu com facilidade. Havia muitas chaves-inglesas no armário, e ele limitou-se a desaparafusar as porcas de ambas as extremidades da vareta e a puxá-la para fora. Voltou a deter-se, segurando a vareta na mão... Imaginemos que de algum modo danificava a vareta. Não pensara nisso e ficou ali parado a rodá-la de um lado para o outro entre os dedos, a observar os reflexos de luz baça ao longo da sua superfície polida.

Era exatamente daquilo que precisava. E também era de aço; aço do bom: custava doze mil dólares. E se não se consegue aço do bom por esse preço... Aproximou a ponta da língua da vareta. Sabia sobretudo a óleo de máquina, mas devia ser aço do bom, que custava doze mil dólares. Não me parece que consiga danificar alguma coisa que custe doze mil dólares, em especial se a usar apenas uma vez...

– De qualquer maneira se precisarem dela, amanhã já terei acabado – disse, em voz alta.

Voltou a aparafusar as porcas. A boca sabia-lhe a óleo de máquina e ele cuspiu. O capitão ainda ressonava, e ele passou descalço pela porta da sua cabina, fechando pensativamente a porta de modo que a luz do corredor não perturbasse o adormecido. Enfiou a vareta no bolso. Tinha as mãos oleosas, por isso limpou-as no traseiro das calças.

Voltou a parar junto da porta da cozinha, onde o criado de bordo ainda se atarefava sobre o lavatório. O criado parou durante o tempo suficiente para lhe encontrar uma vela, e depois ele regressou ao seu quarto. Acendeu a vela, tirou a mala do senhor Talliaferro debaixo do beliche e, deixando pingar um pouco de cera quente em cima dela, fixou ali a vela. De seguida foi buscar o estojo de barbear de pele de porco do senhor Talliaferro, e pousou a vareta sobre ele com uma das extremidades por cima da chama da vela. A boca ainda lhe sabia a óleo de motor, por isso subiu para o seu beliche e cuspiu pela escotilha, descobrindo ao fazê-lo que a escotilha estava fechada. No entanto, vai secar.

Tocou na vareta. Estava a ficar quente. Mas ele queria-a incandescente. A boca ainda lhe sabia a óleo de máquina, e ele lembrou-se do outro cigarro. Estava no bolso no qual enfiara a vareta, e também aquele tinha um cheiro ligeiramente reminiscente a maquinaria, mas o tabaco a arder em breve acabaria com aquilo.

A vareta estava a ficar bastante quente, por isso foi buscar o cilindro de madeira ao beliche e, colocando o cigarro na borda da mala, pegou na vareta e segurou a sua ponta aquecida contra o ponto escolhido do cilindro; e, em breve, uma fina espiral de fumo erguia-se enrolada no ar sem vento. No fumo também se sentia um odor ligeiro que se assemelhava a couro queimado. Provavelmente, óleo de máquina.

Vinte e Duas Horas

É o facto de se ser um artista, pensou a Sr.ª Maurier com um desânimo impotente. A Sr.ª Wiseman, a menina Jameson, Mark e o Sr. Talliaferro estavam sentados a jogar brídege. Ela não estava com vontade de jogar: a pressão do seu grupo deixava-a demasiado nervosa e tensa.

– É que nem se pode imaginar o que vão fazer – disse ela, em voz alta na sua exasperação, ao ver de novo a forma desajeitada do major Ayers a desaparecer e Fairchild inclinado sobre a amurada, a uivar atrás dele como um sacerdote druida com uma voz tonitruante num sacrifício.

– Sim – concordou a Sr.ª Wiseman –, é como um cruzeiro, não é? Só embriaguez e passos de um lado para o outro – acrescentou, tentando servir-se de um estratagema. – Maldito sejas, Mark.

– É pior do que isso – corrigiu-a a sobrinha, detendo-se para observar a queda assobiada das cartas –, é como um barco de gado... só passos.

A Sr.ª Maurier suspirou.

– O que quer que seja... – A sua frase nasceu morta. A sobrinha afastou-se e uma forma alta saiu da sombra e juntou-se a ela, e desceram ambos o convés escuro desaparecendo do seu campo visual. Era aquele bizarro e andrajoso Sr. Gordon, e ela percebeu com um peso repentino na consciência que falhara na sua função como anfitriã. Mal tinha trocado uma palavra com ele, desde que tinham subido a bordo. É aquele terrível Sr. Fairchild, pensou. Mas quem poderia adivinhar como é que um homem de meia-idade, e um romancista de sucesso, se pudesse comportar assim?

A Lua estava a subir, espalhando o clarão prateado do luar sobre a água. O *Nausikaa* oscilou suavemente nas suas amarras, imóvel mas nunca parado, a dormir mas não morto, tal como acontece com os navios nos mares do mundo; embalado como uma gaivota prateada e sonhadora sobre a água... o seu iate. A sua festa, pessoas que ela convidara para se juntarem no prazer mútuo... Talvez achem que me devia embebedar com eles, pensou.

Animou-se e começou a conversar. Os jogadores de cartas remexeram-se e continuaram a dar interminavelmente cartas, respondendo com «Mmmm» às suas observações, despropositados e indiferentes, ou detendo-se para responderem sensatamente com uma deferência paciente. A Sr.ª Maurier levantou-se bruscamente.

– Vamos, meus amigos, sei que estão fartos de cartas. Vamos ouvir um pouco de música e dançar um bocado.

– Eu prefiro jogar brídege com o Mark do que dançar com ele – disse a Sr.ª Wiseman. – De quem foi essa jogada?

– Haverá muitos homens quando a música começar – disse a Sr.ª Maurier.

– Mmmm – respondeu a Sr.ª Wiseman. – Vai ser preciso mais do que um disco de gramofone para fazer com que qualquer homem deste grupo... Vais precisar de papéis de extradição... Três sem e três ases. Quanto é isso, Ernest?

– Não gostaria de dançar, senhor Talliaferro? – insistiu a Sr.ª Maurier.

– Como queira, minha querida senhora – respondeu o Sr. Talliaferro com uma indiferença cortês, ocupado com o seu lápis. – Isso dá... – Somou uma coluna com os seus dedos bem tratados, e depois levantou a cabeça. – Desculpe, disse alguma coisa?

– Não se incomode – disse a Sr.ª Maurier. – Eu mesma vou pôr um disco; tenho a certeza de que todo o grupo se vai reunir, quando o ouvirem. – Girou a manivela do gramofone portátil e colocou um disco. – Vocês acabem o vosso jogo, que vou dar uma vista de olhos por aí para ver quem consigo encontrar – acrescentou. Mmmm, responderam eles.

O gramofone soltou os seus ritmos provocadores de saxofones e bateria, e a Sr.ª Maurier vagueou de um lado para o outro, espreitando para as sombras. Encontrou primeiro o criado de bordo, que despachou até junto dos cavalheiros com uma ordem disfarçada sob a forma de convite. Depois mais à frente descobriu Gordon e a sua sobrinha sentados na amurada, ela com as pernas enroladas à volta de um balaústre.

– Tem cuidado – disse a tia –, podes cair. Vamos dançar um pouco – acrescentou, alegremente.

– Eu não – respondeu rapidamente a sobrinha. – Pelo menos, esta noite não. Já temos de dançar o suficiente neste mundo, e em terra firme.

– No entanto, decerto que não vais impedir que o senhor Gordon dance. Vamos, precisamos de si.

– Eu não danço – respondeu Gordon, sucinto.

– Não dança? – repetiu a Sr.ª Maurier. – Não dança mesmo nada?

– Vá-se lá embora, tia Pat – respondeu a sobrinha por ele. – Estamos a falar de arte.

A Sr.ª Maurier suspirou.

– Onde está o Theodore? – acabou por perguntar. – Talvez ele se junte a nós.

– Está deitado. Foi-se deitar logo a seguir ao jantar. Mas pode ir até lá abaixo perguntar-lhe se ele se quer levantar e dançar.

A Sr.ª Maurier olhou impotente para Gordon. Depois afastou-se. O criado de bordo encontrou-se com ela: os cavalheiros apresentavam as suas desculpas, mas já estavam todos deitados. Estavam demasiado cansados depois de um dia tão extenuante. Ela voltou a suspirar e passou pelas escadas. Parecia não haver mais nada que pudesse fazer por eles. É certo que tentei, pensou, ficando-se com aquela pequena satisfação, e voltou a parar quando algo de disforme junto das escadas escuras se desdobrou e se transformou em duas pessoas; e passado um pouco, Pete disse da escuridão:

– Sou eu e a Jenny.

Jenny emitiu um som suave e sem significado, e a Sr.ª Maurier dobrou-se para a frente desconfiada. Recordou a observação que a Sr.ª Wiseman fizera acerca dos barcos de cruzeiro.

– Presumo que estejam a apreciar o luar? – observou ela.

– Sim, minha senhora – respondeu Jenny. – Estamos apenas aqui sentados.

– Vocês, jovens, não querem dançar? Eles deram corda ao gramofone – disse a Sr.ª Maurier, com um ressurgimento de otimismo.

– Sim, minha senhora – repetiu Jenny, passado um bocado. Mas não esboçaram qualquer movimento, e a Sr.ª Maurier fungou. Muito conveniente, e disse num tom gelado: – Desculpem-me, por favor.

Eles afastaram-se para que passasse e ela desceu as escadas sem voltar a olhar para trás, e encontrou a sua porta. Premiu o interruptor da luz, irritada. Depois voltou a suspirar.

É o facto de se ser um artista, repetiu para si mesma, impotente.

*

– Raios, raios, raios – disse a Sr.ª Wiseman, batendo com as suas cartas na mesa. O disco do gramofone tocara até ao fim, e imobilizara-se num arranhar interminável e monótono. – Mark, pare aquela coisa, por amor de Deus. Já estou suficientemente para trás, sem ainda ter de ficar enguiçada. – O poeta fantasmagórico levantou-se obedientemente, e a Sr.ª Wiseman atirou as suas cartas para cima das outras sobre a mesa, espalhando-as. – Não vou perder mais tempo da minha vida a colocar pequenos quadrados de papel com pontos numa sequência ordenada, na companhia de três pessoas aborrecidas, ou pelo menos esta noite não o vou fazer. Que alguém me dê um cigarro. – Empurrou a cadeira para trás, e o Sr. Talliaferro abriu a sua cigarreira. Ela tirou um cigarro, levantou o pé até ao outro joelho, e acendeu um fósforo na sola da chinela. – Em vez disto, vamos conversar um pouco.

– Onde raio é que arranjaste essas ligas? – perguntou a menina Jameson, curiosa.

– Estas? – Ela puxou a saia para baixo. – Porquê? Não gostas delas?

– Não parecem ser muito o teu género.

– Que género é que me sugerias? Pedaços de cordel colorido?

– Devia ter das pretas, apertadas por rosas vermelhas de tamanho natural – disse-lhe Mark Frost. – Era isso que se esperaria encontrar em si.

– Errrrado, meu bom homem – respondeu a Sr.ª Wiseman, num tom dramático. – Enganou-me maldosamente... Pergunto-me onde estará a senhora Maurier.

– Deve ter apanhado alguém. Talvez aquele tal Gordon – respondeu a menina Jameson. – Vi-o há bocado junto da amurada, ali mais à frente.

– Ah, senhor Talliaferro! – exclamou a Sr.ª Wiseman. – Tenha cuidado consigo. Viúvas e artistas, sabe. Está a ver como até eu sou tão suscetível. Não houve nenhuma vidente que o tivesse avisado de uma desconhecida alta e ruiva no seu destino?

– A senhora é viúva apenas por cortesia – replicou o poeta –, como as criadas de servir da literatura do século XVI.

– Tal como alguns dos nossos artistas, meu rapaz – respondeu a Sr.ª Wiseman. – Mas nem todos os homens a bordo são artistas. O quê, Ernest?

O Sr. Talliaferro mostrou presunçosamente o seu desagrado, por entre o fumo do seu cigarro. A Sr.ª Wiseman consumiu o dela numa série ininterrupta de tragos profundos e depois atirou-o por cima da amurada: uma brasa escarlate e incandescente.

– Eu disse que íamos conversar – recordou-os ela –, e não apenas trocar alguns mexericos tépidos e desconexos. – Levantou-se. – Vem, vamo-nos deitar, Dorothy.

A menina Jameson manteve-se sentada, numa inércia sombria.

– E perco este luar?

A Sr.ª Wiseman bocejou e esticou os braços. A Lua estendia a sua mão prateada e persistente sobre a água escura. A Sr.ª Wiseman virou-se, abrindo os braços num gesto exuberante, delineada contra ela.

– Ah, Lua, pobre e cansada... Por ti, Lua negra – declamou ela.

– Não é de admirar que pareça cansada – observou o poeta, surdamente. – Pensem no número de adultérios para os quais ela tem de olhar.

– Ou nas culpas que tem de assumir por isso – corrigiu-o a Sr.ª Wiseman. Deixou cair os braços. – Quem me dera estar apaixonada – disse ela. – Porque é que você e o Ernest não são mais... mais... Vamos, Dorothy, vamo-nos deitar.

– Tenho de me mexer? – disse a menina Jameson. No entanto, levantou-se. Os homens também se levantaram, e as duas mulheres afastaram-se. Depois de terem desaparecido, o Sr. Talliaferro reuniu as cartas que a Sr.ª Wiseman espalhara. Algumas delas tinham caído no convés.

Vinte e Três Horas

O Sr. Talliaferro bateu hesitantemente na porta da cabina de Fairchild, foi convidado a entrar e, ao abrir a porta, viu o homem semita sentado na única cadeira e o major Ayers e Fairchild sentados no beliche, a segurarem copos.

– Entre – repetiu Fairchild. – Como é que se escapou? Empurrou-a borda fora e fugiu?

O Sr. Talliaferro sorriu desaprovador, olhou para a garrafa pousada sobre a pequena mesa e esfregou as mãos em antecipação.

– O corpo humano consegue resistir a qualquer coisa, não consegue? – observou o homem semita. – Mas imagino que Talliaferro está prestes a atingir o limite da paciência, sem ajuda externa – acrescentou.

O major Ayers olhou-o afavelmente com os seus olhos azul-porcelana.

– Sim, o Talliaferro merece mesmo uma bebida – concordou Fairchild. – Onde está o Gordon? Ele estava no convés?

– Acho que sim – respondeu o Sr. Talliaferro. – Creio que está com a menina Robyn.

– Bem, melhor para ele – disse Fairchild. – Espero que ela não o trate tão grosseiramente como nos tratou a nós, ei, major?

– Você e o major Ayers mereceram exatamente aquilo que tiveram – replicou o homem semita. – Não se podem queixar.

– Talvez não. Mas não gosto de ver um ser humano a arrogar para si mesmo os privilégios e prazeres da providência. Mitigar incómodos é o trabalho de Deus.

– E quanto a instrumentos da providência?

– Oh, bebe mais um copo – disse-lhe Fairchild. – Ou, pelo menos, para de falar para que o Talliaferro possa beber um. Depois é melhor subirmos ao convés. As senhoras podem começar a pensar no que nos aconteceu.

– Porque o iriam fazer? – perguntou inocentemente o homem semita.

Fairchild levantou-se do beliche e serviu um cálice ao Talliaferro. Talliaferro bebeu-o devagar, untuosamente; e, depois de pressionado, aceitou outro.

Esvaziou o copo com um floreado, e de seguida esboçou um ligeiro esgar.

Beberam todos mais um copo e depois Fairchild guardou a garrafa.

– Vamos subir um bocado – sugeriu ele, fazendo-os levantarem-se e apascentando-os até à porta. O senhor Talliaferro deixou que os outros lhe passassem à frente. Ficando para trás, tocou no braço de Fairchild. O outro olhou para a sua expressão eloquente, e parou.

– Preciso do seu conselho – explicou o Sr. Talliaferro. O major Ayers e o homem semita pararam no corredor, à espera.

– Podem ir andando, rapazes – disse-lhes Fairchild. – Já vou ter convosco, dentro de um instante. – Virou-se para o Sr. Talliaferro. – Quem é a rapariga felizarda, desta vez?

Talliaferro sussurrou um nome.

– Ora, este é o meu plano de campanha. O que acha de...

– Espere – interrompeu-o Fairchild –, vamos beber um copo enquanto falamos disso.

Talliaferro voltou a fechar a porta, cuidadosamente.

*

Fairchild abriu a porta.

– E acha que vai resultar? – repetiu o Sr. Talliaferro, saindo da cabina.

– Claro, claro; tenho a certeza de que é seguro. Ela bem se pode decidir quanto ao inevitável.

– Não. A sério, eu quero a sua opinião sincera. Tenho mais fé na sua opinião a respeito das pessoas do que na de qualquer outro indivíduo que conheço.

– Claro, claro – repetiu Fairchild, solenemente. – Ela não lhe pode resistir. Não há hipótese, não há hipótese nenhuma. Para lhe ser sincero, odeio pensar em mulheres e raparigas jovens a andarem por aí expostas a um homem como o senhor.

O senhor Talliaferro olhou rapidamente por cima do ombro para Fairchild, com uma expressão de dúvida. Mas o rosto do outro mostrava-se solene, verdadeiramente inocente. Talliaferro continuou.

– Bem, deseje-me sorte – disse ele.

– Claro. Sabe, o almirante espera que cada homem cumpra o seu dever – respondeu Fairchild com a mesma solenidade, seguindo a figura elegante do Sr. Talliaferro escadas acima.

O major Ayers e o homem semita estavam à espera deles. Não havia senhoras. De facto, não estava ali ninguém. O convés encontrava-se deserto.

– Têm a certeza? – insistiu Fairchild. – Procuraram bem? Apetecia-me dançar um pouco. Vamos, vamos procurar outra vez.

Junto da porta da casa do leme, encontraram o timoneiro. Vestia apenas uma camisola interior por cima das calças, e estava a olhar para o céu.

– Bela noite – saudou-o Fairchild.

– Está bela agora – concordou o timoneiro. – No entanto, vem aí mau tempo. – Estendeu o braço e apontou para sudoeste. – O lago é capaz de estar bastante alto, de manhã. E também estamos na costa de sotavento. – Voltou a olhar para o céu.

– Ah, acho que não – respondeu Fairchild, com um enorme otimismo. – Dificilmente isso pode acontecer com uma noite tão clara como esta, não acha?

O timoneiro olhou para o céu, sem responder. Eles continuaram a andar.

– Esqueci-me de vos dizer que as senhoras se retiraram – observou o Sr. Talliaferro.

– Isso é engraçado – disse Fairchild. – Pergunto-me se elas pensaram que não íamos voltar?

– Talvez tivessem medo que voltássemos – alvitrou o homem semita.

– Hum – disse Fairchild. – De qualquer maneira, que horas são?

Passava da meia-noite, e o céu perto do zénite estava nublado, a obscurecer as estrelas. Mas a Lua ainda estava brilhante, suave e fria, afável e exangue como uma alcoviteira bem-sucedida, a banhar o iate num prateado tranquilo; e através do céu meridional passava um cortejo de pequenas nuvens semelhantes a golfinhos de prata numa onda ultramarina rígida, como uma antiga xilogravura geográfica.

O SEGUNDO DIA

Às três horas, a tempestade lançara-se através do lago. Ao amanhecer, quando o timoneiro acordou o capitão, o lago, tal como ele previra, estava bastante alto. A corrente vinha diretamente de terra; as ondas erguiam-se em batalhões intermináveis sob um céu sem nuvens, a enrolarem-se e a espumarem ao longo do casco, a desvanecerem-se e a morrerem enquanto as águas à popa do iate baixavam até se transformarem num obstáculo branco e fino delineado contra uma faixa de árvores escuras e impenetráveis. O *Nausikaa* erguia-se e caía, a proa inclinada, arrastando as suas amarras tensas. O timoneiro acordou o capitão e regressou rapidamente para a casa do leme.

O marinheiro de convés subiu as âncoras e o timoneiro enviou uma mensagem pelo telégrafo. Renascendo, o *Nausikaa* despertou a estremecer, e detendo-se por um instante entre duas ondas como um nadador, continuou a avançar. Guinou um pouco e o timoneiro rodou o leme. Mas a embarcação não respondeu, e inclinando-se firmemente ganhou velocidade; e enquanto o timoneiro girava o leme a toda a força, o *Nausikaa* descaía de lado na depressão entre as ondas. O timoneiro voltou a usar o telégrafo e gritou ao marinheiro de convés para que soltasse as âncoras.

Às sete horas o *Nausikaa*, a arrastar as âncoras, tinha tocado no fundo com um ligeiro estremecimento. A embarcação pareceu pensar um momento, depois libertou-se e arrastou-se um pouco mais até ao baixio areoso, de seguida virou-se um pouco, e com uma inclinação quase impercetível assentou profundamente na água como um banhista roliço, apanhando com as ondas nos vaus.

Dorothy Jameson tinha um estilo ousado e sem graça. Preferia retratos, embora por vezes também pintasse naturezas-mortas – frutas e flores duras, implacáveis, em tigelas sem dimensões colocadas sobre mesas sem profundidade. Os seus dentes eram grandes e brancos na revelação pálida das gengivas, e os seus olhos cinzentos eram friamente eficazes. O seu corpo era longo, frágil e livremente articulado; e quando passara dois anos na Greenwich Village, considerara necessário para a assimilação das tendências americanas na pintura arranjar um amante apesar de ainda ser virgem.

Arranjara o amante principalmente porque ele lhe devia dinheiro, dinheiro que lhe pedira emprestado para poder pagar a dívida a outra mulher. O amante acabou por fugir para Paris com uma senhora rica de Petersburgo, empenhado o seu – de Dorothy – casaco de peles a caminho do cais e enviando-lhe o talão pelo correio de bordo. O amante era músico. Ele era bastante avançado, aquilo a que se chama um radical; e nos intervalos das experiências com a escala tonal convencional, fazia parte da orquestra de um salão de baile da alta da cidade. Fora ali que ele conhecera a senhora de Petersburgo.

Mas esse episódio estava terminado, já quase lhe desaparecera da memória. Ela passara um ano no estrangeiro e regressara a Nova Orleães, onde se instalara com uma pensão moderada que lhe permitia pagar um estúdio no *vieux carré*, e o seu nome aparecera várias vezes no registo da polícia por condução imprudente e pelo cultivar sem graça, mas razoavelmente agradável da sua individualidade, recebendo como única sentença uma ocasional e amena censura por parte da sua família, como o som da chuva que se ouve atrás de uma janela fechada.

Sempre tivera problemas com os seus homens. E sobretudo devido ao hábito (apesar daquele episódio quase esquecido), continuara a tentar os artistas, mas mais cedo ou mais tarde eles acabavam por a deixar. Isto é, com a exceção de Mark Frost. E, no caso dele, percebera, era a pura inércia mais do que qualquer outra coisa. E, admitia ela com uma perspicácia distanciada, quem é que estava interessado em ficar com Mark Frost? Nunca ninguém se interessava durante muito tempo por um artista que não fazia nada senão criar arte e, na verdade, até muito pouco dessa.

Mas outros homens, homens que ela reconhecia como tendo potencialidades, passavam todos por um período violento, mas temporário de interesse que terminava tão abruptamente como começara, sem deixar sequer os fios duradouros de um incidente mutuamente recordado, como aquelas repentinas tempestades de agosto que ameaçavam e se dissolviam sem nenhum motivo aparente, e sem produzirem qualquer chuva.

Por vezes, refletia com uma indiferença quase masculina nos motivos para aquilo. Tentara sempre manter as suas relações naquele plano que os homens pareciam preferir – decerto que nenhuma mulher iria, e poucas mulheres o fariam, exigir menos dos seus homens do que ela o fazia. Nunca fazia exigências arbitrárias do tempo deles, nunca lhes pedia que esperassem por ela nem que a acompanhassem a casa a horas inconvenientes, nunca os fazia ir buscar coisas e carregá-las para ela; alimentava-os e lisonjeava-se como sendo uma boa ouvinte.

E no entanto... Pensava nas mulheres que conhecia: como todas elas tinham, pelo menos, um homem obviamente arrebatado; pensava nas mulheres que tinha observado: como pareciam arranjar um homem à sua vontade, e se acabasse por não ficar com elas, o quão rapidamente o substituíam.

Pensou nas mulheres que se encontravam a bordo, revendo--as rapidamente. Eva Wiseman. Tivera um marido, e quase se desfizera dele. Os homens gostavam dela. Fairchild, por exemplo: um homem de uma capacidade e feitos incontestáveis. No entanto, isso poderia ser devido à sua amizade com o irmão dela. Mas não, Fairchild não era desse tipo: as obrigações sociais tocavam-lhe demasiado ao de leve. Era porque se sentia atraído por ela. Devido a gostos semelhantes? Mas eu também crio, recordou-se.

Depois pensou nas duas jovens. Na sobrinha Patricia, com a sua curiosidade genuína em relação às coisas, o seu encantamento infantil no movimento persistentemente físico, no seu objetivismo duro e completamente desinteressado na criação da arte (Aposto que ela nem sequer lê); e Gordon, altivo e insuportavelmente arrogante e, no entanto, intrigado. E Fairchild também interessado à sua maneira impessoal. Provavelmente até Pete.

Pete e Jenny. Jenny com a sua placidez suave, o seu apelo puro e passivo aos sentidos, e o Sr. Talliaferro, a desafiar o desagrado da Sr.ª Maurier para girar à volta dela, quase a bajulá-la. Até mesmo ela sentia o apelo de Jenny – uma enorme abundância de carne jovem e rosada, uma fecundidade potencialmente inerte para a qual se olhar: uma boneca à espera de um estímulo, e desafiando-o sem alegria ou angústia. Trouxera um homem com ela... Não, nem sequer o trouxera: ele seguira a sua perturbadora órbita loira como a maré segue a Lua, sem ser de sua escolha, talvez até contra a sua própria vontade. Duas mulheres que não tinham qualquer interesse nas artes e, no entanto, sem qualquer esforço atraíam para elas homens, homens artísticos. Opostos, antíteses... Talvez, pensou, eu tenha estado a tentar o tipo errado de homens, talvez o homem artístico não seja o meu tipo de homem.

Sete Horas

– Não, minha senhora – respondeu cortesmente o sobrinho –, é um cachimbo.

– Oh – murmurou ela –, um cachimbo.

Ele debruçou-se sobre o seu cilindro de madeira, desbastando-o com uma faca, delicadamente, com cuidado. Estava muito mais fresco naquele dia. O Sol erguera-se de um mar miniaturalmente denteado, e subira para um céu sem nuvens. Durante um bocado, o iate tivera um movimento percetível – fora aquele movimento que a acordara –, mas agora parara, embora ondas de tamanho apreciável ainda se aproximassem vindas do lago, a espumarem brancas ao longo do casco, e acabavam por ir morrer na praia junto de uma escura falésia de árvores. Na noite anterior, não se apercebera que estavam tão próximos de terra. Mas de noite as distâncias confundiam-na sempre.

Desejou ter trazido um casaco: se tivesse antecipado um tempo tão fresco em agosto... Ficou parada a apertar o xaile à volta dos ombros, a observar os antebraços determinados e morenos dele, e a sua cabeça áspera de cabelo muito curto como o da irmã, desejando moderadamente o pequeno-almoço. Será que ele tem fome?, pensou. E observou:

– Esta manhã, não sente um pouco de frio, sem casaco?

Ele esculpia o seu objeto com uma absorção enlevada e maternal, e passado um bocado, ela disse, mais alto:

– Não seria mais simples comprar um?

– Presumo que sim – murmurou ele. Depois levantou a cabeça e o sol incidiu diretamente nos seus olhos opacos com pintas amarelas. – O que disse?

– Pensei que fosse esperar até chegarmos a terra e que depois compraria um, em vez de o tentar fazer.

– Não se pode comprar um igual a este. Não os fazem. – O cilindro consistia de duas secções, trabalhadas, que se encaixavam astutamente. Ele levantou uma peça, olhando-a de olhos semicerrados, e desbastou dela uma farpa infinitesimal. Depois voltou a encaixá-la. De seguida voltou a separá-las e desbastou uma farpa infinitesimal da outra peça, e voltou a encaixá-las. A menina Jameson observava-o.

– Sabe o desenho de cor? – perguntou.

Ele voltou a levantar a cabeça.

– Uh? – disse, num tom atordoado.

– O desenho que está a esculpir. Está apenas a esculpi-lo de memória, ou o quê?

– Desenho? – repetiu ele. – Que desenho?

Naquele dia estava muito mais fresco.

Havia no rosto de Pete uma espécie de alarme ativo que ainda não se dispersara por completo, e agarrando a sua folha de jornal levantou-se com uma delicadeza tardia, mas ela disse:

– Não, não. Eu vou buscar uma. Deixe-se estar sentado.

Por isso manteve-se de pé, a segurar o jornal, enquanto ela ia buscar uma cadeira e a empurrava para junto da dele.

– Esta manhã está bastante fresca, não está?

– Está mesmo – concordou ele. – Hoje de manhã, quando acordei e senti todo aquele vento frio e o barco a subir e a descer, não soube em que é que estávamos metidos. De qualquer maneira, hoje de manhã não me sentia muito bem, e com o barco a subir e a descer era como... No entanto, agora está imóvel. Parece que se aproximaram mais da margem e que desta vez o pararam.

– Sim, parece-me que estamos mais perto do que estávamos ontem à noite. – Quando se instalou ele também se sentou, e naquele momento, esquecendo-se dela, voltou a colocar os pés na amurada. Depois lembrou-se e baixou-os.

– Ora, como é que conseguiu um jornal esta manhã? Ontem à noite houve algum momento em que nos tivéssemos aproximado de terra? – perguntou ela, erguendo os pés para a amurada.

Por algum motivo, ele sentiu-se desconfortável por causa do seu jornal.

– É apenas um jornal velho – explicou, debilmente. – Encontrei-o algures, lá em baixo. Acho que me distraiu da minha má disposição. – Fez um gesto como se a rejeitá-lo.

– Não o deite fora – disse ela rapidamente –, continue... não deixe que eu o interrompa se encontrou aí alguma coisa de interessante. Lamento que não se esteja a sentir bem. Talvez se sinta melhor depois do pequeno-almoço.

– Talvez sim – concordou, pouco convencido. – Não me apetece muito o pequeno-almoço, depois de acordar como acordei e sentindo-me um pouco mal, e também com o barco a subir e a descer.

– Tenho a certeza de que se irá recompor. – Ela inclinou-se para ver o jornal. Era a folha de uma secção da revista de domingo: um artigo de aparência deprimente com letras minúsculas acerca da arquitetura românica, intercaladas por fotografias desfocadas e indistinguíveis. – Está interessado em arquitetura? – perguntou ela, intensamente.

– Acho que não – respondeu ele. – Só estava a lê-lo, até se levantarem. – Voltou a inclinar o chapéu: sob o disfarce daquele movimento, levantou os pés para a amurada, assentando o corpo sobre a espinha. Ela disse:

– Tantas pessoas perdem o seu tempo com coisas como arquitetura, e outras que tais. É muito melhor fazer parte da vida, não acha? Muito melhor estarmos nela nós mesmos e gozarmos a fazê-las e a sofrer por elas, do que tornarmos a nossa vida estéril através da dedicação a uma posteridade improvável e ingrata. Não concorda?

– Nunca pensei nisso – disse Pete, cauteloso. Acendeu um cigarro. – Hoje o pequeno-almoço está atrasado.

– Claro que não pensou. É isso que admiro num homem como você. Conhece tão bem a vida, que não receia aquilo que lhe poderá fazer. Não passa a vida a pensar na vida, pois não?

– Não muito – concordou ele. – No entanto, um homem não quer ser um peixe.

– Você nunca será um peixe, Pete (todos lhe chamam Pete, não chamam? Não se importa?). Eu acho que, na realidade, as coisas sérias são aquelas que nos dão felicidade, pessoas e coisas que são compatíveis, amor... Tantas pessoas sentem-se satisfeitas apenas por se sentarem a falar delas, em vez de saírem e de obterem essas coisas. Como se a vida fosse uma espécie de anedota... Posso fumar um cigarro? Obrigada. Vejo que também fuma esta marca. Um m... Obrigada. Gosto do seu chapéu: adequa-se mesmo à forma do seu rosto. Tem um rosto extremamente interessante, sabia? E os seus olhos. Nunca vi olhos com uma cor igual à sua. Mas presumo que muitas mulheres já lho tenham dito, não disseram?

– Acho que sim – respondeu Pete. – Elas dizem-nos qualquer coisa.

– É isso que o amor significou para si, Pete... engano? – Inclinou-se para o fósforo, olhando para ele com o convite sem graça nos olhos. – É essa a opinião que tem a nosso respeito?

– Ah, elas não querem dizer nada com isso – disse Pete, num tom que roçava o alarme. – A que horas é que tomam o pequeno-almoço nesta carreira? – Levantou-se. – Acho que seria melhor ir até lá abaixo um instante, antes que o pequeno-almoço esteja pronto. Não deve demorar muito – acrescentou.

A menina Jameson estava a olhar em silêncio para a água. Usava um xaile fino à volta dos ombros: uma coisa brilhante como uma teia que lhe emprestava uma fragilidade exangue, tal como a ténue ponte de sardas (relíquia de uma única tarde passada ao sol) que lhe atravessava o nariz. Naquele momento estava sentada imóvel, o cigarro apertado entre os dedos longos e delicados: e Pete encontrava-se ao seu lado, extremamente desconfortável – ora, ele não sabia como o evitar.

– Acho que vou descer antes do pequeno-almoço – repetiu ele. – Diga-me – estendeu-lhe o jornal –, porque não lhe dá uma vista de olhos enquanto eu não voltar?

Olhou de novo para ele, e pegou no jornal.

– Ah, Pete, apesar da sua experiência... não sabe muito a nosso respeito.

– Claro – respondeu ele. – Voltaremos a ver-nos, certo? – E afastou-se. Estou satisfeito por ontem ter um colarinho limpo, pensou ele, virando em direção às escadas. Decerto que esta viagem estará terminada dentro de um ou dois anos... No momento em que começou a descer, olhou para ela. Tinha o jornal atravessado no colo, mas não o estava a ler. E também deitara o cigarro fora. Meu Deus, pensou Pete. Depois pensou numa coisa. Pete, meu rapaz, disse a si mesmo, vai ser uma viagem difícil. Desceu o corredor estreito. Aquele avançava em dois sentidos, presunçosamente interrompido por portas espaçadas e mudas com maçanetas de latão. Abrandou por instantes, contando as portas até encontrar a sua, e ao parar a porta mais próxima abriu-se repentinamente e apareceu a sobrinha a apertar um impermeável.

– Olá – disse ela.

– Não me digas nada – respondeu Pete, erguendo ligeiramente o chapéu. – A Jenny também já se levantou?

– Digamos que eu sonhei que tinhas perdido aquela coisa – disse-lhe a sobrinha. – Sim, acho que deve estar quase a sair.

– Isso é ótimo. Estava com medo que ficasse deitada e morrer de fome.

– Não, ela vai sair dentro de pouco tempo. – Ficaram parados a olhar um para o outro no corredor estreito, a obstruírem-no por completo, e a sobrinha disse: – Continua, Pete. Esta manhã estou demasiado cansada para passar por cima de ti.

Ele afastou-se para um lado para a deixar passar e, ao vê-la afastar-se, gritou-lhe nas costas:

– Tens as calças a cair.

Ela parou e remexeu as ancas, enquanto um tecido sem forma lhe descia por baixo do impermeável e se amontoava lenta e letargicamente à volta dos seus pés. Ela parou com uma perna levantada e deu um pontapé no monte, depois debruçando-se apanhou entre as suas pregas uma gravata de homem desfiada e informe.

– Maldito cordel – disse ela, sacudindo-se para fora da roupa e pegando nela.

Pete virou no corredor estreito, contando portas discretas e idênticas. Sentiu o cheiro do café e acrescentou para si mesmo: Uma viagem difícil, e com fervor: Tenho a certeza de que o vai ser.

Oito Horas

– É o mecanismo de direção – explicou a Sr.ª Maurier à mesa do pequeno-almoço. – Algum...

– Eu sei – exclamou de imediato a Sr.ª Wiseman, por cima da toranja. – Espiões alemães!

A Sr.ª Maurier olhou para ela com um espanto paciente. Disse: – Que amorosa.

– Ontem estava a trabalhar perfeitamente. O capitão disse que ontem estava a trabalhar na perfeição. Mas esta manhã, quando surgiu a tempestade... De qualquer maneira, estamos encalhados, e eles vão enviar alguém para nos tirar daqui. Esta manhã vão tentar encontrar o problema, mas eu não sei...

A Sr.ª Wiseman inclinou-se para ela e deu-lhe uma palmadinha na mão trémula, cheia de anéis.

– Pronto, pronto, não te sintas mal por causa disso; a culpa não foi tua. Dentro em breve vão-nos tirar daqui, e nós podemos divertir-nos como se ainda estivéssemos a navegar. Talvez ainda mais: o movimento parece ter tido um mau efeito sobre o grupo. Pergunto-me... – Fairchild e o seu grupo ainda não tinham aparecido; à frente de cada lugar, uma toranja, inocente e profunda. Decerto que não fora a perspetiva de mais toranjas que os mantinha afastados... A Sr.ª Maurier seguiu-lhe o olhar.

– Talvez seja melhor assim – murmurou ela.

– De qualquer maneira, eu sempre quis naufragar – continuou a Sr.ª Wiseman. – Como é que eles dizem? Abrir um rombo no navio, não é? Mas, no entanto, decerto que o Dawson e o Julius não poderiam ter pensado nisto.

A Sr.ª Maurier, que cismava por cima do seu prato, ergueu os olhos e estremeceu.

– Não, não – respondeu ela, apressadamente –, claro que não; isso é uma tolice. Limitou-se a acontecer, como é habitual nestas coisas. Mas que isto seja uma lição para vocês, crianças, nunca deixem que as suspeitas recaiam sobre vocês – acrescentou ela, olhando da sobrinha para o sobrinho. O criado de bordo apareceu com café e a Sr.ª Maurier deu-lhe ordens para deixar as toranjas dos cavalheiros até eles acharem por bem aparecerem.

– Eles não o poderiam ter feito, mesmo que o quisessem – respondeu a sobrinha. – Não sabem nada de maquinaria. O Josh poderia tê-lo feito. Ele sabe tudo a respeito de automóveis a motor. Aposto que o poderias arranjar, não podias, Gus?

Ele pareceu nem sequer a ouvir. Terminou o seu pequeno-almoço, comendo com uma preocupação firme e absorta, depois, empurrando a cadeira para trás, pediu um cigarro a ninguém em particular. A irmã tirou um maço de algures. Ainda tinha vestígios de pó cor-de-rosa e aromático, e a menina Jameson disse cortante:

– Já me tinha interrogado quem é que me teria tirado os cigarros. Foste tu, não foste?

– Pensei que se tinha esquecido deles, por isso trouxe-os para cima comigo.

Ela e o irmão tiraram um cigarro, e depois ela empurrou o maço através da mesa. A menina Jameson pegou nele, olhou para o seu interior durante um momento, e depois guardou-o na mala. O sobrinho tinha um isqueiro de marca. Observaram-no todos com interesse, e passado um bocado o Sr. Talliaferro com uma intenção jocosa ofereceu-lhe um fósforo. Mas o isqueiro acabou por funcionar, e ele acendeu o cigarro e fechou a tampa do isqueiro.

– Também preciso de lume, Gus – disse rapidamente a irmã, e ele tirou do bolso da camisa dois fósforos, e colocou-os ao lado do seu prato. Levantou-se.

*

Assobiou monotonamente quatro compassos de *Sleepytime Gal*, terminando numa nota prolongada e excruciante, e da roupa da cama aos pés do seu beliche tirou a vareta de aço e ficou de pé de olhos semicerrados contra o fumo do cigarro, a examiná-la. Uma ponta da vareta estava escurecida, e, apertando o tecido da perna das calças à volta dela, passou-a rapidamente de um lado para o outro. Depois voltou a examiná-la. Ainda estava um pouco escurecida. O fumo do seu cigarro estava a fazer com que os seus olhos se humedecessem, por isso cuspiu-o e pisou-o com o tacão.

Passado algum tempo, encontrou uma escova de dentes e atravessando o corredor até ao lavatório esfregou a vareta. Um pouco do preto saiu agarrado à escova, e ele secou a vareta na camisa e esfregou a escova contra o resguardo da escotilha, depois contra a torneira de água de alumínio, e de seguida contra as costas da mão. Cheirou-a... Ainda um ligeiro odor a maquinaria, mas nem se iria reparar com o cheiro da pasta de dentes misturado. Regressou à cabina e voltou a guardar a escova entre as coisas do Sr. Talliaferro.

Assobiou monotonamente quatro compassos de *Sleepytime Gal*. A casa das máquinas estava vazia. Mas, de qualquer maneira, não estava a tentar esconder-se. Voltou a encontrar a chave-inglesa e dirigiu-se à sala da bateria; colocou a vareta no seu lugar sem pressas, assobiando com uma preocupação monótona. Voltou a colocar os parafusos, e ficou ali parado durante um bocado a examinar extasiado o motor adormecido. Depois ainda sem pressas, saiu da sala.

O capitão, o criado de bordo e o marinheiro de convés estavam sentados no salão a tomar o pequeno-almoço. Ele parou junto da porta.

– Estamos avariados? – perguntou.

– Sim, senhor – respondeu sucintamente o capitão. Continuaram a tomar o pequeno-almoço.

– Qual é o problema? – Nenhuma resposta, e passado um bocado ele disse: – O motor foi-se abaixo?

– O mecanismo de direção – respondeu sucintamente o capitão. O sobrinho virou-lhes as costas.

– Bem, eu não toquei em nada na casa das máquinas.

O capitão estava debruçado sobre o seu prato, a mastigar. Depois os seus maxilares pararam e ele levantou rapidamente a cabeça, olhando para o sobrinho que se afastava pelo corredor.

Dez Horas

– O seu problema, Talliaferro, é não ser suficientemente ousado com as mulheres. É esse o seu problema.

– Mas eu...

Fairchild não o deixou terminar.

– Não me refiro a palavras. Elas não se ralam nada com palavras, apenas com pequenas coisas com que passar o tempo. Não é com palavras que tem de se mostrar ousado com elas. Embora o motivo possa ser porque metade do tempo não o estão a ouvir. Não estão interessadas naquilo que você tem a dizer: estão interessadas naquilo que você vai fazer.

– Sim, mas... O que é que quer dizer com, «ser ousado»? O que devo fazer para ser ousado?

– Como o fazem por todo o lado? Não estão todos os jornais que você lê cheios de relatos de homens que são apanhados em Kansas City ou Omaha em condições comprometedoras com raparigas jovens que desapareceram de Indianápolis e Peoria, e até Chicago, há dias e dias? Decerto que se um homem consegue chegar tão longe quanto Kansas City com uma rapariga de Chicago, sem que ela lhe dê um tiro por acaso, por amor, por pura exuberância de espírito ou qualquer coisa assim, ele pode perfeitamente arriscar com uma rapariga de Nova Orleães.

– Mas porque é que o Talliaferro iria querer levar uma rapariga de Nova Orleães, ou qualquer outra rapariga, para Kansas City? – perguntou o homem semita. Eles ignoraram-no.

– Eu sei – replicou o Sr. Talliaferro. – Mas esses homens acabaram de roubar uma loja de charutos. Eu não conseguiria fazer isso, sabe.

– Bem, talvez as raparigas de Nova Orleães não necessitem disso; talvez ainda não sejam assim tão sofisticadas. Podem não saber que os seus favores merecem algo de tão valioso quanto uma loja de charutos. Mas não sei; há filmes, e algumas delas até leem jornais, por isso aconselho-o a começar a preparar-se. Já se pode ter espalhado a notícia que se elas se contiverem durante um ou dois dias, podem conseguir uma loja de charutos por uma ninharia. E não há muitas lojas de charutos em Nova Orleães, sabe.

– Mas, sabes – voltou a intervir o homem semita –, o Talliaferro não quer uma rapariga e uma loja de charutos.

– Isso é verdade – concordou Fairchild. – Não anda à procura de tabaco, pois não, Talliaferro?

Onze Horas

– Não, senhor – respondeu pacientemente o sobrinho –, é um cachimbo.

– Um cachimbo? – Fairchild aproximou-se mais, interessado. – Qual é a ideia? Consegue aguentar o fumo mais tempo do que um cachimbo normal? Consegue conter mais tabaco, ei?

– O tabaco fica mais fresco – corrigiu-o o sobrinho, esculpindo minuciosamente o seu cilindro. – Não nos queima a língua. Fuma-se o tabaco até à última folha, e não nos queima a língua. Muda-se-lhe a engrenagem, como se fosse um carro.

– Raios me partam. Como é que isso funciona? – Fairchild arrastou uma cadeira para junto dele, e o sobrinho mostrou-lhe como funcionava. – Bem, raios me partam – repetiu ele, entusiasmado. – Ouve, podias fazer um monte de dinheiro com isso, sabes, se o conseguires pôr a funcionar.

– Funciona – respondeu o sobrinho, voltando a juntar os cilindros. – Já fiz um pequeno, de pinho. Puxava bastante bem para um cachimbo de pinho. Vai funcionar bem.

– Que tipo de madeira estás a usar agora?

– Cerejeira. – Ele esculpiu e encaixou as peças cuidadosamente, inclinando a cabeça escura e áspera por cima do seu trabalho. Fairchild observou-o.

– Bem, raios me partam – disse ele de novo, numa espécie de espanto carregado. – Engraçado como nunca ninguém pensou nisso anteriormente. Olha, podíamos formar uma sociedade por ações, sabes, com o Julius e o major Ayers. Ele está a tentar enriquecer depressa com uma coisa que não necessite de muito trabalho, e este cachimbo é uma ideia muito melhor do que aquela que ele tem, já que nem sequer consigo imaginar americanos a gastarem muito dinheiro com algo que não faz nada exceto manter os intestinos limpos. É algo de demasiado sensato para nós, apesar de comprarmos qualquer coisa. A tua irmã contou-me que, no próximo mês, tu e ela vão para Yale.

– Eu vou – corrigiu-o ele, sem levantar a cabeça. – Ela apenas pensa que vai. Apenas isso. Andou a chatear o meu pai até ele dizer que ela podia ir. Nessa altura, já vai querer fazer outra coisa qualquer.

– Que mais é que ela faz? – perguntou Fairchild. – Quero dizer, tem uma fiada de namorados, anda sempre em festas e a comprar coisas, como a maioria das raparigas como ela faz?

– Não – respondeu o sobrinho. – Passa a maior parte do seu tempo, e também do meu, atrás de mim. Oh, acho que é porreira – acrescentou ele, tolerante –, mas não tem muito bom senso. – Desencaixou os cilindros, e observou-os de olhos semicerrados.

– É nisso que ela é diferente, não é? – Fairchild aproximou-se ainda mais. – Sim, é uma miúda bastante agradável. Como um potro de corridas, percebes Então, vais para Yale. Eu também quis ir para Yale. Só que tive de ir para onde podia. Presumo que haja uma altura na vida de cada jovem americano da classe média em que ele quer ir para uma universidade, ou então aceita a inevitabilidade da educação quando pretende ir para Yale ou Harvard. Talvez seja esse o mérito de Yale e Harvard na nossa vida americana: uma espécie de ilusão de um nirvana intelectual que faz com que aqueles que não as podem frequentar trabalhem como o raio para onde quer que vão, de modo a não parecerem ignorantes ao lado daqueles que as podem frequentar.

» Apesar disso, noventa em cada cem daqueles que saem de Yale e Harvard acabam por ser razoavelmente suportáveis e é fácil conviver com eles, mesmo que não sejam mais nada. E acho que isso é algo de positivo a dizer a respeito de qualquer fábrica. Mas eu gostaria de ter ido para lá. – O sobrinho não o estava a ouvir com muita atenção. Aparou e desbastou atentamente o seu cilindro. Fairchild continuou:

– Eu fui para uma espécie de universidade engraçada. Uma universidade confessional, sabes, onde criavam pregadores. Estava a trabalhar numa fábrica de maquinaria de moagem no Indiana, e o dono da fábrica era um dos provedores dessa faculdade. Era um indivíduo velho e beato com uma barba de bode, e todos os anos oferecia meia bolsa de estudo que era colocada a concurso entre os jovens que trabalhavam para ele. Se a ganhássemos, sabes, encontrava-nos um emprego próximo da faculdade para pagarmos a nossa estada, mas não o suficiente para fazermos mais alguma coisa, para evitar que nos metêssemos nas tentações da carne, percebes, e a universidade enviava-lhe um relatório mensal do nosso progresso. E naquele ano, fui eu que a ganhei.

» Era apenas durante um ano, por isso tentei aprender tudo o que consegui. Tinha seis ou sete cadeiras por dia, além do trabalho que tinha de executar para pagar a minha estada. Mas comecei a ficar interessado em aprender coisas: eu aprendia apesar dos professores que tínhamos. Eram um bando de pregadores desiludidos: cabeças cheias de dogmas e intolerância, e uma barriga cheia de palavras caras e sem significado. O curso de literatura inglesa reduzia Shakespeare, porque ele escrevia acerca de prostitutas sem apontar uma moral; um professor insistia sempre que o demónio principal no *Paraíso Perdido* era o retrato profético e inspirado de Darwin; não tocavam em Byron, nem com uma vara de dez metros; e Swinburne era reduzido à sua mãe e ao seu antigo suplente, o oceano. E acho que também o teriam cortado, se naqueles tempos se usassem fatos de banho de uma só peça. Mas, apesar disso, fiquei mais ou menos interessado em aprender coisas. Gostaria de ter podido olhar para dentro da minha mente, depois de esse ano ter chegado ao fim. – Olhou por cima da água, por cima das ondas que rugiam, firmes e tocadas pelo vento. Riu-se. – E também quase me juntei a uma fraternidade.

O sobrinho debruçou-se sobre o cachimbo. Fairchild tirou um maço de cigarros. O sobrinho aceitou um, distraído. Também aceitou um fósforo.

– Presumo que tenhas um olho numa fraternidade, não tens? – sugeriu Fairchild.

– Na sociedade secreta – corrigiu-o concisamente o sobrinho. – Se conseguir entrar.

– Sociedade secreta – repetiu Fairchild. – Isso significa que durante três anos não te podes juntar, ei? Essa é uma boa ideia. Gosto dessa ideia. Mas eu tive de fazer tudo no mesmo ano, percebes. Não podia esperar. Nunca tive muito tempo para me misturar com os outros alunos. Seis horas de aulas por dia, e o resto do tempo a trabalhar e a estudar para o dia seguinte. Mas não conseguia evitar ouvir coisas a esse respeito, acerca de praxes e juramentos e por aí fora, e como fulano de tal andava atrás deste e daquele indivíduo, porque andava na equipa de futebol ou qualquer coisa desse género.

» Havia um indivíduo no meu albergue; era um tipo alto e atraente, sempre a falar de grandes atletas e coisas dessas na escola. Ele conhecia-os a todos pelos seus nomes próprios. E tinha sempre alguma historieta acerca de raparigas: sempre a mostrar-nos um envelope cor-de-rosa ou qualquer coisa desse género, uma espécie de insinuação cavalheiresca para proteger as suas reputações. Ele disse-me que era finalista, e foi o primeiro a falar-me das fraternidades. Disse que pertencera a uma durante muito tempo, apesar de não usar nenhum distintivo. Dera-o a uma rapariga que não lho devolvera. Estás a ver – voltou a explicar Fairchild –, tive de trabalhar muito. Tu sabes, meti-me num monte de trabalho por pão e carne, onde a oportunidade não me podia tocar muito. Oportunidade e informação. É isso que querem dizer por sensatez, bom senso, tu sabes.

» Foi ele que me disse que me podia meter na fraternidade, se eu quisesse. – Deu uma passa no cigarro, e depois deitou-o fora. – São os jovens que dão a vida ao ritual, ao fazerem das convenções uma parte ativa da vida: apenas os velhos destroem a vida a fazerem dela um ritual. E eu queria conseguir tudo que pudesse da universidade. O rapaz que pertence a um grupo de piratas secretos e que sonha em defender uma abstração com o seu sangue não morreu por completo antes de fazeres vinte e um anos, sabes. Mas eu não tinha dinheiro.

» Depois ele sugeriu que eu arranjasse temporariamente mais trabalho. Referiu-me outros homens que pertenciam à fraternidade ou que se iam juntar; jogadores de basebol, capitães de equipa, alunos do quadro de honra e tudo. Por isso arranjei mais trabalho. Disse-me para não o dizer a ninguém, que era assim que eles o faziam. Eu não conhecia muito bem ninguém, percebes – explicou. – Tinha de trabalhar arduamente durante todo o dia: não havia qualquer oportunidade de conhecer alguém suficientemente bem para falar com eles. – Pareceu meditar, olhando para os incessantes e desvanecidos batalhões de ondas. – Por isso, arranjei mais trabalho.

» Tinha de ser trabalho noturno, e assim arranjei um emprego a ajudar a manter em funcionamento a central elétrica da universidade. Podia levar os meus livros comigo e estudar, enquanto o vapor estava no máximo. Só que aquilo deixava-me um pouco sonolento, e por vezes ficava com demasiado sono para estudar. Por isso tive de desistir de uma das minhas cadeiras, embora o professor tivesse acabado por me deixar tentar tirá-la durante as férias de Natal. Mas de qualquer maneira, aprendi a dormir sobre um monte de cinzas ou em cima de uma pilha de carvão.

O sobrinho estava agora interessado. A faca mantinha-se ociosa na sua mão, o cilindro encaixado, esquecendo a agonia da madeira.

– Teria de arranjar vinte e cinco dólares, mas a trabalhar horas extraordinárias como eu o estava a fazer, achei que na verdade aquilo não me custaria nada, exceto a perda de sono. E um indivíduo jovem consegue aguentar isso, se tiver de o fazer.

Eu estava habituado a trabalhar, sabes, e parecia-me que aquilo era como encontrar vinte e cinco dólares.

» Estava a trabalhar há cerca de um mês, quando um indivíduo se aproximou de mim e disse-me que como acontecera qualquer coisa, a fraternidade tinha de começar de imediato e perguntou-me quanto é que eu já ganhara. Faltava muito pouco para os vinte e cinco dólares, por isso ele disse que me emprestava a diferença para o compensar. Por isso fui ter com o gerente da central elétrica e disse-lhe que precisava de algum dinheiro para pagar a um dentista, e ele pagou-me tudo que me devia até ao momento e eu dei o dinheiro àquele indivíduo, e ele disse-me onde é que eu deveria estar na noite seguinte; atrás da biblioteca a uma certa hora. Foi o que fiz; estava lá, como me mandou. – Fairchild voltou a rir-se.

– O que lhe fez o passarão? – perguntou o sobrinho. – Enganou-o?

– Aquela noite estava muito fria. Era final de novembro, e um vento frio soprava vindo do Norte, a assobiar à volta daquele edifício, entre as árvores nuas. Apenas algumas folhas mortas nas árvores, a soltarem uma espécie de som seco e triste. Naquela tarde tínhamos ganho um jogo de futebol e, por vezes, eu conseguia ouvir gritos e ver luzes nos dormitórios, quentes e de aparência alegre, onde viviam aqueles que se podiam dar a esse luxo, e as árvores nuas sacudiam-se e baloiçavam em frente das janelas. Ainda a celebrarem o jogo que tínhamos ganho.

» Por isso, comecei a andar de um lado para o outro, a bater com os pés, e passado um bocado contornei a esquina da biblioteca onde não estava tanto frio, e podia espetar a cabeça de vez em quando, no caso de eles irem à minha procura. Daquele lado do edifício, conseguia ver a ala onde dormiam as raparigas. Estava toda iluminada, como se para uma festa, e eu conseguia ver sombras a ir e a vir delineadas contra as venezianas corridas, onde as raparigas se estavam a vestir e a arranjar o cabelo, e isso tudo; e passado pouco ouvi uma multidão a atravessar o *campus* e pensei, Finalmente aí vêm eles. Mas continuaram a passar, a dirigirem-se para a ala das raparigas, onde estava a decorrer a festa.

» Andei de um lado para o outro durante mais um tempo, a bater com os pés. Passado pouco, ouvi um relógio a bater as nove. Dali a meia hora, eu teria de estar na central. Estavam a tocar música na festa: conseguia ouvi-la apesar das janelas fechadas, e pensei que me poderia aproximar um pouco. Mas o vento estava mais frio, trazia com ele um pouco de neve, e além disso estava com medo que me pudessem ir buscar e que eu não estivesse ali. Por isso bati com os pés, a andar para cima e para baixo.

» Passado pouco percebi que deviam ser umas nove e meia, mas fiquei mais um pouco, e passados instantes estava a nevar muito... um nevão. Era a primeira neve do ano, e alguém da festa veio até à porta e viu a neve, e depois saíram todos para olhar e gritaram; eu conseguia ouvir as vozes das raparigas, um pouco altas e entusiasmadas e frescas, e a música estava muito alta. Depois voltaram a entrar, e a música voltou a baixar, e de seguida o relógio bateu as dez. Por isso voltei para a central. Já estava atrasado. – Interrompeu-se, olhando pensativo para os batalhões de ondas brilhantes e as mãos do vento que as esbofeteavam, esbranquiçando-as. Voltou a rir-se. – No entanto, quase me juntei a uma.

– E quanto ao pássaro? – perguntou o sobrinho. – Não o caçou no dia seguinte?

– Ele tinha desaparecido. Nunca mais o voltei a ver. Descobri mais tarde que nem sequer era aluno da universidade. Nunca soube o que lhe aconteceu. – Fairchild levantou-se. – Bem, quando tu o terminares, nós formamos uma sociedade por ações e ficamos ricos.

O sobrinho ficou sentado a apertar a faca e o seu cilindro, a olhar para as costas volumosas de Fairchild até o outro desaparecer de vista.

– Pobre pateta – disse o sobrinho, retomando o seu trabalho.

Catorze Horas

Era aquele intervalo tão insuportável para pessoas jovens e ativas: logo a seguir ao almoço num dia de verão. Todos os outros estavam algures a dormitar, não havia ninguém com quem falar nem nada para fazer. Estava mais calor do que antes do meio-dia, embora o céu se mantivesse limpo e as ondas continuassem a aproximar-se à frente de um vento firme, batendo nos vaus confortáveis do *Nausikaa*, e amontoando-se até desaparecerem e morrerem em espuma na praia baixa e na sua paliçada imóvel de árvores.

A sobrinha estava debruçada sobre a proa, a observar as ondas. Estavam a diminuir: ao entardecer já não haveria nenhuma. Mas de vez em quando, aproximava-se uma suficientemente grande para lançar ao ar um esguicho fino estimulante. O vestido açoitava-lhe as pernas nuas e ela olhava para baixo para a água inquieta, tentando decidir-se se havia de ir buscar o fato de banho. Mas se for agora vou-me cansar e depois mais tarde quando os outros também forem, não terei nada para fazer. Baixou os olhos para a água, vendo-a encapelar-se e mover-se e alterar-se, observando os cabos da âncora a esticarem-se cortando as ondas que avançavam, sentindo o vento contra as costas.

Depois o vento soprou sobre o seu rosto e ela caminhou indolentemente ao longo do convés e deteve-se de novo junto da casa do leme, a bocejar. Não estava ali ninguém. Devia ser porque o timoneiro saíra cedo para enviar a mensagem de que precisavam de ser rebocados. Ela entrou na sala, examinando o sistema de controlo com interesse. Tocou no leme, hesitante. Estava a virar bem: deviam ter arranjado o que quer que se tivesse partido. Afastou a mão e voltou a examinar a sala, esperançosa, e os seus olhos pousaram sobre um binóculo pendurado de um prego na parede.

Pelo binóculo viu um borrão a duas cores, mas naquele momento e debaixo dos seus dedos o borrão transformou-se em árvores espantosamente nítidas e em folha a folha e ramo a ramo separados, e os pingentes de musgo verde-ferrugem eram barbas de bode contemplativas a ruminarem entre as árvores, e acima da faixa amarela da praia e de uma neblina de espuma o sol pendurava pequenos arco-íris fugazes.

Observou aquilo durante algum tempo, hipnotizada, depois, virando lentamente o binóculo, as ondas passaram ao alcance do seu braço, a enrolarem-se e a amontoarem-se; e virando-o ainda mais, a amurada do iate saltou monstruosa à sua frente e sobre a amurada um objeto sem nome expedia naquele instante um certo de número de bacias circulares amarelas. As coisas amarelas caíram à água, aparentemente tão próximas, e no entanto sem som, e quando virou outra vez o binóculo a coisa que as tinha lançado desaparecera e em seu lugar encontravam-se as costas de um homem suficientemente próximo para que ela o tocasse, bastando-lhe para isso estender a mão.

Ela baixou o binóculo e as costas do homem afastaram-se, transformando-se nas costas do criado de bordo que transportava um balde do lixo, e ela percebeu então o que eram as bacias amarelas. Voltou a levantar o binóculo e de novo o criado de bordo surgiu súbita e silenciosamente ao alcance do seu braço. Chamou «Ei!» e quando ele parou e se virou, o seu rosto era tão simples quanto a simplicidade. Ela acenou-lhe com a mão, mas ele limitou-se a olhá-la durante um momento. Depois continuou a andar e contornou uma esquina.

Ela voltou a pendurar o binóculo no seu prego e seguiu-o ao longo do convés onde desaparecera. Até ao interior, pela escada e obliquamente através da porta da cozinha conseguiu vê-lo a mover-se de um lado para o outro, a lavar os pratos do almoço, e sentou-se no degrau superior da escada. Havia uma pequena vigia redonda ao seu lado, e ele debruçou-se sobre o lava-loiça com a luz a incidir diretamente sobre a sua cabeça morena. Ela observou-o em silêncio, atenta mas sem insolência, tal como uma criança o faria, até ele levantar os olhos e ver o seu rosto bronzeado e sério circularmente emoldurado pela vigia.

– Olá – disse ela.

– Olá – respondeu ele, com a mesma gravidade.

– O senhor tem de estar sempre a trabalhar, não tem? – perguntou. – Oiça, gostei da maneira como ontem saltou borda fora por aquele homem. E ainda por cima vestido. Nem todos teriam o bom senso suficiente para mergulharem longe da hélice. Como se chama?

David West, disse-lhe ele, raspando uma panela de guisado e deitando água para o interior. O vapor ergueu-se da água e à volta da panela rodava um pedaço de sabão amarelo de aparência implacável. A sobrinha estava dobrada para a frente para olhar pela vigia, a esfregar as palmas nas canelas nuas.

– É uma pena que tenha de trabalhar, quer estejamos parados ou não – observou ela. – O capitão e os outros não têm nada para fazer, apenas andar por aí. Agora podem divertir-se mais do que nós. A tia Pat é bastante terrível – explicou. – Está com ela há muito tempo?

– Não, minha senhora. É a minha primeira viagem. Mas não me importo de um trabalho leve como este. Não há muita coisa a fazer, quando nos empenhamos nisso. Não é nada comparado com o que já fiz.

– Oh. Você não... Você não é um cozinheiro regular, pois não?

– Não, minha senhora. Regular, não. Foi o senhor Fairchild quem me arranjou este emprego com a senhora... com ela.

– Arranjou? Céus, ele parece conhecer toda a gente, não parece?

– Parece?

Ela olhou pela vigia circular, observando uma chaleira enegrecida a brilhar debaixo do seu esfregão. O sabão acumulava-se, amontoado como nuvens de verão, boiava no lava-loiça como pequenos reflexos de nuvens.

– Conhece-o há muito tempo? – perguntou. – Quero dizer, o senhor Fairchild?

– Só o conheci há uns dois dias. Eu estava naquele parque onde se encontra aquela estátua, lá em baixo junto às docas, e ele passou por ali e começámos a falar e na altura eu não estava a trabalhar, e por isso ele arranjou-me este emprego. Posso fazer qualquer tipo de trabalho – acrescentou, com um orgulho calmo.

– Pode? Não vive em Nova Orleães, pois não?

– No Indiana – disse-lhe ele. – Ando apenas a viajar.

– Céus – disse a sobrinha –, quem me dera ser um homem assim. Acho que deve ser estupendo, ir para onde se quiser. Acho que iria trabalhar nos navios. Era isso que faria.

– Sim – concordou ele. – Foi aí que aprendi a cozinhar num navio.

– Não...

– Sim, minha senhora, fui até aos portos mediterrânicos na última viagem.

– Céus – repetiu ela. – Você já viu muito, não viu? O que fazia quando o navio chegava a lugares diferentes? Não se limitava a ficar no navio, pois não?

– Não, minha senhora. Ia a uma série de povoações. Longe da costa.

– Aposto que a Paris.

– Não, minha senhora – admitiu ele, com um ligeiro vestígio de desculpas –, acabei por não chegar a Paris. Mas a seguir...

– Eu sei que não o fez – disse ela, rapidamente. – Diga-me, os homens apenas vão à Europa porque dizem que as mulheres europeias são fáceis, não é verdade? As mulheres europeias são assim? Promíscuas, como eles dizem?

– Não sei – respondeu ele. – Eu nun...

– Aposto que nunca teve tempo para se meter com elas, pois não? Era isso que eu faria: não perderia o meu tempo com mulheres, se fosse à Europa. Elas deixam-me doente; esses rapazolas universitários com as suas calças em balão, e autocolantes coloridos espalhados pelas suas malas de viagem, que depois trazem com eles garrafas de conhaque vazias e riem-se furtivamente das raparigas francesas e tentam fazer amor connosco em francês. Diga-me, aposto que onde você foi podia ver muitas montanhas e povoaçõezinhas encantadoras nas suas encostas, e antigas muralhas cinzentas e castelos em ruínas nas montanhas, não podia?

– Sim, minha senhora. E havia um lugar que se erguia muito alto acima de um lago. Era azul como... azul como... água de lavar – acabou por dizer. – Água com uma tonalidade azul. Eles deitam corante azul na água quando lavam a roupa, as pessoas do campo fazem-no – explicou ele.

– Eu sei – disse ela, impaciente. – Havia montanhas à volta?

– As montanhas dos Alpes, e pequenos barcos brancos no lago, pouco maiores do que escaravelhos de água. Não os conseguíamos ver a moverem-se: apenas se via a água como que a abrir-se de ambos os lados. A água continuava a abrir-se até quase tocar em ambas as margens sempre que passava um barco.

E nós podíamo-nos deitar de costas na montanha onde eu me encontrava e ver as águias a voarem de um lado para o outro acima da água, até ao pôr do Sol. Depois as águias voltavam para as montanhas. – David olhou pela vigia, para lá do rosto bronzeado do alunado devido à janela redonda, já sem o ver, vendo em vez disso o seu lago colorido pelo corante das lavagens e as suas montanhas solitárias e as águias contra o céu azul. – E depois o Sol baixava, e por vezes as montanhas pareciam estar de novo em chamas. Aquilo era o gelo e a neve que existia nelas. De noite também era bonito – acrescentou ele simplesmente, recomeçando as esfregar as suas panelas.

– Céus – disse ela, com um anseio jovem e abafado. – E é isso que conseguimos por sermos mulheres. Acho que vou ter de casar e ter um monte de filhos. – Observou-o com os seus olhos graves e opacos. – Não, também não o vou fazer – disse, ferozmente –, vou fazer com que o Hank me deixe ir até aí no próximo verão. Não pode voltar também? Oiça, arranje as coisas para regressar nessa altura, e eu vou a casa e falo com o Hank acerca disso e depois vou lá ter. O mais provável é o Josh também querer ir, e você saberá onde ficam os lugares. Não pode fazer isso?

– Acho que o poderei fazer – respondeu ele, lentamente. – Só que...

– Só que o quê?

– Nada – disse ele, por fim.

– Bem, então, trate das coisas para ir. Vou-lhe dar a minha morada e poderá escrever-me para dizer quando partir e onde me encontrar consigo... Acho que não poderei ir no mesmo barco onde você estiver, pois não?

– Receio que não – respondeu ele.

– Bem, de qualquer maneira, vai correr tudo bem. Céus, David, quem me dera que pudéssemos ir amanhã, não concorda?

Pergunto-me se deixarão as pessoas nadarem nesse lago. Mas não sei, talvez seja mais agradável estar lá em cima onde você esteve, a vê-lo de cima. No próximo verão... – Os seus olhos, como se cegos, pousaram na cabeça castanha e atarefada dele enquanto o seu espírito se deitava de barriga para baixo acima de Maggiore, a observar os pequenos barcos brancos pouco maiores do que escaravelhos de água, e as águias arrogantes e solitárias a erguerem-se pensativas no espaço azul raiado de sol cercado e enclausurado por nuvens de montanhas, mais altas do que Deus.

David secou os seus tachos e panelas, e pendurou-os ao longo da antepara numa fileira polida. Lavou os seus panos da loiça e pendurou-os na parede para secarem. A sobrinha observava-o.

– É uma pena que tenha de estar sempre a trabalhar – disse ela, com um pesar delicado.

– Agora já terminei.

– Então, vamos nadar. Agora deve estar bom. Tenho estado à espera de alguém que me fizesse companhia.

– Não posso – respondeu ele. – Tenho mais algum trabalho que é melhor fazer agora.

– Pensei que tinha acabado. Vai demorar muito tempo? Se não, vamos nadar agora: eu espero por si.

– Bem, sabe, eu não nado durante o dia. Só de manhã muito cedo, antes de vocês se levantarem.

– Ora, não tinha pensado nisso. Aposto que nessa altura está ótimo, não está? Que tal se me acordasse de manhã, quando estiver pronto para nadar? Faz-me isso? – Ele voltou a hesitar e ela acrescentou, observando-o com os seus olhos graves e opacos: – É porque não gosta de nadar com raparigas? Não há problema, eu não o incomodo. Nado bastante bem. Não tem de evitar que eu me afogue.

– Não é isso – respondeu ele, pouco convincente. – É que sabe, eu... eu não tenho um fato de banho – disse, bruscamente.

– Oh, é só por causa disso? Vou-lhe buscar o do meu irmão. É capaz de lhe ficar um pouco apertado, mas acho que o pode usar. Vou-lho buscar agora, se for nadar.

– Não posso – repetiu ele. – Ainda tenho de fazer algumas limpezas.

– Bem... – Ela levantou-se. – Então, se não vai. Mas de manhã? Você prometeu, sabe.

– Está bem – concordou ele.

– Vou tentar estar acordada. Basta bater à porta... a segunda porta à direita do corredor, sabe. – Ela virou-se sobre os seus pés descalços e silenciosos. Voltou a parar. – Não se esqueça de que prometeu – disse-lhe. Depois o seu corpo liso de rapaz desapareceu, e David regressou ao seu trabalho.

A sobrinha subiu até ao convés e contornou a esquina da cabina sobre os seus pés silenciosos, mesmo a tempo de ver Jenny defender e dispersar um ataque do Sr. Talliaferro. Recuou para trás da esquina, sem ser vista.

Ousadia. Mas Fairchild dissera que não se pode ser ousado com palavras. Então, ser-se ousado como? Parecia-lhe que tentar fazer alguma coisa sem palavras era como tentar plantar cereais sem sementes. No entanto, Fairchild dissera... ele que conhecia as pessoas, mulheres...

O Sr. Talliaferro deambulava inquieto, tendo praticamente o barco só para si, e naquele momento viu Jenny a dormir placidamente numa cadeira à sombra da cabina de convés. Jenny era loira e rosada e suave no sono: um abandono passivo e macio adequado como água ao abraço descaído de uma cadeira de lona. Talliaferro invejou aquela cadeira com uma erupção de fogo, semelhante à de um adolescente, nos seus ossos secos; e enquanto ele ficava a olhar o embaraço estendido das doces pernas e coxas de Jenny e uma pequena mão manchada caída por cima da anca, aquela erupção de iminência, fogo e desolação pareceu distender ligeiramente todos os seus órgãos, deixando-lhe um ténue sabor salgado na língua. Talliaferro olhou rapidamente em volta do convés.

Olhou rapidamente em volta do convés, e depois sentindo-se bastante tolo, mas estranha e exuberantemente jovem, aproximou-se e debruçando-se delineou ao de leve com a mão a frouxidão pesada do corpo de Jenny através da lona que a suportava. Depois teve o pensamento terrível que alguém o estava a observar, e endireitou-se com um alarme semelhante a náusea, e olhou para os olhos fechados de Jenny. Mas as pálpebras dela estavam na sombra, um ligeiro azul-translúcido sobre as suas faces, e como um vento ligeiro e regular a sua respiração parecia recentemente saída de leite fresco. Mas Talliaferro ainda sentia olhos sobre ele e deteve-se, alerta, tentando pensar nalguma coisa para fazer, algum gesto casual para executar. Um cigarro, indicou-lhe por fim o seu cérebro caótico. Mas ele não tinha nenhum, e ainda impulsionado por aquela necessidade, afastou-se rapidamente e dirigiu-se para a sua cabina.

O sobrinho ainda estava a dormir no seu beliche, e a respirar com bastante rapidez; Talliaferro tirou os seus cigarros e depois parou em frente do espelho, a examinar o rosto, a procurar ali temeridade, impetuosidade. Mas o rosto tinha a sua habitual expressão de um alarme vago e delicado, e ele alisou o cabelo, pensando na curvatura descaída doce e passiva daquela cadeira de convés... sim, quase diretamente acima da sua cabeça. Apressou-se a voltar ao convés com uma vaga de medo de que ela tivesse acordado e levantado, que se tivesse ido embora.

Refreou-se com esforço para conseguir uma passada mais calma, explorando o convés. Estava tudo na mesma.

Fumou o seu cigarro em baforadas curtas e nervosas, ouvindo o seu coração, saboreando o sal quente. Sim, a sua mão estava mesmo a tremer, e ele manteve uma atitude casual, olhando para a água e para o céu e para a costa. Depois moveu-se, e ainda casualmente voltou até ao lugar onde Jenny dormia, o seu abandono indolente inalterado, suave, alheado e aterrorizador.

O Sr. Talliaferro debruçou-se sobre ela. Depois apoiou-se sobre um joelho, e a seguir sobre os dois. Jenny dormia inefavelmente, a exalar a sua respiração cálida e regular contra o rosto dele. Perguntou-se se conseguiria levantar-se com suficiente rapidez, numa emergência... Levantou-se e olhou em volta, depois atravessou o convés em bicos de pés e ainda em bicos de pés foi buscar outra cadeira e colocou-a ao lado da de Jenny, e sentou-se. Mas aquela era uma cadeira reclinável, por isso tentou sentar-se na borda. Demasiado alta, e entre as suas outras emoções caóticas encontrava-se um desespero atormentado pela futilidade e o passar implacável da oportunidade. E durante todo o tempo era como se ele se mantivesse ali perto e no entanto distante, a observar as suas próprias palhaçadas. Acendeu outro cigarro com mãos trémulas, puxou três baforadas que não saboreou, e deitou-o fora.

Duro este chão os seus velhos joelhos sim sim Jenny a sua respiração Sim sim a sua boca vermelha macia onde pequenos dentes mal se viam um aloirado separado caleidoscópio dourado rosado um único olho azul ainda não totalmente acordado a sua respiração sim sim. Ele sentiu de novo olhos, soube que estavam ali, mas afastou tudo, e estendeu-se, a afocinhar em busca da boca de Jenny enquanto ela acordava.

– Acorde, princesa adormecida do Beijo – palrou o Sr. Talliaferro num falsete seco. Jenny guinchou, movendo um pouco a cabeça. Depois despertou por completo e colocou a mão debaixo do queixo do Sr. Talliaferro. – Acorde, princesa com um beijo – repetiu o Sr. Talliaferro, soltando uma gargalha histérica e estridente, obcecado com uma necessidade profunda e terrível de concluir o gesto.

Jenny ergueu-se, empurrando o Sr. Talliaferro sobre os calcanhares.

– O que é que tá a fazer, seu velho... – Jenny olhou para ele, e vasculhando aquela vaga região rosada que era a sua mente, acabou por se lembrar de expressões como «companheiro de navio a vapor» ou «bandeirinha de caminho de ferro», que aquecidas com vinho poderiam aplicar-se ao temporário Phillida de sábado à noite, que lhe iria cobrar por palavra como se fosse um cabograma.

Jenny observou a elegante dispersão do Sr. Talliaferro com uma indignação suave, loira. Quando ele desapareceu, voltou a deixar-se cair. Depois resfolegou, um som baixo e indignado, e virou-se de novo sobre um lado. Mais uma vez exalou com uma indignação honrada, e passados instantes começou a dormitar e adormeceu.

Vinte e Uma Horas

Era um pedaço de crepe verde-maçã ligeiramente molhado e sórdido, e o seu principal objetivo parecia ser o de indicar vagamente o formato do traseiro de Jenny enquanto ela dançava, acariciando os pontos gémeos e macios das suas coxas com a esterilidade vagarosa de um amante envelhecido. Ela parecia ter dormido recentemente com ele, e também havia um pequeno chapéu de palha clara, sem nenhum formato em particular, com uma fita.

Jenny deslizou no abraço do Sr. Talliaferro com uma perícia plácida. Ela e Pete tinham acabado de discutir amargamente. Isto é, Pete tinha-o feito. A perturbadora placidez bovina de Jenny tinha-se meramente dissolvido em lágrimas, tornando os seus olhos mais encantadores do que nunca, e ela continuara calmamente com aquilo que tencionara fazer durante todo o tempo: divertir-se o máximo possível, enquanto estivesse ali. Pete não a podia deixar: tudo que podia fazer era irritar-se com ela ou amuar, ou talvez bater-lhe. Fizera isso uma vez, e assim tornara-se voluntariamente o seu escravo. Ela até gostara...

Para lá das luzes, para lá do som do gramofone, a água era um som menor e incessante na escuridão; acima, estrelas vagas e sonolentas. Jenny continuou a dançar placidamente, sem se perturbar com o interminável fluir das palavras suaves do senhor Talliaferro contra o seu pescoço, mal consciente da mão dele a deslizar num pequeno círculo concêntrico no fundo das suas costas.

– Ela parece bastante agradável, não parece? – disse Fairchild ao seu companheiro, ao pararem no cimo da escada, quando subiram para apanhar ar. – Do género macia e estúpida e jovem, sabes. Passiva e simultaneamente perturbadora, desafiadora. – Observou-os durante um bocado, depois acrescentou: – Agora, ali está a Grande Ilusão, por excelência.

– Qual é o problema do Talliaferro? – perguntou o homem semita.

– A ilusão de que se consegue seduzir as mulheres. Algo que não se pode fazer. Elas limitam-se a eleger-nos.

– E depois, que o Ouro nos ajude – acrescentou o outro.

– E até nesse caso, com palavras – continuou Fairchild. – Com palavras – repetiu ele, selvaticamente.

– Ora, porque não com palavras? As mulheres dão-se tão bem com uma coisa como com a outra. E tu não és o indivíduo certo para estares a desprezar palavras; tu, um membro dessa espécie em que todas as ações são controladas por palavras. É a palavra que derruba tronos e partidos políticos e instiga a cruzadas de bons costumes, não a coisa: a Coisa é meramente símbolo para palavra. E mais do que isso, pensa no raio do sarilho em que eu e tu estaríamos metidos se não fossem as palavras, onde estaríamos se perdêssemos a nossa fé nas palavras. Eu não teria nada para fazer durante todo o dia, e tu terias de trabalhar ou morrer à fome. – Manteve-se em silêncio durante um bocado. Jenny ainda deslizava séria, sentindo prazer na sua macia placidez juvenil. – E, afinal, a ilusão dele é tão gratificante como a tua. Ou até como a minha.

– Eu sei, mas a minha e a tua não são tão ridículas como a dele.

– Como é que sabes que não o são? – Fairchild não tinha resposta, e o outro continuou: – Afinal, não faz qualquer diferença aquilo em que acreditas. O homem não é apenas alimentado por convicções, é alimentado por qualquer convicção. Acredites no que acreditares, irás sempre irritar alguém, mas tu mesmo irás segui-la e enfureceres-te e morreres por essa convicção perante a lei, o inferno ou os infortúnios. E aqueles que morrem por causas morrerão por qualquer causa, quanto mais básica for mais rapidamente afluem a ela. E também se sentem muito felizes. É uma cláusula da providência para lhes manter o tempo ocupado. – Sugou o charuto, mas estava apagado. – Sabes quem é hoje em dia o homem mais feliz do mundo? Mussolini, é claro. E sabes quem são aqueles que se seguem? Os pobres diabos que ele irá matar com a sua ilusão de César. Contudo, não os lamentes: se não fosse Mussolini e a sua ilusão, seria outra pessoa qualquer e a sua causa. Creio que é algum enorme esquema cósmico para fertilizar a terra. E poderia ser muito pior – acrescentou. – Quem sabe? Podiam emigrar todos para a América e cair nas mãos de Henry Ford.

» Por isso, não andes por aí a sentires-te superior ao Talliaferro. Eu acho que a sua atual ilusão e o objeto dela são bastante encantadores, quase tão encantadores como será a sua consumação... o que é mais do que podes dizer em relação à tua. – Aproximou um fósforo do charuto. O seu rosto atento a sugar irrompeu subitamente da escuridão, e voltou a desaparecer com a mesma rapidez. Atirou o fósforo por cima da amurada. – E tu também, seu pobre eunuco emocional; tu também, apesar desse filho da mãe de um cirurgião e de um estenógrafo a que tu chamas a tua alma, também tu te recordas com pesar de teres beijado no escuro e de todas as estupidezes ternas e doces da carne jovem.

– Raios – disse Fairchild –, vamos tomar outra bebida.

O seu amigo era demasiado amável, tinha demasiado tato para lhe dizer, Eu bem te disse.

A senhora Maurier apanhou-os quando eles chegaram à escada.

– Aí estão vocês – exclamou ela animada, a aprisionar-lhes os braços –, venham, vamos todos dançar um pouco. Precisamos de homens. A Eva roubou o Mark à Dorothy, e ela não tem par. Venha, senhor Fairchild; Julius.

– Nós já voltamos – respondeu Fairchild –, agora vamos caçar o Gordon e o major Ayers, e voltamos logo a seguir.

– Não, não – disse ela, apaziguadora –, vamos mandar o criado de bordo procurá-los. Vá, venham.

– Acho que é melhor irmos – objetou Fairchild, rapidamente. – O criado trabalhou arduamente durante todo o dia; presumo que esteja exausto. E o Gordon é um pouco tímido; poderá não vir se enviar um criado à procura dele. – Ela soltou-os com uma expressão de dúvida, olhando-os com o seu rosto redondo e espantado.

– Voltam...? Volte mesmo, senhor Fairchild.

– Claro, claro – respondeu Fairchild, descendo apressadamente a escada.

– Julius – chamou impotente a Sr.ª Maurier nas suas costas.

– Eu trago-os de novo para cima dentro de dez minutos – prometeu o homem semita, seguindo-o. A Sr.ª Maurier observou-os até eles desaparecerem de vista, depois afastou-se. Jenny e o Sr. Talliaferro ainda estavam a dançar, tal como a Sr.ª Wiseman e o poeta fantasmagórico. A menina Jameson, sem parceiro, estava sentada à mesa a jogar o solitário. A Sr.ª Maurier olhou para eles enquanto o disco tocava até ao fim. Depois disse, num tom de voz firme:

– Acho que é melhor trocarmos de pares entre nós, até os homens subirem.

O Sr. Talliaferro soltou obedientemente Jenny, e Jenny, liberta, ficou por ali durante um bocado, e depois afastou-se pelo convés abaixo, passando pelo homem alto e feio que estava encostado sozinho à amurada, e mais à frente a sobrinha disse da sombra:

– Vais-te deitar?

Jenny deteve-se e virando a cabeça na direção da voz, viu o brilho fugaz do chapéu de Pete. Continuou.

– Uhuh – respondeu. A Lua estava a erguer-se, a levantar-se da água escura: uma Vénus embaciada, implacável.

Passado pouco, apareceu a tia, a rondar, a espreitar para as cadeiras na sombra e cantos obscuros, implacável e sem tato como uma doença menor.

– Santo Deus, o que temos de fazer agora? – gemeu a sobrinha. Suspirou. – É bem verdade que aquela mulher torna a vida mesmo real e séria para todos.

– Acho que é para dançar – respondeu Pete. A borda perversamente denteada do seu chapéu, onde a lua incidia sobre ele, cintilava baça como uma fileira de dentes afiados, como a litografia boquiaberta de um tubarão a atacar.

– Presumo que sim. Ouve, vou desaparecer. Vê se a consegues empatar de alguma maneira ou tenta escapar-te, o que ainda seria melhor. – A sobrinha levantou-se apressadamente. – Até logo. Vemo-nos am... Oh, também vens?

Enfiaram-se atrás do nicho da escada e achataram-se contra ela, ouvindo o deambular agitado da Sr.ª Maurier; e apertando a mão de Pete por uma questão de cautela, a sobrinha esticou o pescoço e espreitou pela esquina.

– A Dorothy também está ali – sussurrou, e afastou a cabeça e aproximaram-se ainda mais, de mãos dadas, enquanto as duas batedoras passavam, detendo-se a espreitar em todos os recantos escuros.

Mas acabaram por prosseguir, desaparecendo de vista, e a sobrinha soltou os dedos e moveu-se, e ao mover-se descobriu que se virara para o braço de Pete e contra a sua forma escura e o ângulo despreocupado do seu chapéu a encimá-la.

Separava-os um intervalo semelhante àquele entre dois esgrimistas, depois o braço de Pete moveu-se com confiança e o seu outro braço passou-lhe à volta dos ombros com uma técnica que a forçou a levantar o rosto. A sobrinha manteve-se tão imóvel que ele se voltou a inclinar com uma confiança momentaneamente esmorecida, e saído daquele intervalo surgiu um cotovelo duro e sem força, mas firmemente colocado debaixo do queixo dele.

– Tenta isso no teu saxofone, Pete – disse-lhe ela, sem alarme.

A mão de Pete voltou a mover-se e agarrou-lhe o pulso, mas ela manteve o cotovelo encostado à traqueia dele, aumentando a pressão enquanto ele lhe tentava afastar o braço, os seus corpos tensos um contra o outro sem se moveram. Aproximava-se alguém e ele soltou-a, mas antes de se poderem esquivar por outra esquina a menina Jameson viu-os.

– Quem está aí? – disse ela, na sua voz alta e sem graça. Aproximou-se mais, a espreitar. – Oh, estou a reconhecer o chapéu do Pete. A senhora Maurier quer falar consigo. – Olhou-os com uma expressão desconfiada. – O que estão aqui a fazer?

– A escondermo-nos da tia Pat – respondeu a sobrinha. – O que nos vai obrigar a fazer agora?

– Ora, nada. Ela... nós devíamos ser mais sociáveis. Não acham que sim? Nunca estamos todos juntos, sabem. De qualquer maneira, ela quer ver o Pete. Não vens também?

– Vou-me deitar. No entanto, o Pete pode ir se se quiser arriscar. – Virou-se. A menina Jameson pousou uma mão na manga de Pete.

– Então não te importas que eu leve o Pete? – insistiu ela, intensamente.

– Não me importo, se ele não se importar – respondeu a sobrinha. Continuou a andar. – Boa noite.

– Aquela criança devia apanhar um açoite – disse a menina Jameson, maliciosa. Enfiou a mão pelo cotovelo de Pete. – Venha, Pete.

A sobrinha parou e esfregou uma sola do pé descalça contra a outra canela, ouvindo os passos deles a afastarem-se em direção às luzes e à repetição fátua do gramofone. Esfregou ritmadamente um pé ao longo da canela, a olhar para a água onde a Lua começara a espalhar a sua mão pálida e sem ossos. O seu pé parou de se mover e permaneceu imóvel durante um instante. Depois equilibrou-se numa perna e levantou a outra. Debaixo dos seus dedos encontrava-se um alto pequeno, duro, ligeiramente febril. Raios, sussurrou ela, voltaram a encontrar-nos. Mas não havia nada a fazer, a não ser esperar até que chegasse o rebocador.

– E encontrar uma série de ossos espalhados – acrescentou, em voz alta. Continuou a atravessar o convés; voltou a parar junto da escada.

David estava ali, de pé junto da amurada, a sua camisa esbranquiçada sob o luar nivelado, delineado contra a costa escura. Ela aproximou-se e parou ao seu lado, silenciosa nos seus pés descalços.

– Olá, David – disse em voz baixa, pousando os cotovelos na amurada ao seu lado, inclinando os ombros e cruzando as pernas como as dele. – Esta seria uma excelente noite para estarmos na nossa montanha, a olharmos para o lago e para os pequenos barcos todos iluminados, não seria? Calculo que no próximo verão por esta altura estaremos lá, não estaremos? E em muitos outros lugares, onde você já esteve. Conhece coisas agradáveis, não conhece? Quando regressarmos, eu também conhecerei coisas agradáveis. – Baixou os olhos para a água escura, incessante. Nunca estava parada, nunca era a mesma, e o luar quebrava-se sobre ela em asas prateadas leves e fugazes que se erguiam e caíam e alteravam.

– Quem me dera estar ali – disse ela –, a nadar ao luar... De manhã, você não se vai esquecer, pois não?

Não, disse-lhe ele, observando os seus braços finos e cruzados e o cimo do seu cabelo curto.

– Oiça – levantou os olhos para ele –, deixe-me dizer-lhe uma coisa. Vamos nadar esta noite.

– Agora?

– Quando a Lua estiver mais alta. De qualquer maneira, a tia Pat nunca me deixaria ir agora. Mas por volta da meia-noite, quando estiverem todos deitados. O que acha? – Ele olhou-a, olhou-a de uma maneira tão estranha que ela disse num tom agreste: – O que se passa?

– Nada – acabou ele por responder.

– Bem, então encontramo-nos por volta da meia-noite. Vou-lhe buscar o fato de banho do Gus. Agora, não se esqueça.

– Não – repetiu ele. E quando ela chegou à escada e olhou para trás, ainda a observava com aquela expressão estranha. Mas ela não pensou muito naquilo.

Vinte e Duas Horas

Jenny tinha a cabina só para si. A senhora... aquela cujo nome ela esquecia sempre, ainda se encontrava no convés. Ouvia-os a falar, e as gargalhadas alegres do senhor Fairchild vinham de algum lado, embora não estivesse lá em cima quando ela descera; e o som abafado e nasal do gramofone e pés a bater mesmo por cima da sua cabeça. Ainda a dançarem. Será que devia voltar? Sentou-se a segurar um espelho, a olhar para ele, mas o espelho mostrou-se indiferente, recordando-a de que afinal aquela era uma noite em que não tinha de dançar mais. E tinha de se dançar tanto nas outras noites. Talvez amanhã à noite, dizia o espelho. Mas não terei de dançar amanhã à noite, pensou ela a olhar para o espelho, sentada completamente imóvel. Um gemido fino ergueu-se estridente até um ponto extático e no vidro ela viu-o a marcar-lhe a garganta com um pequeno ponto cinzento. Bateu-lhe selvaticamente. A coisa esquivou-se com uma perícia experiente, desgastante, e ficou suspensa indistintamente entre ela e a luz sem abajur.

Meu Deus, porque queres ir a Mandeville?, pensou. As palmas das suas mãos relampejaram, batendo com precisão, e Jenny examinou as mãos com desagrado. Onde é que eles transportam tanto sangue, perguntou-se, esfregando a palma da mão na parte de trás da meia. E também tão pequeno. Espero que seja o último. Devia ser, já que não se ouvia qualquer outro som para além do ligeiro bater sussurrado da água e uma sugestão distante e perturbadora de metais, quebrada pelo embater monótono de pés acima da sua cabeça. Ainda a dançarem. Na verdade não precisamos mesmo de dançar, pensou Jenny, a bocejar para o espelho, examinando interessada o ponto rosado e as curvas aparentemente intermináveis da sua garganta, quando a porta se abriu e a rapariga, Patricia, entrou na cabina. Vestia um impermeável por cima do pijama e Jenny viu o seu rosto refletido no espelho.

– Olá – disse ela.

– Olá – respondeu a sobrinha –, pensei que tinhas ficado lá em cima a dançar com eles.

– Céus – disse Jenny –, não temos de passar a vida a dançar, pois não? Tu também não estás lá.

A sobrinha enfiou as mãos nos bolsos do impermeável e olhou em volta da pequena cabina.

– Não fechas aquela janela quando te despes? – perguntou. – Deixá-la escancarada dessa maneira...

Jenny pousou o espelho.

– Aquela janela? Presumo que não esteja ninguém ali fora, a estas horas da noite.

A sobrinha dirigiu-se à vigia e viu o céu claro dividido lateralmente em duas partes pela rigidez escura da água. A Lua estendia uma mão prateada acima da sua superfície; um largo carreiro de prata, e no carreiro a água tornava-se incessantemente viva, deixava de estar rígida.

– Acho que não – murmurou ela. – O único homem que conseguia caminhar sobre a água está morto. Qual é o teu? – Tirou o impermeável e virou-se para os dois beliches. Tinha a parte inferior do pijama atada à volta da cintura com uma gravata de homem desfiada.

– Está morto? – murmurou Jenny, indiferente. – Esse – respondeu ela vagamente, contorcendo o corpo para examinar a parte detrás de uma perna. Passado um bocado, olhou para cima. – Esse não é o meu. Estás no da senhora Como-é-que-ela-se-chama.

– Bem, não faz qualquer diferença. – A sobrinha estendeu-se ao comprido, esticando voluptuosamente as pernas e os braços. – Dá-me um cigarro. Tens um?

– Não tenho nenhum. Não fumo. – A perna de Jenny estava satisfatória, por isso ela endireitou-se.

– Não fumas? Porque não?

– Não sei – respondeu Jenny –, apenas não fumo.

– Olha à tua volta e vê se a Eva tem algum, algures. – A sobrinha levantou a cabeça. – Vá lá; procura nas coisas dela, ela não se importa.

Jenny procurou cigarros numa suave futilidade loira.

– O Pete tem alguns – observou, passado um bocado. – Ele comprou vinte maços mesmo antes de sairmos da cidade, para trazermos para o barco.

– Vinte maços? Santo Deus, para onde é que ele pensava que íamos? Devia estar com medo que naufragássemos, ou qualquer coisa assim.

– Presumo que sim.

– Raios – disse a sobrinha. – Foi só isso que ele trouxe? Apenas cigarros? O que é que tu trouxeste?

– Trouxe um pente. – Jenny puxou o vestido curto e sujo pela cabeça. A sua voz soou abafada. – E algum *rouge*. – Sacudiu

sonolenta o cabelo dourado e deixou o vestido cair no chão.
– No entanto, o Pete tem alguns – repetiu ela, empurrando o vestido para debaixo do toucador com o pé.

– Eu sei – replicou a sobrinha –, e o senhor Fairchild também. E o criado também, se é que o Mark Frost não lhos pediu todos. E também vi o capitão a fumar um. Mas isso não me serve de nada.

– Não – concordou Jenny placidamente. A sua combinação era muito cor-de-rosa, envolvendo-a dos ombros aos joelhos em laços e folhos. Ela desatou alguns dos laços, e saiu doce e rosada de dentro da combinação, empurrando-a de seguida para debaixo do toucador.

– Não os vais deixar aí, pois não? – perguntou a sobrinha. – Porque é que não os colocas em cima de uma cadeira?

– A senhora... a senhora Wiseman põe os dela na cadeira.

– Bem, tu chegaste aqui primeiro; porque não a utilizas? Ou penduras a roupa naqueles ganchos atrás da porta?

– Ganchos? – Jenny olhou para a porta. – Oh... Presumo que os possa pendurar ali. – Descalçou as meias e estendeu-as em cima do toucador. Depois virou-se de novo para o espelho e pegou no seu pente. O pente passou entre o seu cabelo loiro e macio com um som ténue, como se fosse seda, e o cabelo emprestava ao corpo divino de Jenny uma aura semelhante à de um anjo. O gramofone distante, os passos medidos, o bater da água entraram na cabina.

– Tens uma figura engraçada – observou a sobrinha passado um bocado, a observá-la.

– Engraçada? – repetiu Jenny, erguendo os olhos com uma beligerância suave. – Não é mais engraçada do que a tua. Pelo menos, as minhas pernas não se parecem com patas de pássaro.

– As minhas também não – respondeu a outra complacente, estendida de costas. – As tuas pernas estão bem. Quero dizer, o meio das tuas pernas é um pouco para o grosso, e a parte de trás é um bocado grande.

– Bom, e porque não? Não as fiz assim, pois não?

– Oh, claro. Presumo que esteja tudo bem, se gostas de ser assim.

Sem se parecer esforçar, Jenny moveu a anca e olhou para baixo por cima do ombro. Depois virou-se de lado e aceitou a oferta muda do espelho. Tranquilizada, disse:

– Claro que está bem. Espero um dia ser maior do que isso, à frente.

– Eu também... quando tiver de ser. Mas para que queres um?

– Céus – disse Jenny –, acho que vou ter uma ninhada. Além disso, acho que são amorosos, não achas?

O som do gramofone desceu, melodioso e nasalado, e passos medidos marcavam o saltar das ondas. A luz era fraca e inadequada, afundada no teto, e Jenny e a sobrinha concordaram que eles eram amorosos e rosados. Jenny estava prestes a deitar-se, e a outra disse:

– Não usas nada para dormir?

– Não posso usar aquela coisa que a senhora Como-é-que--ela-se-chama me emprestou – respondeu Jenny. – Disseste que me ias emprestar qualquer coisa, só que não o fizeste. Se eu dependesse de ti nesta viagem, acho que teria ficado a umas dez milhas lá para trás a tentar regressar a nado.

– Isso é verdade. Mas não faz qualquer diferença aquilo com que dormes, pois não?... Apaga a luz. – A luz seguiu rosadamente Jenny enquanto esta atravessava a cabina, e deslizou rosadamente sobre ela quando se virou obediente na direção do interruptor ao lado da porta. A sobrinha estava estendida de costas a olhar para o candeeiro sem abajur. A nudez angélica de Jenny desapareceu para lá da sua visão e de repente ela estava a fixar o nada com um vago orifício indistinto no seu centro, e para lá do orifício um céu claro iluminado pelo luar.

Os pés descalços de Jenny silvaram um pouco no chão sem carpete. Ela aproximou-se a respirar suavemente no escuro, e a sua mão saiu da escuridão. A sobrinha moveu-se contra a parede. O orifício redondo no centro da escuridão estava obscurecido, depois reapareceu, e Jenny a respirar com uma intensidade suave e loira subiu desajeitadamente para o beliche. Mas acabou por bater ao de leve com a cabeça, e soltou um «Au» com uma surpresa plácida. O beliche arfava monstruosamente, a ranger; a vigia voltou a desaparecer, depois o beliche imobilizou-se e Jenny suspirou com um som suave e explosivo.

De seguida voltou a mudar de posição e a outra disse:

– Fica quieta, está bem? – E espetou o cotovelo contra o abandono nu, flexível de Jenny.

– Ainda não me instalei – respondeu Jenny, sem rancor.

– Bem, então instala-te lá, e deixa de te remexer de um lado para o outro.

Jenny descontraiu o corpo, tornando-se frouxa.

– Agora já me instalei – disse ela, por fim. Voltou a suspirar, um som bocejante e franco.

Aqueles pés ligeiramente abafados embatiam monotonamente acima das suas cabeças. No exterior, na escuridão clara, a água batia contra o casco do iate. A cabina apertada esvaziou-se lentamente de calor; o calor afastou-se firmemente agora que a luz estava apagada, e na cabina não havia qualquer som exceto o da respiração delas. Mesmo nenhum outro som.

– Espero que aquele tenha sido o último, aquele que matei – murmurou Jenny.

– Cristo, sim – concordou a sobrinha. – Este grupo já é suficientemente desgastante só com as pessoas que fazem parte dele Diz-me, gostarias de estar num barco cheio de senhores Talliaferro?

– Qual é esse?

– Ora, não te lembras dele? Devias lembrar-te. É aquele homenzinho da fala engraçada, que põe as mãos em cima de ti... aquele terrivelmente educado. Não sei como conseguiste esquecer um homem tão educado como ele.

– Oh, sim – disse Jenny lembrando-se, e a outra disse:

– Diz-me, Jenny, e quanto ao Pete?

Jenny ficou completamente imóvel durante um momento. Depois disse, num tom de voz inocente:

– O que tem ele?

– Ele está furioso contigo por causa do senhor Talliaferro, não está?

– Acho que o Pete está bem.

– Tu andas sempre metida com homens, não andas? – perguntou a outra curiosa.

– Bem, temos de fazer alguma coisa – defendeu-se Jenny.

– Disparates – respondeu a sobrinha grosseiramente –, disparates. Tu gostas de ser acariciada. É esse o motivo. Não é?

– Bem, não me importo – respondeu Jenny. – Acho que me habituei a isso – explicou ela. A sobrinha exalou com um som fraco e trocista, e Jenny repetiu: – Temos de fazer alguma coisa, não temos?

– Oh, doce essência do disparate – disse a sobrinha. Na escuridão esboçou um gesto de repugnância. – Vocês, mulheres! Aposto que também é essa a opinião da Dorothy Jameson. É melhor teres cuidado, acho que ela está a tentar roubar-te o Pete.

– Oh, o Pete está bem – repetiu Jenny, plácida. Voltou a ficar perfeitamente imóvel. A água era um som fraco e fresco. Jenny falou, repentinamente confidencial: – Ouve, sabes o que ela quer que o Pete faça?

– Não. O que é? – perguntou a sobrinha, rapidamente.

– Bem... Diz-me, que tipo de rapariga é ela? Conhece-la muito bem?

– O que quer ela que o Pete faça? – insistiu a outra.

Jenny permaneceu em silêncio. Depois proferiu numa desaprovação puritana:

– Quer que o Pete a deixe pintá-lo.

– Sim? E depois?

– É só isso. Ela quer que o Pete a deixe pintá-lo num quadro.

– Bem, presumo que seja assim que ela normalmente se mete com os homens. Qual é o mal?

– Bem, é a maneira errada de se meter com o Pete. O Pete não está habituado a isso – respondeu Jenny, naquele tom puritano.

– Não o culpo por não querer desperdiçar o seu tempo dessa maneira. Mas o que faz com que tu e o Pete fiquem tão surpreendidos com essa ideia? O Pete não vai ficar envenenado por chumbo só por lhe pintarem um quadro.

– Bem, isso pode estar muito certo para pessoas como vocês. Mas o Pete diz que não vai deixar nenhuma mulher desconhecida vê-lo nu. Ele não está habituado a coisas dessas.

– Oh – observou a sobrinha. Depois: – Então, é assim que ela o quer pintar?

– Ora, não é assim que os pintam sempre? Nus? – Jenny pronunciou-o como *noos.*

– Santo Deus, nunca viste um quadro de uma pessoa vestida? Onde é que foste buscar semelhante ideia? Aos filmes?

Jenny não respondeu. Depois disse de repente:

– Além disso, aqueles com pessoas vestidas são sempre de senhoras idosas, ou presidentes de Câmara ou qualquer coisa do género. De qualquer maneira, pensei...

– Pensaste o quê?

– Nada – respondeu Jenny, e a outra disse:

– O Pete bem pode tirar essa ideia da cabeça. É provável que ela o queira pintar normal e respeitável, para não chocar em nada a sua modéstia. Eu amanhã digo-lhe isso.

– Não te incomodes – disse Jenny, rapidamente –, eu digo-lhe. Não precisas de te incomodar com isso.

– Está bem. Como queiras Quem me dera ter um cigarro. – Ficaram deitadas em silêncio durante um bocado. No exterior a água sussurrava contra o casco. O gramofone foi temporariamente abafado e aqueles que dançavam pararam. Jenny voltou a mover-se, de lado, virando-se de frente para a outra na escuridão.

– Diz-me – perguntou ela –, o que está o teu irmão a fazer?

– O Gus? Porque não lhe perguntas?

– Eu perguntei, só que...

– O quê?

– Só que ele não me disse. Pelo menos, que eu me lembre.

– O que te disse quando lho perguntaste?

Jenny pensou por instantes.

– Ele beijou-me. Antes que eu me apercebesse, e acariciou-me aqui atrás e disse-me para o visitar mais tarde, porque ele estava em conferência ou qualquer coisa do género.

– Raios – murmurou a sobrinha. Depois disse, cortante: – Olha lá, tu deixa o Josh em paz, ouviste? Não te chegam o Pete e o senhor Talliaferro, sem teres de te meter com crianças?

– Não me ando a meter com crianças.

– Bem, por favor não o faças. De qualquer maneira, deixa o Josh em paz. – Ela moveu o braço, arqueando o cotovelo contra a nudez macia de Jenny. – Chega-te um bocado para lá. Céus, mulher, tens mesmo um ar indecente. Podes pôr-te um pouco de lado?

Jenny afastou-se, voltando a deitar-se de costas, e ficaram ambas estendidas muito quietas, lado a lado na escuridão.

– Diz-me – observou Jenny, naquele momento –, o senhor... aquele homem educado...

– Talliaferro – disse de imediato a outra.

– Talliaferro. Pergunto-me se ele terá um carro.

– Não sei. É melhor perguntares-lhe. Porque me estás sempre a perguntar o que as pessoas estão a fazer, ou o que têm?

– Acho que os melhores são os motoristas de táxi – continuou Jenny, imperturbável. – Por vezes quando têm carros não têm mais nada. Só nos levam a passear de carro.

– Não sei – repetiu a sobrinha. – Ouve lá – perguntou ela, de repente –, o que lhe disseste esta tarde?

Jenny disse:

– Oh. – Respirou plácida e regularmente durante um bocado. Depois observou: – Bem me parecia que estavas lá, do outro lado daquela esquina.

– Sim. O que foi? Repete lá. – Jenny repetiu-o. A sobrinha repetiu-o depois dela. – O que significa?

– Não sei. Apenas me lembrei disso. Não sei o que significa.

– Soa bem – disse a outra. – Não foste tu que o inventaste, pois não?

– Não. Foi um fulano que mo disse. Uma noite, no Market, quando nós e outro casal fomos beber café: eu e o Pete, e uma amiga minha e outro tipo. Naquele dia tínhamos ido de barco a Mandeville, e nadámos e dançámos. Naquele dia, tinha-se afogado um homem em Mandeville. O Pete e a Thelma, a minha amiga, e o Roy, o tal tipo amigo da minha amiga, viram-no. Eu não o vi porque não estava com eles. Não fui tomar banho com eles, estava demasiado sol. Acho que as loiras não se devem expor ao sol quente como as morenas, não achas?

– Porque não? Mas, e quanto...

– Oh, sim. Bem, eu não fui nadar para o sítio onde o homem se afogara. Estava à espera deles. E comecei a falar com um homem engraçado. Uma espécie de homenzito preto...

– Um negro?

– Não. Ele era branco, só que estava terrivelmente bronzeado e um pouco malvestido, sem gravata e chapéu. Contou-me algumas coisas muito engraçadas. Disse-me que eu tinha a melhor digestão que ele alguma vez vira, e disse que se as alças do meu vestido se partissem eu devastaria o país. Disse que era um mentiroso por profissão, e que fazia bom dinheiro com isso, o suficiente para ser dono de um Ford assim que lhe pagassem. Acho que ele era doido. Não era perigoso, apenas doido.

A sobrinha manteve-se quieta. Depois disse, contemplativa:

– Tu pareces mesmo que te alimentam a pão e leite, e te deitam todos os dias ao entardecer. Como é que o homem se chamava? Ele disse-te? – perguntou ela, de repente.

– Sim. Era... – Jenny pensou um bocado. – Lembro-me porque ele era um tipo de homem tão engraçado. Era Walker ou Foster, ou qualquer coisa assim.

– Walker ou Foster? Bem, então qual era?

– Devia ser Foster porque me lembro que começava por um F, como o nome do meio da minha amiga Frances, Thelma Frances, só que ela não usava os dois nomes. Só que acho que não era Foster, porque...

– Então, não te lembras.

– Lembro, sim. Espera... Oh, sim. Lembro-me... Faulkner, era isso.

– Faulkner? – A sobrinha também pensou. – Nunca ouvi falar dele – acabou por dizer, firmemente. – E foi ele que te disse aquela coisa?

– Não. Foi depois disso, quando já tínhamos regressado a Nova Orleães. Aquele homem doido estava no barco de regresso. Começou a falar com o Pete e o Roy, enquanto eu e a Thelma nos estávamos a instalar nas cabinas, e depois dançou com a Thelma. Não dançou comigo porque disse que não dançava muito bem, e por isso tinha de manter a mente concentrada na música enquanto dançava. Disse que podia dançar com o Roy ou a Thelma ou o Pete, mas que não podia dançar comigo. Acho que ele era doido. Não achas?

– Pela maneira como o contas, parece tudo uma loucura. Mas, e quanto àquele que te disse aquilo?

– Oh, sim. Bem, nós estávamos no Market. Havia ali uma grande multidão porque era sábado à noite, percebes, e aqueles outros fulanos estavam ali. Um deles era um indivíduo de aparência elegante, e eu olhei mais ou menos para ele. O Pete parara num lugar qualquer para arranjar alguns cigarros e eu, a Thelma e o Roy estávamos enfiados entre um monte de pessoas, a beber café. E eu olhei, mais ou menos, para o tipo com bom aspeto.

– Sim. Tu olhaste mais ou menos para ele. Continua.

– Está bem. E assim esse tipo de bom aspeto estava mesmo atrás de mim e começou a falar comigo. Havia um homem entre mim e o Roy, e o tipo que estava a falar comigo disse, Ele está consigo?, a referir-se ao homem sentado ao meu lado, e eu disse, Não, não sei quem é. E o tipo convidou-me a ir até lá fora com ele porque tinha o carro estacionado lá fora... O irmão do Pete tem muitos carros. Um deles é igual ao do Pete... E depois... Oh, sim, e eu disse, Para onde iremos, porque o meu velho não gostava que eu saísse com desconhecidos, e o tipo disse que não era um desconhecido, que qualquer pessoa me podia dizer como ele se chamava, esqueci-me como é que ele me disse que se chamava. E disse-lhe que era melhor ele perguntar ao

Pete se eu podia ir, e ele perguntou, Quem é o Pete? Bem, havia um homem grande perto do sítio onde nos encontrávamos. Era tão grande como um estivador, e por acaso naquele momento aquele homem grande voltou-se e olhou para mim. Ele olhou para mim durante um instante, e eu percebi que ele voltaria a olhar para mim dentro de pouco tempo, por isso disse àquele tipo que ele era o Pete, e quando o homem grande olhou para outro lado durante um instante, o tipo disse-me aquilo. E quando o homem grande voltou a olhar para mim, o tipo que me disse aquilo afastou-se. Por isso, levantei-me e fui para o lugar onde estavam a Thelma e o Roy, e passado um bocado o Pete voltou. E foi assim que a aprendi.

– Bem, isso soa estupendo. Estava apenas... Olha, deixas-me dizê-la de vez em quando?

– Está bem – concordou Jenny. – Podes usá-la. Ouve lá, o que é aquilo que estás sempre a dizer à tua tia? Qualquer coisa acerca de caçares uma vela, ou qualquer coisa desse género? – A sobrinha disse-lhe. – Essa também soa bem – disse Jenny, magnânima.

– Soa? Olha, vamos fazer assim: tu deixas-me usar a tua algumas vezes, e também podes usar a minha. Que tal?

– Está bem – voltou a concordar Jenny –, está combinado.

A água saltava e sussurrava incessantemente na escuridão clara. A curva do teto baixo mesmo por cima do beliche dava uma vaga sensação de opressão à cabina, mas aquela sensação de opressão desaparecia no espaço comparativamente maior da divisão, da escuridão com um orifício circular e indistinto no seu centro. A Lua estava mais alta e a curvatura inferior da borda de latão da vigia era agora uma foice de prata fina, como uma nova lua.

Jenny voltou a mexer-se, virando-se para o lado da outra, respirando-lhe inefavelmente contra o rosto. A sobrinha mantinha-se deitada com a nudez passiva de Jenny encostada ao braço, e estendendo o outro braço a partir do cotovelo, passou acariciadoramente devagar as costas da mão ao longo da anca de Jenny. Lentamente, para trás e para a frente, enquanto Jenny se mantinha deitada inerte e recetiva como um gato.

– Gosto de carne – murmurou a sobrinha. – Quente e macia. Quem me dera ter vivido em Roma... gladiadores... oleados... Jenny – disse ela, abruptamente –, és virgem?

– Claro que sim – respondeu de imediato Jenny, num tom espantado. Manteve-se quieta durante um momento num atordoamento flácido. – Quero dizer – disse ela –, eu... sim. Quero dizer, sim, claro que sou. – Pensou com uma surpresa passiva, e depois o seu corpo perdeu a sua flacidez. – Diz-me...

– Bem – concordou sensatamente a sobrinha –, acho que também teria dito o mesmo.

– Ouve lá – quis Jenny saber, verdadeiramente excitada –, porque me perguntaste isso?

– Só para ver o que dirias. Não faz qualquer diferença, sabes, se o és ou não. Conheço muitas raparigas que dizem que não o são. Também não me parece que estejam todas a mentir.

– Talvez algumas pessoas não se importem – replicou Jenny, num tom puritano –, mas eu não o aprovo, apenas isso. E acho que não tinhas qualquer direito de mo perguntares.

– Santo Deus, pareces uma escuteira ou qualquer coisa assim. O Pete nunca te tentou convencer?

– Ouve lá, porque me estás a fazer perguntas dessas?

– Só queria ver o que dirias. Não percebo porque ficaste tão irritada. Ficas chocada com demasiada facilidade, Jenny – informou-a a sobrinha.

– Bem, quem não o ficaria? Se queres saber o que as pessoas dizem quando lhes fazes perguntas dessas, porque não as perguntas a ti mesma? Já alguma vez te perguntaram isso?

– Que eu saiba, não. Mas eu iri...

– Bem, então, és?

A sobrinha permaneceu perfeitamente imóvel durante um momento.

– Sou o quê?

– És virgem?

– Ora, claro que sou – respondeu ela, num tom cortante. Soergueu-se sobre um cotovelo. – Quero dizer... Ouve lá...

– Bem, eu também disse a mesma coisa – respondeu Jenny na escuridão, com uma malícia plácida.

A sobrinha manteve-se soerguida sobre o cotovelo tenso, acima da respiração doce e regular de Jenny.

– De qualquer maneira, o que é que tu... quero dizer... Fizeste-me a pergunta tão depressa – apressou-se ela a dizer – que nem sequer estava a pensar que me pudesses perguntar uma coisa dessas.

– Nem eu. Tu ainda fizeste a pergunta mais depressa do que eu.

– Mas isso foi diferente. Estávamos a falar se tu eras. Perguntaste-mo tão depressa, que tive de dizer isso. Não foi justo.

– E por isso eu tive de dizer o que disse. Foi tão justo para ti, quanto o foi para mim.

– Não, foi diferente. Eu tive de dizer que não o era; assim, muito depressa.

– Bem, então pergunto-te quando já não estiveres surpreendida. És?

A sobrinha voltou a ficar calada. Passado um bocado, disse:

– Raios – E depois: – Sou, sim. Não vale a pena mentir a esse respeito.

– Também sou dessa opinião – concordou Jenny, presunçosa. Tornou-se placidamente silenciosa na escuridão. A outra esperou durante um momento, depois disse num tom cortante:

– Então? És virgem?

– Claro que sou.

– Quero dizer, o suficiente. Tu disseste o suficiente, não disseste?

– Claro que sou – repetiu Jenny.

– Não estás a ser justa – acusou-a a sobrinha –, eu disse-te.

– Bem, eu também te disse.

– A sério? Juras?

– Claro que sou – repetiu Jenny, com a sua placidez desembaraçada e devastadora.

– Raios – disse a sobrinha. Bufou fracamente.

Ficaram deitadas em silêncio, lado a lado. No convés também estavam em silêncio, mas parecia que ainda se demorava na escuridão um fantasma ténue e teimoso de pés a bater incansáveis e sincopados. Jenny remexeu os dedos dos pés com prazer. Naquele momento, disse:

– És doida, não és? – Nenhuma resposta. – Também tens uma boa figura – disse Jenny, conciliadora. – Acho que tens uma figurinha correta e amorosa.

Mas a outra recusou ser bajulada. Jenny voltou a suspirar inefavelmente, o seu hálito a cheirar a leite e a mel. Disse:

– O teu irmão é um rapaz universitário, não é? Conheço alguns rapazes universitários. De Tulane. Acho os rapazes universitários amorosos. Não se vestem tão bem como o Pete... desleixados. – Ela meditou durante algum tempo. – Usei uma vez o alfinete de uma fraternidade, talvez durante uns dois dias. Presumo que o teu irmão também pertença a uma, não pertence?

– O Gus? Pertencer a um desses clubes insignificantes? Acho que não. Ele é um homem de Yale... ou seja, será, no próximo mês. Eu vou com ele. Eles não aceitam todos os Tom, Dick e Harry que aparecem por lá. Tem de se esperar até ao segundo ano. Mas de qualquer maneira o Gus vai tentar entrar para uma sociedade secreta. Ele não tem muito boa opinião a respeito das fraternidades. Céus, se ele te pudesse ouvir, ia-se fartar de rir.

– Bem, eu não sabia. A mim parece-me que entrarmos para uma coisa é o mesmo que entrarmos para outra coisa qualquer. O que vai ele conseguir se entrar para essa para onde quer entrar?

– Não vai conseguir nada, estúpida. Serve apenas para entrarmos.

Jenny pensou algum tempo naquilo.

– E tem de se trabalhar para se entrar?

– Três anos. E mesmo assim, só alguns é que o conseguem fazer.

– E se o conseguirem fazer, a única coisa que lhes dão é um pequeno alfinete ou qualquer coisa do género? Santo Deus... Olha, sabes o que lhe vou dizer amanhã? Vou-lhe dizer que é melhor ele caçar a vela: está a... está a... Como é que é o resto?

– Oh, cala-te e chega-te para o teu lado – disse a sobrinha cortante, virando-lhe as costas. – Não percebes nada do assunto.

– Claro que não – concordou Jenny, rolando para o outro lado, e ficaram deitadas de costas uma para a outra, os seus traseiros mal se tocando como é habitual nas crianças. – Três anos... Santo Deus.

Fairchild não regressara. Mas soubera que eles não o iriam fazer; nem sequer ficou surpreendida, e assim de novo o seu grupo regressara aos intermináveis jogos de cartas. Ela, a Sr.ª Wiseman, o Sr. Talliaferro e Mark. Se esticasse o pescoço, conseguia ver a concentração frágil e sem graça de Dorothy Jameson e a sofisticação indecorosa do jovem de Jenny, ambos sentados no telhado da casa do leme a abanarem as pernas. A Lua estava a erguer-se e o chapéu de palha de Pete era um clarão baço e implacável inclinado por cima do olho vermelho do seu eterno cigarro. E, sim, ali estava aquele estranho, tímido, desmazelado Sr. Gordon, a vaguear sozinho, como era habitual; e ela voltou a sentir-se arrependida por o ter negligenciado. Pelo menos os outros pareciam estar a gozar a viagem, por mais cansativos que pudessem ser uns para os outros. Mas o que podia fazer por ele? Era tão difícil, mostrava-se tão pouco à vontade sempre que tentava aproximar-se dele... A Sr.ª Maurier levantou-se.

– É só um instante – explicou ela. – O senhor Gordon... vocês sabem, as tribulações de uma anfitriã. Podem continuar a jogar sem mim até que eu... não, esperem. – Chamou Dorothy com uma insistência adocicada, e naquele momento a menina Jameson respondeu. – Não quer ficar com a minha mão, durante um bocado? Tenho a certeza de que o jovem cavalheiro a irá desculpar.

– Desculpe – disse-lhe a menina Jameson, em resposta. – Dói-me a cabeça. Por favor, desculpe-me.

– Vá lá, senhora Maurier – disse a Sr.ª Wiseman –, nós podemos passar o tempo até a senhora voltar. Estamos habituados a fazer sala.

– Sim, vá – acrescentou o Sr. Talliaferro –, nós compreendemos.

A Sr.ª Maurier olhou para o lugar onde Gordon ainda inclinava o seu corpo alto sobre a amurada.

– Tenho mesmo de ir – voltou ela a explicar. – É um conforto tão grande ter algumas pessoas em quem posso confiar.

– Sim, vá – repetiu o Sr. Talliaferro.

Quando ela se afastou, a Sr.ª Wiseman disse:

– Vamos jogar ao *red dog*, a *pennies*. Ainda me sobraram alguns dólares.

*

Juntou-se-lhe silenciosamente. Ele virou o rosto macilento para ela, depois desviou-o.

– Que silencioso, que pacífico que isto está – começou, intrépida, inclinando-se ao lado dele e olhando também para a sonolência inquieta da água sobre a qual a Lua espalhava a sua interminável cauda de pavão como uma cauda de lantejoulas prateadas. Nos raios ainda nivelados da Lua, o rosto do homem parecia seco e cavernoso, arrogante e quase desumano. Ele não come o suficiente, percebeu-o ela de um modo repentino e infalível. É como o rosto de um fauno de prata, pensou. Mas é tão difícil, tão tímido...

– Muito poucos de nós se dedicam a olharem para dentro e a contemplarem-se, não acha? Suponho que seja a vida que levamos. Apenas aquele que cria não perdeu essa arte: a arte de tornar a sua vida completa ao viver dentro de si mesmo. Não concorda, senhor Gordon?

– Sim – respondeu ele, conciso. Para lá da curva sem dimensões do convés no qual se encontrava ele conseguia ver, à frente e em baixo, a proa do iate: um triângulo perfeito de um branco imaculado com pequenas vagas a saltarem contra a sua quilha horizontal, a quebrarem-se e a cintilarem cada uma com a sua partícula de luar estilhaçada, emitindo um ligeiro sussurro incessante. A Sr.ª Maurier moveu as mãos num gesto: o luar ardeu verde entre os seus anéis.

– Vivermos dentro de nós, sermos suficientes para nós mesmos. Existe tanta infelicidade no mundo. – Voltou a suspirar, com espanto. – Atravessar a vida, evitando envolvermo-nos nela, reunir inspiração para o nosso Trabalho... Ah, senhor Gordon, que afortunados são aqueles que criam. Quanto a nós, o melhor que podemos esperar é, por vezes, algures, de algum modo, podermos ser suficientemente afortunados para prover a essa inspiração, ou, pelo menos, encontrarmos o cenário para ela. Mas, afinal, acho que isso seria um fim em si mesmo. Saber que tínhamos dado a nossa migalha à Arte, independentemente do quão humilde é a migalha ou aquele que a dá... A trabalhadora humilde, senhor Gordon: também ela tem o seu lugar no esquema das coisas; também ela deu algo ao mundo, e caminhou por onde os deuses passaram. E eu espero que o senhor encontre algo nesta viagem, que o compense por ter sido desviado do seu Trabalho.

– Sim – disse Gordon, a olhar para ela com o seu olhar arrogante e constrangedor. O homem parece verdadeiramente sinistro, pensou, com uma sensação fria e estranha no seu íntimo. Como um animal, uma besta de alguma espécie. Desviou o olhar e, apesar de o tentar evitar, olhou rapidamente por cima do ombro para o grupo tranquilizador sentado à mesa de jogo. As pernas de Dorothy e do jovem de Jenny baloiçavam inocente e ritmadamente no cimo da casa do leme, e enquanto ela olhava, Pete atirou o seu cigarro para longe, e o cigarro caiu na água escura a cintilar.

– Mas sermos um mundo em nós mesmos, vermos as palhaçadas de um homem como veríamos um espetáculo de fantoches... Ah, senhor Gordon, que feliz que o senhor deve ser.

– Sim – repetiu ele. Suficiente em si mesmo na cidade da sua arrogância, na torre de marfim da sua solidão e orgulho, e... Ela a entrar no céu escuro da sua vida como uma estrela, como uma chama... Ó amargo e novo... Algures dentro dele encontrava-se uma gargalhada terrível e distante, não ouvida; toda a sua vida fora intervalada por gargalhadas escarninhas, e ele voltou a encarar a mulher idosa, pousando a mão sobre ela e virando-lhe o rosto para cima em direção ao luar. A Sr.ª Maurier sentiu um medo profundo. Não susto, medo: uma situação passiva e trágica como um sonho. Ela sussurrou ao Sr. Gordon, mas não emitiu qualquer som.

– Não a vou magoar – disse ele cruelmente, olhando para o seu rosto da mesma maneira que um cirurgião o faria. – Fale-me dela – ordenou-lhe. – Porque não é a sua mãe, para me poder dizer como foi concebê-la, como terá sido carregá-la no seu ventre?

Senhor Gordon!, implorou ela por entre os lábios secos, sem emitir um som. As mãos dele moveram-se sobre o seu rosto, apreendendo os ossos da sua testa e das suas órbitas através da carne.

– Há algo no seu rosto, algo atrás de toda essa tolice – continuou ele, na sua voz fria e nivelada enquanto um intervalo de tempo gelado se recusava a passar. A sua mão beliscou a prega solta de carne à volta da sua boca, deslizou ao longo da linha que se desvanecia na sua face e maxilar. – Presumo que também tenha tido as suas angústias, não teve?

– Senhor Gordon! – disse ela por fim, encontrando a sua voz. Ele soltou-a abruptamente e ergueu-se acima dela, macilento e mal alimentado e arrogante sob o luar enquanto ela pensava ir desmaiar, esperando vagamente que ele se esforçasse por a apanhar quando o fizesse, e a água batia e batia contra o casco puro sonhador do *Nausikaa* com um som ténue e sussurrante.

Vinte e Três Horas

– Sabem – disse a Sr.ª Wiseman, endireitando-se e falando por cima da cadeira –, aquilo que vou fazer se isto continuar durante mais uma noite? Vou pedir ao Julius para trocar comigo e deixar-me embebedar com o Dawson e o major Ayers em vez dele. E assim, para todos em geral, boa noite.

– Não vai esperar pela Dorothy? – perguntou Mark Frost. Ela olhou para a casa do leme.

– Não. Acho que o Pete consegue tomar conta de si – respondeu ela, e deixou-os. A Lua lançava uma sombra profunda do lado ocidental do convés, e perto da escada encontrava-se alguém deitado numa espreguiçadeira. Ela abrandou ao passar. – Senhora Maurier? – disse. – Estávamos a pensar no que lhe teria acontecido. Esteve a dormir?

A Sr.ª Maurier sentou-se devagar, com os movimentos de uma pessoa muito velha. A mulher mais jovem debruçou-se sobre ela, rapidamente, solícita.

– Não se sente bem, pois não?

– Já é hora de descermos? – perguntou a Sr.ª Maurier, erguendo-se mais vivamente. – O nosso jogo de brídege...

– Fizeram-nos uma razia. Mas eu não...

– Não, não – interrompeu-a rapidamente a Sr.ª Maurier, um pouco hesitante. – Não é nada; só estava aqui sentada a apreciar o luar.

– Pensámos que o senhor Gordon estava consigo.

A Sr.ª Maurier estremeceu.

– Esses homens terríveis – disse ela, a tentar mostrar-se animada. – Estes artistas!

– O Gordon também? Pensei que ele se tivesse escapado ao Dawson e ao Julius.

– O Gordon também – respondeu a Sr.ª Maurier. Levantou-se. – Vamos, acho que é melhor irmo-nos deitar. – Voltou a estremecer, como se tivesse frio: a sua carne parecia tremer apesar de o tentar evitar, e pegou no braço da mulher mais nova, agarrando-se a ela. – Sinto-me um pouco cansada – confessou. – Os primeiros dias são sempre cansativos, não acha? Mas temos um grupo muito agradável, não temos?

– Um grupo terrivelmente agradável – concordou a outra, sem ironia. – Mas estamos todos cansados; eu sei que amanhã vamo-nos sentir melhores.

A Sr.ª Maurier desceu a escada lenta, pesadamente. A outra aguentou-a com a sua mão forte, e, abrindo a porta da Sr.ª Maurier, esticou-se para o interior e encontrou o interruptor.

– Pronto. Gostaria de alguma coisa antes de se deitar?

– Não, não – respondeu a Sr.ª Maurier, entrando e desviando rapidamente o rosto. Atravessou a cabina e atarefou-se no seu toucador, mantendo-se de costas para a outra. – Obrigada, mas não quero nada. Acho que vou dormir já. Durmo sempre bem na água. Boa noite.

A Sr.ª Wiseman fechou a porta. Pergunto-me o que será, pensou ela, pergunto-me o que lhe terá acontecido. Continuou pelo corredor até à sua porta. Aconteceu-lhe algo, aconteceu-lhe alguma coisa, repetiu, pousando a mão na porta e girando a maçaneta.

Meia-Noite

A Lua subira mais alto, aquela Lua gasta e exangue, velha e um pouco cansada, que lançava a sua prata fatigada sobre o iate e a água e a costa; e o iate, o convés e os seus apetrechos mostravam-se tão desapaixonados como um sonho sobre as asas prateadas e mutáveis da água quando ela apareceu em fato de banho. Parou por um instante na soleira até ver movimento e a camisa branca dele, quando se virou sobre o rolo de cabos no qual estava sentado. A mão dela levantou-se diminutamente esbranquiçada na traição abafada da Lua: um gesto, e os seus pés descalços não emitiram qualquer som no convés.

– Olá, David. Vim a horas, conforme prometido. Onde está o seu fato de banho?

– Não pensei que viesse – disse, erguendo os olhos para ela. – Não pensei que estivesse a falar a sério.

– Porque não? – perguntou ela. – Santo Deus, porque é que lho iria prometer, se não estivesse a falar a sério?

– Não sei. Apenas pensei... Você é mesmo morena, assim ao luar.

– Sim, tenho uma boa cor – concordou ela. – Onde está o seu fato de banho? Porque não o traz vestido?

– Disse-me que me ia arranjar um.

Ela olhou para o seu rosto, consternada.

– Tem razão; eu disse isso. Esqueci-me. Espere, talvez possa acordar o Josh e ir buscá-lo. Não demoro muito. Espere aqui.

Ele deteve-a.

– Está tudo bem. Não se incomode com isso esta noite. Eu visto-o noutra altura.

– Não, vou buscar-lho. Quero que alguém vá nadar comigo. Espere por mim.

– Não, não interessa. Posso remar o barco para si.

– Ora, ainda não acredita que eu estava a falar a sério, pois não? – Ela examinou-o curiosamente. – Então, está bem. Acho que vou ter de nadar sozinha. De qualquer maneira, pode remar o barco. Venha.

Ele foi buscar os remos e entraram para o bote, e partiram.

– Só gostaria que tivesse um fato de banho – repetiu ela da popa. – Preferia que alguém entrasse comigo. Não pode nadar vestido, ou qualquer coisa assim? Eu posso virar a cabeça, e você despe-se e salta lá para dentro. Que tal?

– Acho que não – respondeu ele, alarmado. – Acho que é melhor não fazer isso.

– Bolas, eu queria que alguém fosse nadar comigo. Não é nada divertido, se for sozinha... Então, dispa as calças e a camisa, e mergulhe com a sua roupa interior. É quase igual a um fato de banho. Eu ontem fui nadar com a roupa interior do Josh.

– Remo o barco para si, enquanto você nada – repetiu ele.

A sobrinha voltou a dizer, Bolas. David remou firmemente sobre a água em movimento, batida pela lua. Pequenas ondas embatiam ao de leve no fundo do bote enquanto aquele se levantava e caía, e atrás deles o iate mantinha-se puro e sem paixão como um sonho delineado contra as árvores escuras.

– Adoro esta noite – disse a sobrinha. – É como se fôssemos donos de tudo. – Estendeu-se de costas no banco da popa, encostando os joelhos à amurada da embarcação. David remava sincopadamente; o movimento do bote era um ritmo que emprestava à Lua e às estrelas, que oscilavam para cima e para baixo para lá da simplicidade cónica dos seus joelhos erguidos, um movimento lento e relaxante como o de uma árvore enorme ao vento.

– Até que distância quer ir? – perguntou-lhe ele, naquele momento.

– Não me interessa – respondeu, a olhar para o céu. Ele continuou a remar. Os toletes batiam, com um som abafado e medido, e ela virou-se sobre a barriga, arrastando o braço na água enquanto pequenas bolhas de fogo prateado se lhe agarravam à mão, quebrando-se relutantes e subindo lentamente até à superfície, desapareciam... Pequenas vagas despreocupadas embatiam no fundo do bote, ao de leve, e deslizavam ao lado do casco, banhadas pelo luar como fogo borbulhante. Ela passou as pernas sobre a amurada e deixou-as penduradas sobre a popa do barco, arrastando-as pela água. Ele continuou a remar.

– Não posso remar consigo aí pendurada – disse. As mãos dela desapareceram da amurada e a sua cabeça escura também desapareceu, mas quando ele virou abruptamente o bote e quase se levantou, ela reapareceu, sacudindo um ténue chuveiro de gotas prateadas da cabeça. A Lua deslizou e correu alternadamente ao longo dos seus braços e espalhou-se à sua frente um leque de linhas prateadas, que se movia e se espalhava e desaparecia.

– Céus – disse ela. A voz surgiu baixa à superfície da água, não alta mas ainda nítida: pequenas ondas saltaram para ela. – É fantástico, mesmo quente. Venha mergulhar. – A sua cabeça voltou a desaparecer, ele viu as suas pernas frágeis a desaparecerem, e mais uma vez ao abanar a cabeça ela lançou à sua volta prata estilhaçada. Nadou até ao bote. – Entre, David – insistiu. – Dispa a camisa e as calças, e salte cá para dentro. Eu saio e espero por si. Venha lá – ordenou.

Por isso ele despiu-se, sentado no fundo do bote e deslizou rápida e modestamente para dentro de água.

– Não é espetacular? – gritou-lhe ela. – Venha até aqui.

– É melhor não nos afastarmos muito do barco – disse, cauteloso –, não temos nenhuma âncora, sabe.

– Podemos apanhá-lo. Não se vai afastar muito depressa. Venha até aqui, e fazemos uma corrida até ao bote.

Ele nadou até onde a sua cabeça escura o esperava.

– Aposto que o consigo vencer – desafiou-o. – Está pronto? Um. Dois. Três... Partida! – E ela venceu-o, e com um movimento único e ininterrupto ergueu-se da água e entrou no bote, e manteve-se de pé para que o luar deslizasse sobre ela num prateado baço.

– Vamos ver quem consegue mergulhar mais fundo – desafiou-o ela, naquele momento. David estava agarrado à amurada, submerso até ao pescoço. Ela esperou que entrasse no bote, depois disse: – Você sabe mergulhar, não sabe? – Mas continuava agarrado à amurada, de olhos erguidos para ela. – Vá lá, David – disse ela, cortante. – Você é tímido, ou qualquer coisa assim? Não vou olhar para si, se não quiser que eu o faça. – Por isso ele entrou para o bote, mantendo-se modestamente de costas, mas mesmo com a sua curiosa indumentária molhada não conseguia tornar ridículo o seu esplendor jovem e esguio.

– Não sei de que é que tem vergonha. Tem um bom físico – disse-lhe ela. – Alto e de aparência dura... Está pronto? Um. Dois. Três... Partida!

Mas passados instantes sentiu-se satisfeita por boiar de costas e recuperar o fôlego, enquanto ele nadava ao seu lado. Pequenas mãos de água saltavam sobre ela, sobre o seu cabelo e rosto, e respirou fundo, fechando os olhos contra a Lua branda e em declínio.

– Eu ajudo-a a boiar um bocado – ofereceu-se ele, colocando uma mão sob o fundo das suas costas.

– Está bem – disse, mantendo-se imóvel. – É difícil de fazer? Deixe-me ver se o consigo manter a boiar. Esta água é diferente da água do mar; mal nos conseguimos afundar na água do mar, se o quisermos fazer. – Deixou que as pernas se afundassem e ele deitou-se obedientemente de costas. – Posso mantê-lo a boiar, não posso? Diga-me, consegue carregar alguém na água como os nadadores-salvadores?

– Um pouco – confessou, e ela voltou a rolar de costas e ele mostrou-lhe como se fazia. Então ela teve de o experimentar e ele submeteu-se com uma resignação dúbia. O seu braço jovem e duro apertou-o pela garganta sufocando-o, comprimindo-lhe a traqueia, e ela mergulhou fortemente para a frente, batendo com as pernas. Ele agitou os braços para cima para afastar o seu cotovelo que o estrangulava e a cabeça submergiu, de boca aberta. Libertou-se e reapareceu a arquejar. O seu rosto preocupado aproximou-se do dele e tentou mantê-lo a boiar, desnecessariamente.

– Lamento imenso, não o quis afogar.

– Está tudo bem – disse ele, a tossir, sufocado.

– Não o fiz como deve ser, pois não? Agora já está bem? – Observou-o ansiosamente, tentando aguentá-lo.

– Estou bem – repetiu ele. – Agarrou-me da maneira errada – explicou, boiando à superfície da água. – Agarrou-me pelo pescoço.

– Céus, pensei que o estava a fazer como deve ser. Desta vez, vou fazê-lo bem feito.

– Acho que é melhor esperarmos e treinarmos um dia em águas baixas – disse ele rapidamente, e num tom modesto.

– Mas… está bem – concordou ela. – Acho que agora já sei como é. No entanto, acho que é melhor aprender bem primeiro. Lamento imenso tê-lo estrangulado.

– Já não dói. Nem dei por nada.

– Mas foi uma coisa tão tola de se fazer. Para a próxima, vou aprendê-lo como deve ser.

– Agora já sabe como é, e bem. Desta vez só me agarrou da maneira errada. Volte a tentá-lo, veja se não o sabe fazer.

– Não se importa? – perguntou ela, com uma alegria repentina. – Desta vez não o vou agarrar mal… não, não, posso voltar a afogá-lo. É melhor aprender primeiro.

– Claro que não o vai fazer – disse ele. – Agora já sabe como se faz. Não me vai magoar. Experimente. – Virou-se de costas.

– Céus, David – disse ela. Fez deslizar cuidadosamente o braço por cima do peito de David e debaixo do braço dele do lado oposto. – Assim está bem? Agora, vou avançar.

Susteve-o com cuidado, concentrada para o fazer corretamente, enquanto ele a encorajava. Mas o progresso era exasperantemente lento: o bote parecia encontrar-se a milhas de distância, e ela tinha de se esforçar muito para manter a própria cabeça à tona da água. Passado pouco estava a respirar com maior rapidez, a arquejar por ar e depois a fechar a boca contra a água que o seu braço em movimento lhe lançava no rosto. Vou consegui-lo, vou consegui-lo, disse a si mesma, mas era muito mais difícil do que lhe parecera. O bote ergueu-se e caiu contra as estrelas, e a água banhada pelo luar borbulhava à sua volta. Seria preciso esforçar-se mais ou teria de desistir. E antes disso afogar-se-ia.

O braço que o segurava estava dormente, e ela nadou ainda com maior firmeza, alterando a pressão e o seu cotovelo duro voltou a fechar-se com uma força estranguladora à volta da traqueia dele. Mas ele estava à espera disso, e sem mover o corpo virou a cabeça para o lado e encheu os pulmões e fechou a boca e os olhos... Passados instantes, ela parou de nadar e o seu braço voltou a deslizar para baixo, mantendo-o a boiar, e ele esvaziou os pulmões e abriu os olhos e viu a amurada do bote a subir e a descer contra o céu acima da sua cabeça.

– Consegui – arquejou ela –, consegui. Está bem? – perguntou, ofegante. – Consegui mesmo, David. Eu sabia que conseguia. – Agarrou-se ao bote, pousando a cabeça em cima das mãos. – Pensei por um bocado, quando tive de mudar a pressão, que estava outra vez a fazê-lo do modo errado. Mas fi-lo como deve ser. Não fiz? – As estrelas frias e distantes, e o disco declinante da Lua baloiçavam acima deles, sobre um mundo vazio no qual se agarravam pelas mãos, lado a lado. – Estou quase a conseguir fazê-lo mesmo bem feito – admitiu.

– É bastante difícil – concordou ele –, até se ter praticado muito. Eu mantenho-a a boiar, enquanto recupera o fôlego. – Passou os braços à volta dela debaixo de água.

– Não estou nada cansada – protestou a sobrinha, mas descontraiu-se aos poucos até ele aguentar com todo o seu peso, sentindo o coração dela a bater contra a palma da sua mão, enquanto se agarrava à amurada pousando a cabeça inclinada sobre as mãos; e era como se ele tivesse estado num quarto escuro e de repente as luzes se tivessem acendido: tão simples quanto isso.

Era como uma manhã em que ele se encontrava com um grupo de vagabundos a bordo de um comboio de mercadorias a caminho de São Francisco, e os polícias tinham-nos apanhado e eles tiveram de fugir. Aquilo acontecera junto do porto, e havia muitos barcos na água, que, ancorados, pareciam embalar-se para a frente e para trás: ele via os reflexos dos barcos e das colunas do cais na água, a baloiçarem, para a frente e para trás; e passado um bocado começara a amanhecer, o dia a erguer-se saído do fumo da cidade, como um som que não se consegue ouvir, e a água enchera-se de tonalidades amarelas e rosadas no local onde os barcos baloiçavam, e à volta das colunas do cais pequenas faixas amarelas pareciam estar a erguer-se da água; e passados instantes havia gaivotas que pareciam ter penas rosadas e amarelas, que mergulhavam obliquamente e rodopiavam de um lado para o outro.

E era como se houvesse uma rua na cidade, uma rua com muitos detritos, mas passado pouco saíra da rua e encontrava-se num lugar onde havia árvores. Devia ser primavera porque as árvores não estavam exatamente nuas e ele parou e ouviu música algures; era como se tivesse acabado de acordar e um vento corajoso que continha música estivesse a atravessar colinas verdes num amanhecer límpido. Tão simples quanto isso.

Ela voltou a mover-se contra o seu braço.

– Talvez eu possa subir agora. Acho que é melhor dar-me um empurrão. – A mão dele encontrou o seu joelho, deslizou para baixo, e ela pousou o pé sobre a sua palma. Viu o seu corpo liso de rapaz a erguer-se contra as estrelas e depois já se encontrava dentro do barco, a inclinar-se borda fora para ele. – Agarre-me as mãos – disse ela, estendendo-as, mas durante um bocado não se moveu, limitando-se a continuar agarrado à amurada e levantou os olhos para ela com um profundo anseio, como o de um cão.

A Sr.ª Maurier estava deitada às escuras, na cama da sua cabina. Havia uma vigia mesmo por cima da cama e uma longa faixa de luar entrava obliquamente por ela, estilhaçando-se no chão e enchendo a cabina com uma radiância fria, disseminada. Sobre a cadeira, vagamente, as suas roupas: uma massa sem forma, familiar, reconfortante; e à volta dela a familiaridade íntima dos seus bens – os seus artigos de higiene, a sua roupa, o seu odor tão particular com o qual estava tão familiarizada que já nem reparava nele.

Estava deitada na cama – a sua cama, especialmente feita para ela, era a mais confortável que havia a bordo –, cercada, envolvida em segurança e coisas confortáveis, murada e segura no interior das curvas insípidas, abafadas das anteparas. Chegou-lhe aos ouvidos um som vago e feliz: pequenas línguas de água a saltarem incessantemente ao longo do iate, contra o seu iate – aquela ilha de segurança que estava sempre à espera de a transportar confortavelmente para lá dos rumores do mundo e das suas angústias; uma Lua fria e gasta nem alegre nem triste... A Sr.ª Maurier estava deitada na sua cama confortável, na sua cabina confortável, a chorar com longos soluços trémulos: uma histeria terrível e passiva sem som.

O TERCEIRO DIA

Aquela manhã despertou numa neblina silenciosa e insondável. Abatera-se sobre o mundo da água impassível; dentro em pouco o primeiro vento fraco da manhã iria fazê-la desaparecer, mas agora cercava intemporalmente o *Nausikaa*: o iate era uma joia densa envolvida em lã macia e cinzenta, e algures na lã o alvorecer era como uma respiração suspensa. A primeira manhã do Tempo bem poderia estar para lá daquela neblina, e tocarem trombetas preliminares a um florescimento dourado; e suspensas no interior dela ainda se podiam ouvir as vozes dos Deuses Longínquos da primeira manhã a dizerem, Está certo: que se faça luz. A curta distância, uma sombra, um rumor, uma densidade mais palpável: aquela era a costa. A água saída da neblina parecia ter-se transformado num metal escuro no qual o *Nausikaa* estava rigidamente fixo, e o iate permaneceu imóvel, engastado em neblina como uma joia obesa.

Cinco Horas

Saída da escuridão da escada surgiu a sobrinha, nua e silenciosa como um fantasma. Imobilizou-se um momento, mas não se ouvia qualquer som vindo de lado algum, e ela atravessou o convés e parou junto da amurada, a inalar a suave neblina fria para os pulmões, sentindo a neblina a envolver o seu corpo firme e simples com uma frieza ténue e prolongada. As suas pernas e braços estavam tão bronzeados que, nua, parecia estar a usar um fato de banho de um branco imaculado. Subiu a amurada. O bote oscilava um pouco abaixo dela, fazendo com que a água negra e imóvel se tornasse viva, emitindo sons vagos. Depois deslizou sobre a popa e nadou até à neblina.

A água abriu-se com uma relutância oleosa, e voltou a fechar-se atrás dela com a mais ínfima das ondulações. Ali, ao nível da água, ela não conseguia ver nada excepto as línguas cinzentas e flácidas da água perturbada a saltar, deixando pequenos intervalos fugazes entre a neblina e a água antes de a neblina os voltar a preencher silenciosamente como asas a assentar. O casco do iate era uma coisa vaga, uma coisa sentida, sabida, mais do que vista. Nadou lentamente, fazendo círculos à volta do lugar onde sabia que devia estar.

Nadou lenta e firmemente, tentando manter a distância aproximada do iate por instinto. Mas, conscientemente, aquilo era algo difícil de se fazer; conscientemente, naquela imensidão vaga e restrita, naquela imprecisão sem limites cujo centro era ela mesma, o iate poderia encontrar-se em qualquer direção. Deteve-se e boiou enquanto pequenas línguas de água lhe beijavam o rosto, batendo-lhe contra os lábios. Está à minha direita, disse a si mesma. Está à minha direita, daquele lado. Não havia medo: apenas um ligeiro desconforto, uma exasperação; mas para se tranquilizar, nadou algumas braçadas naquela direção. A neblina não se adensou nem enfraqueceu.

Voltou a boiar e a água lambeu-lhe o rosto sem emitir um som. Maldita a tua alma tola, sussurrou ela, e nesse momento uma coisa circular e enorme como um olho morto e sem pálpebra repentinamente saído da neblina observou-a e ouviu-se um som ligeiro vindo de algures acima da sua cabeça. Em duas braçadas tocou no casco do iate: uma reivindicação, e sentiu um certo orgulho e um ligeiro alívio enquanto nadava ao longo do casco e dava a volta à popa. Agarrou-se à amurada do bote e ficou ali suspensa durante um bocado, a recuperar o fôlego.

Aquele som vago voltou a ouvir-se no convés; um movimento, e ela falou para a neblina:

– David?

A neblina pegou na palavra, varrendo-a ligeiramente contra o casco, depois voltou a ressaltar e a neblina absorveu-a. Mas ele ouvira e surgiu vagamente acima dela na amurada, a baixar os olhos para o lugar onde estava suspensa na água.

– Afasta-te, para que eu possa sair – disse. Ele não se moveu, e ela acrescentou: Estou sem fato de banho. Afasta-te por um momento, David.

Mas ele não se mexeu. Inclinou-se sobre a amurada a olhar para ela com um anseio profundo e tolo, e passado um bocado ela deslizou rápida e facilmente para o interior do bote, e ele continuou imóvel, sem esboçar qualquer movimento para a ajudar quando o corpo simples e grave subiu rapidamente a bordo do iate.

– Volto num instante – disse ela por cima do ombro, e o seu fato de banho imaculadamente branco atravessou o convés a correr e saiu do alcance dos olhos caninos de David. A neblina que não diminuía começava a encher-se de luz: a iminência do amanhecer como uma glória, um esplendor de trombetas não ouvidas.

O instante dela foram três minutos. Ela reapareceu no seu curto vestido de linho colorido, o cabelo escuro e áspero ainda húmido, trazendo os chinelos e as meias na mão. Ele não se movera.

– Bem, vamos andado – disse ela. Olhou para ele impaciente. – Ainda não estás pronto? – Ele mexeu-se por fim, observando-a com o servilismo passivo de um cão. – Vamos – disse ela, insistente. – Ainda não tens as coisas para o pequeno-almoço? O que se passa contigo, David? Desperta do teu transe. – Voltou a observá-lo, com uma impessoalidade sóbria. – Não acreditaste que eu ia fazer isto, é isso? Ou será que és tu que estás a desistir? Vamos, diz-me já, se queres desistir. – Aproximou-se mais, examinando-lhe o rosto com os seus olhos graves e opacos. Estendeu a mão. – David?

Ele pegou-lhe devagar na mão, olhando-a, e ela apertou-lhe a mão e abanou-lhe vigorosamente o braço.

– Acorda. Ora, tu não... Vamos, vamos arranjar alguma coisa para o pequeno-almoço, e pirarmo-nos daqui. Não temos o dia todo.

Seguiu-a e na cozinha ela acendeu a luz e escolheu uma caixa achatada de *bacon* e um pão, colocando-os sobre uma mesa e voltou a vasculhar entre as caixas, armários e prateleiras.

– Tens fósforos? Um canivete? – perguntou ela, por cima do ombro. – E onde estão as laranjas? Vamos levar algumas laranjas. Eu adoro laranjas, tu não gostas? – Virou a cabeça para olhar para ele. A mão dele mal lhe tocava na manga, tão acanhada que ela mal a sentia. Virou-se subitamente, pousando as laranjas, e envolveu-o nos braços, duros e firmes e assexuados, baixando a face dele até ao seu beijo sóbrio e húmido. Conseguiu sentir o seu coração errático a martelar-lhe contra o peito, conseguiu ouvir as suas pancadas a intensificarem-se no silêncio, quase como se estivesse no interior do seu próprio corpo. Apertou os braços e moveu a cabeça, procurando a boca dela, mas ela esquivou-se-lhe com um movimento rápido, sem o repreender.

– Não, não, isso não. Todas as pessoas fazem isso. – Voltou a apertá-lo contra o seu corpo duro, depois soltou-o. – Agora, vamos. Tens tudo? – Reexaminou as prateleiras, encontrando por fim um pequeno cesto. Estava cheio de alface húmida, mas ela deitou a alface fora e colocou as suas coisas no interior. – Fica com os meus chinelos. Cabem-te no bolso, não cabem? – Enfiou as suas meias claras e flácidas dentro dos chinelos e deu-lhos. Depois pegou no cesto e apagou a luz.

O dia era agora algo de mais próximo, embora ainda não tivesse chegado. Apesar de a neblina não ter diminuído, o iate era visível da popa à proa, adormecido como uma gaivota de asas dobradas; e contra o casco, a água soltava um longo suspiro de despertar. A linha da costa era mais escura, uma inexatidão mais palpável na neblina.

– Ouve – observou ela, parando repentinamente –, como vamos chegar à costa? Esqueci-me disso. Não queremos levar o bote.

– Nadando – sugeriu ele. A cabeça escura e húmida dela chegava-lhe mesmo ao queixo, e ela pensou durante um bocado numa consternação sóbria.

– Não há nenhuma maneira de podermos ir no bote, e depois voltarmos a empurrá-lo para o iate com um cabo?

– Eu... Sim. Sim, podemos fazer isso.

Quando ele voltou com um cabo enrolado, ela já se encontrava no bote com os remos, e observou-o com interesse enquanto ele o passava à volta de um balaústre e puxava as duas extremidades para o bote e atava uma das pontas à cavilha na proa da embarcação. Depois ela percebeu a ideia, sentou-se e foi deixando correr o cabo, enquanto ele remava em direção à costa. Passado pouco, deram à praia e ela saltou para terra, ainda a segurar a ponta livre do cabo.

– Como vamos evitar que o bote volte a puxar o cabo para aquele poste, e se solte? – perguntou ela.

– Eu mostro-te – respondeu ele, e ela observou-o enquanto atava os remos e as forquetas em conjunto com a ponta solta do cabo e os enfiava entre os bancos dos remadores. – Acho que vai aguentar. Decerto que alguém o vai ver dentro de pouco tempo – acrescentou, e preparou-se para empurrar o bote de regresso ao iate.

– Espera um pouco – disse ela. Pensou com uma expressão séria, a olhar para o iate escurecido e na sombra, depois pediu--lhe fósforos, e sentando-se na amurada da embarcação rasgou um bocado de papel da caixa de *bacon* e com um fósforo chamuscado escreveu, Fomos para... Levantou os olhos. – Para onde vamos? – Ele olhou-a, e ela acrescentou rapidamente: – Quero dizer, para que cidade? Temos de ir para uma cidade qualquer, sabes, para depois voltarmos a Nova Orleães e eu poder ir buscar alguma roupa e os meus dezassete dólares. Qual é o nome da cidade?

Passado um bocado, ele disse:

– Não sei. Eu nunca...

– É verdade, também nunca estiveste aqui antes, pois não? Bem, qual é o nome daquela cidade para onde vão os *ferries*? Aquela que a Jenny está sempre a dizer que nos divertimos muito? – Voltou a olhar para a forma vaga do *Nausikaa*, depois de repente escreveu, Mandeville. – É esse o nome... Mandeville. Para que lado fica Mandeville? – Ele não sabia, e ela acrescentou: – Não interessa, acho que a iremos encontrar. – Assinou a nota, pousou-a no banco da popa e colocou uma pequena pedra por cima. – Agora, podes empurrá-lo – ordenou, e passados instantes ouviram sobre a água imóvel o som vago de um embate.

– Adeus, *Nausikaa* – disse ela. – Espera – acrescentou –, acho que é melhor calçar-me. – Ele deu-lhe os chinelos e ela sentou-se na praia estreita e calçou-os, voltando a dar-lhe as meias amarrotadas. – Espera – repetiu, tirando-lhe as meias e revirando-as. Enfiou uma no braço moreno e tirou do interior um maço amarrotado: o dinheiro que fora capaz de surripiar ao assaltar as coisas da tia, da Sr.ª Wiseman e da menina Jameson. Estendeu a mão e ele levantou-a. – É melhor seres tu a levar o dinheiro – disse ela, entregando-lho. – Agora, o pequeno-almoço – disse, apertando-lhe a mão.

Seis Horas

Árvores pesadas e antigas cobertas de musgo sobressaíam enormes e cinzentas: a neblina poderia ser uma vegetação rasteira a crescer lentamente por entre e à volta delas. Não, aquela neblina poderia ter sido a primeira manhã pré-histórica do próprio Tempo; poderia ter sido a própria substância na qual a semente do início das coisas fora fecundada; e aquelas árvores enormes e silenciosas poderiam ter sido as primeiras das coisas vivas, nascidas demasiado recentemente para conhecerem ou o medo ou o espanto, a arrastarem os seus cordões umbilicais vagarosos para fora do velho ventre miasmático do nada latente e terrível. Ela aconchegou-se a ele, subitamente calada e subjugada, a tremer um pouco como um cachorro contra o reconforto do seu braço.

– Céus – disse, em voz baixa.

Aquele som ligeiro não morreu. Limitou-se a dissolver-se no cinzento húmido que os cercava, e era como se a qualquer movimento de qualquer tipo a palavra se pudesse repetir a si mesma, algures entre o céu e o solo, tal como se sacode um seixo de um rolo de algodão. Ele colocou um braço à volta dos seus ombros e ao sentir o seu toque ela virou-se rapidamente sob o seu sovaco, escondendo o rosto.

– Tenho fome – disse, por fim, naquela voz baixa. – É isso que se passa comigo – acrescentou, com maior convicção. – Quero comer alguma coisa.

– Queres que eu acenda uma fogueira? – perguntou ele, falando junto do cocuruto escuro e áspero da sua cabeça.

– Não, não – respondeu ela rapidamente, agarrando-se a ele. – Além disso, aqui estamos demasiado próximos do lago. Alguém pode vê-la. Devíamos afastar-nos mais da costa. – Agarrou-se a ele, no interior do seu braço. – No entanto, acho que é melhor esperarmos aqui até que o nevoeiro levante. Um pedaço de pão serve. – Estendeu a mão morena. – Vamo-nos sentar algures. Vamo-nos sentar e comer um pouco de pão – decidiu. – E quando o nevoeiro levantar, podemos procurar a estrada. Vamos, vamos procurar um tronco ou qualquer coisa assim.

Puxou-o pela mão e sentaram-se na base de uma árvore enorme, no chão húmido, enquanto ela remexia no cesto. Partiu um bocado de pão e deu-lho, e depois ficou com outro pedaço para ela. De seguida deslizou mais para baixo, apoiando-se sobre os calcanhares até as suas costas estarem encostadas a ele, e mordeu o seu pão. Suspirou satisfeita.

– Pronto. Não adoras isto? – Ergueu o rosto grave, a mastigar, para olhar para ele. – Tudo cinzento e solitário. Faz-nos sentir frios por fora e quentes por dentro, não faz? Mas, não estás a comer o teu pão. Come o teu pão, David. Adoro pão, não adoras? – Ela voltou a mexer-se, para dentro, como se sobre si mesma: de certo modo pareceu aproximar-se ainda mais dele.

A neblina começava já a dissipar-se, a separar-se com uma relutância pesada perante o rumor de um movimento demasiado vago para se poder chamar vento. A neblina quebrou-se irregularmente e afastou-se em grinaldas vagarosas que pareceram devorar todo o som, a rodar e a baloiçar como enormes símios espectrais de árvore em árvore, a levantarem-se e a caírem, a revelarem sombrios patriarcas de árvores, a voltar a escondê-los. Ao longe, nas profundezas do pântano ouviu-se um som rouco e grosseiro – o cântico de amor de um jacaré.

– Chicago – murmurou ela. – Não sabia que estávamos tão perto de casa. – Em breve, o sol; e ela estendeu-se contra ele, a mastigar satisfeita o seu pão.

Sete Horas

Não tinham encontrado a estrada, mas tinham-se afastado até uma distância segura do lago. Ela descobrira uma borboleta maior do que as suas duas mãos juntas, pousada num raio de sol no tronco velho de uma árvore, a mover as suas adoráveis asas húmidas como pulmões expostos e palpitantes de vidro ou seda; e enquanto ele juntava lenha – um feito difícil, já que nenhum deles tinha pensado numa machada –, ela parou à beira de um riacho negro para atormentar com um pequeno pau uma serpente grossa e vagarosa. Um pássaro enorme de cores vivas ergueu-se praguejando contra ela, e a cobra ignorou-a com uma espécie de desilusão cansada e deixou-se cair pesadamente na água densa. Depois, olhando em volta, ela viu um fogo ténue no crepúsculo sombrio e equívoco das árvores.

Voltaram a comer: as laranjas; grelharam *bacon*, chamuscaram-no, deixaram-no cair no chão, apanharam-no, limparam-no, mastigaram-no e engoliram-no; e o resto do pão.

– Não adoras acampar? – Ela sentou-se de pernas cruzadas e limpou uma fatia de *bacon* no vestido. – Vamos continuar assim, David. Nunca vamos ter uma casa, onde teremos de estar sempre no mesmo sítio. Vamos apenas andar de um lado para o outro, assim, a acampar David? – Ela levantou a fatia de *bacon* e olhou para os seus olhos tolos e ardentes. Pousou o seu *bacon*.

– Não olhes para mim assim – disse ela, cortante. Depois com maior gentileza: – Nunca olhes para ninguém assim. Não vais conseguir que alguém fuja contigo se olhares para as pessoas dessa maneira, David. – Estendeu a mão. A mão dele aproximou-se, lenta e acanhada, mas o aperto dela era duro, real. Ela abanou-lhe o braço para lhe dar ênfase.

– Como é que eu estava a olhar para ti? – perguntou ele passado um bocado, numa voz que nem sequer lhe pareceu a sua. – Como queres que eu olhe para ti?

– Oh, tu sabes como. No entanto, não é assim. Assim, olhas para mim exatamente como um homem, apenas isso. Ou como um cão. Não como o David. – Ela contorceu a mão para a soltar e comeu a sua fatia de *bacon*. Depois limpou os dedos ao vestido. – Dá-me um cigarro.

A neblina desaparecera, e o Sol já se erguera sinistro e quente entre as árvores, sobre a terra miasmática. Ela sentou-se sobre as pernas cruzadas, cheia, a fumar. Abruptamente parou o cigarro numa interrupção tensa de todo o movimento. De seguida moveu rapidamente a cabeça e olhou para ele, consternada. Voltou a mover-se, batendo subitamente na perna nua.

– O que foi? – perguntou ele.

Como resposta, ela estendeu a sua palma bronzeada e plana. No seu centro encontrava-se uma mancha escura e uma minúscula gota de sangue vermelho.

– Santo Deus, dá-me as minhas meias – exclamou ela. – Vamos ter de sair daqui. Céus, tinha-me esquecido deles – disse, puxando as meias sobre as pernas esticadas. Levantou-se de um salto. – No entanto, em breve sairemos daqui. David, deixa de olhar para mim assim. Pelo menos, finge que te estás a divertir. Anima-te, David. Um homem pensaria que já estás a perder a coragem. Vá lá, eu acho que é estupendo, fugir desta maneira. Não achas que é estupendo? – Virou a cabeça e viu de novo aquele gesto acanhado e sereno da mão dele a tocar-lhe no vestido. A manhã quente foi atravessada pelo guincho estridente da sirene do *Nausikaa*.

Oito Horas

– Não, senhor – respondeu pacientemente o sobrinho. – É um cachimbo.

– Um cachimbo, ei? – repetiu o major Ayers, olhando para ele com os seus pequenos olhos, duros e afáveis. – Fazes cachimbos, ei?

– Estou a fazer este – respondeu o sobrinho, concentrado.

– Talvez te tivesses vindo embora e deixado o teu em terra? – insinuou o major Ayers, passado um bocado.

– Não. Não os fumo. Só estou a fazer um novo tipo de cachimbo.

– Ah, estou a perceber. Para o mercado. – A mente do major Ayers inflamou-se lentamente. – Há dinheiro nisso, ei? Os americanos também comprariam um novo tipo de cachimbo. Claro que já fizeste preparativos para os comercializares?

– Não, só o estou a fazer para me divertir – explicou o sobrinho, naquele tom paciente que se usa com crianças obtusas. O major Ayers olhou para a sua cabeça inclinada e concentrada.

– Sim – concordou ele. – É melhor não dizer nada acerca disso, até teres concluído todos os teus cálculos quanto ao custo da produção. Não te culpo de modo nenhum. – O major Ayers começou a fazer cálculos mentais. Disse: – Os americanos iriam mesmo comprar um novo tipo de cachimbo. Estranho nunca ninguém ter pensado nisso. – O sobrinho esculpiu minuciosamente o seu cachimbo. O major Ayers disse num tom reservado: – Não, não te culpo de modo algum. Mas quando tiveres terminado, vais precisar de capital; esse tipo de coisa, sabes. E depois uma palavrinha aos teus amigos no seu devido tempo, ei?

O sobrinho levantou os olhos.

– Uma palavrinha aos meus amigos? – repetiu ele. – Ora, acabei de dizer que estou apenas a fazer um cachimbo. Um cachimbo. Apenas pelo prazer de o fazer. Para me divertir.

– E é que estás mesmo – concordou o major Ayers, delicadamente. – Sem ofensa, meu caro rapaz. Não te culpo, não te culpo de modo algum. Também já passei pela mesma situação.

Nove Horas

Tinham encontrado por fim a estrada – duas cicatrizes ténues e uma camada de poeira insuportável sobre um dique elevado que atravessava o pântano. Mas entre eles e a estrada encontrava-se uma extensão pastosa de água e vegetação e biologia nauseabunda. Raízes enormes de ciprestes irrompiam do solo como ossos ressequidos saídos de uma espuma verde e de um tremor, nem de terra nem de água, e sempre aquelas eternas árvores barbadas como deuses olhando sem alarme aquela profanação fraca do silêncio antigo do ar e da terra e da água quando o Tempo, velho e grisalho, era ainda um milagre rosado e terrível nos braços da mãe.

Fora ela que encontrara a árvore caída, que fizera o primeiro ensaio à sua casca gotejante e traiçoeira e que parara primeiro na estrada vazia que se estendia monotonamente em ambas as direções entre batalhões de patriarcas arbóreos. Ela estava a arquejar um pouco, batendo com um ramo verde partido à volta do corpo, observando-o enquanto ele avançava devagar por cima do tronco caído.

– Vá lá, David – chamou-o, impaciente. – A estrada é aqui; agora estamos bem. – Ele já tinha atravessado a valeta e esforçava-se agora por subir o aterro relutante e fétido do dique. Ela inclinou-se para baixo e estendeu-lhe a mão. Mas ele não lhe pegou, por isso inclinou-se mais e agarrou-lhe a camisa. – Agora, para que lado fica Mandeville?

– Por ali – respondeu ele de imediato, apontando.

– Disseste que nunca tinhas estado aqui antes – acusou-o ela.

– Não. Mas encontrávamo-nos a oeste de Mandeville quando fomos a terra, e o lago fica para aquele lado. Por isso, Mandeville deve ser por ali.

– Acho que não. É por aqui: vê, o pântano não é tão denso deste lado. Além disso, eu sei que é por aqui.

Ele olhou-a durante um momento.

– Está bem – concordou. – Presumo que tenhas razão.

– Mas não sabes para que lado é? Não há nenhuma maneira de o poderes saber? – Ela dobrou-se e bateu nas pernas com o ramo partido.

– Bem, o lago é para ali, e ontem à noite estávamos a leste de Mandeville...

– Estás apenas a calcular – interrompeu-o ela, bruscamente.

– Sim – respondeu ele. – Acho que tens razão.

– Bem, temos de ir para algum lado. Não podemos ficar aqui parados. – Sacudiu os ombros, contorcendo o corpo debaixo do vestido. – Então, para que lado?

– Bem, nós est...

Ela virou-se abruptamente na direção que tinha escolhido.

– Vamos, vou morrer aqui.

E continuou a avançar.

Dez Horas

Ela estava a tentar explicá-lo a Pete. O Sol erguera-se sinistro e quente, subindo numa neblina sonolenta, levantando-se de uma região baixa e vaga, nem água nem nuvens, semelhante a pequenas meninas gordas em batas engomadas a marcharem solenemente.

– Entram para uma coisa, naquele sítio para onde ele vai. Só que têm de trabalhar para poderem entrar, e por vezes mesmo assim não o conseguem. E aqueles que o conseguem, não recebem nada a não ser um pequeno alfinete ou qualquer coisa desse género.

– Fala mais devagar e começa outra vez – disse-lhe Pete, com os cotovelos e um tacão apoiados na amurada, o chapéu inclinado sobre o rosto moreno, os olhos semicerrados devido ao fumo do cigarro. – Estás a falar de quê?

– Há qualquer coisa na água – observou Jenny com um espanto plácido, pressionando a barriga por cima da amurada e olhando para baixo, para a água ligeiramente ondulada enquanto a brisa de terra moldava o seu vestido verde e curto. – Deve ter caído do barco... Oh, estou a falar da universidade para onde ele vai. Lá trabalha-se para entrarem para umas coisas. Trabalha-se três anos, disse ela. E depois talvez possas...

– Que universidade?

– Esqueci-me. É uma onde há aqueles jogos de futebol grandes, que todos os anos aparecem nos jornais. Ele...

– Yale e Harvard?

– Hum, foi essa que ela disse. Ele...

– Qual delas? Yale, ou Harvard?

– Hum. E então ele...

– Vá lá, querida. Estás a falar de duas universidades diferentes. Ela disse Yale ou Harvard? Ou Sing Sing, ou o quê?

– Oh – disse Jenny. – Foi Yale. Sim, foi essa que ela disse. E ele vai ter de trabalhar três anos para entrar. E mesmo assim, talvez não o consiga fazer.

– Bem, e depois? Supõe que ele trabalha os três anos, e depois?

– Ora, se ele o fizer, não vai conseguir nada expecto um pequeno alfinete ou qualquer coisa assim, quero dizer, mesmo que ele entre. – Jenny pensou, voltando a inclinar-se sobre a amurada. – Ele vai ter de trabalhar por isso – repetiu, num espanto vago e suave. – Vai ter de trabalhar três anos por isso, e mesmo assim poderá não...

– Não sejas burra toda a vida, miúda – disse-lhe Pete.

O vento e o sol estavam pousados no cabelo sonolento de Jenny. O convés inclinava-se ligeiramente para a frente, deserto. Os outros estavam reunidos no convés superior. Ocasionalmente ouviam vozes e um par de pés masculino estava inocentemente cruzado sobre a amurada, mesmo por cima da cabeça de Pete. Um cigarro meio fumado girou à popa num pequeno arco cintilante. Jenny observou-o a cair ao de leve na água, onde boiou entre os outros detritos que lhe tinham chamado a atenção. Pete atirou o seu cigarro de costas e por cima do ombro, mas aquele afundou-se de imediato, perante a surpresa plácida de Jenny.

– Deixa o rapaz entrar para o clube, se ele o quiser fazer – acrescentou Pete. – Que tipo de clube é? O que fazem?

– Não sei. Limitam-se a entrar. Trabalha-se para entrar durante três anos, disse ela. Três anos... Céus, nessa altura já somos demasiado velhos para fazer o que quer que seja para entrarmos... Três anos. Santo Deus.

– Senta-te e dá descanso à tua burrice – disse Pete. – Não sejas eternamente imbecil. – Ele olhou para o convés por um instante, depois sem alterar a sua posição contra a amurada virou a cabeça na direção de Jenny. – Dá um beijo ao papá.

Jenny também olhou por instantes para o convés. Depois aproximou-se com uma espécie de docilidade cautelosa, erguendo o seu rosto encantador. E naquele momento Pete afastou o rosto.

– O que se passa? – perguntou ele.

– O que se passa com o quê? – perguntou Jenny, inocentemente.

Pete afastou o tacão da amurada e passou um braço à volta de Jenny. Os seus rostos voltaram a juntar-se, e Jenny transformou-se numa suavidade impessoal contra a sua boca e um único olho azul e uma aura sonolenta de cabelo.

Onze Horas

O pântano parecia nunca mais acabar. Estendia-se de ambos os lados da estrada, fétido e intemporal, sombrio e silencioso e terrível. A estrada prosseguia pelo túnel barbado, sob o sinistro céu cor de bronze. Há muito que o orvalho tinha desaparecido e a poeira erguia-se letárgica devido aos seus passos enérgicos. David arrastava-se atrás dela, a observar duas manchas de sangue seco nas suas meias. Abruptamente surgiram três e ele aproximou-se. Ela olhou por cima do ombro, esboçando uma expressão desesperada.

– Não te aproximes de mim! – exclamou. – Não vês que só estás a piorar!

Ele voltou a deixar-se ficar para trás e ela parou de repente, deixando cair o ramo partido e estendendo os braços.

– David – disse. Ele aproximou-se desajeitadamente, e ela agarrou-se a ele, a choramingar. Levantou o rosto e olhou para ele. – Não podes fazer nada? Magoam-me, David. – Mas ele limitou-se a olhá-la com o seu anseio tolo e indizível.

Ela apertou os braços, mas soltou-o de imediato.

– Em breve sairemos daqui! – Voltou a apanhar o ramo. – Então será diferente. Olha! Está ali outra borboleta das grandes! – O seu guincho de prazer tornou-se de novo um som lacrimejante e estridente. Continuou a andar.

Jenny encontrou a Sr.ª Wiseman na cabina delas, a mudar de vestido.

– O senhor Ta… Talliaferro – começou Jenny. Depois disse: Presumo que ele seja um homem terrivelmente refinado. Não concorda?

– Refinado? – repetiu a outra. – É exatamente isso. Foi o Ernest que inventou essa palavra.

– Inventou? – Jenny dirigiu-se ao espelho e olhou para o seu reflexo durante um momento. – O irmão dela também é refinado, não é?

– O irmão de quem, querida? – A Sr.ª Wiseman deteve-se e, curiosa, observou Jenny.

– Aquele que tem aquela serra.

– Oh. Sim, é bastante. Ele parece estar demasiado ocupado para ser outra coisa. Porquê?

– E aquele homem de olhos esbugalhados. No entanto, todos os homens ingleses são refinados. – Jenny olhou para o seu reflexo, inoportuna e completamente distraída. A Sr.ª Wiseman olhou para o cabelo fino e despenteado de Jenny, para o seu vestido curto e amarrotado que revelava a divina inevitabilidade do seu corpo macio.

– Vem cá, Jenny – disse ela.

Doze Horas

Quando se aproximou, ela estava sentada aninhada na estrada, molemente agachada sobre si mesma, a aconchegar a cabeça entre os braços cruzados e magros. Ele parou a seu lado, e naquele momento disse o seu nome. Ela baloiçou-se para trás e para a frente, depois contorceu o corpo num êxtase.

– Eles magoam-me, eles magoam-me – gemeu, voltando a agachar-se naquele impossível espasmo de agonia. David ajoelhou-se a seu lado e voltou a proferir o seu nome, e depois ela sentou-se.

– Olha – disse ela, selvaticamente – para as minhas pernas... olha, olha. – Observava com uma espécie de fascínio as dezenas de grandes pontos cinzentos que pairavam por cima das suas meias salpicadas de sangue, sem se esforçar por os enxotar. Voltou a levantar o seu rosto enlouquecido. – Estás a vê-los? Estão por toda a parte... em cima de mim... nas minhas costas, nas minhas costas, onde não lhes consigo chegar. – Estendeu-se subitamente ao comprido, esfregando as costas na poeira, apertando-lhe a mão. Depois voltou a sentar-se e encostando-se aos seus joelhos começou a contorcer o corpo a partir das ancas, tentando esconder as pernas ensanguentadas debaixo da saia curta. Segurou-a enquanto ela se contorcia entre as suas mãos, o seu rosto exangue e enlouquecido erguido para ele. – Tenho de entrar na água – arquejou ela. – Tenho de entrar na água. Na lama, em qualquer coisa. Digo-te que estou a morrer.

– Sim, sim. Vou buscar-te água. Espera aqui. Vais ficar aqui à espera?

– Vais-me buscar água? Vais mesmo? Prometes?

– Sim, sim – repetiu ele. – Vou buscar-te água. Fica aqui à espera. Espera aqui, está bem? – repetiu ele, imbecilmente.

Ela voltou a dobrar-se sobre si mesma, a gemer e a contorcer-se na poeira, e ele mergulhou pelo aterro abaixo, despindo a camisa e mergulhando-a na valeta quente e fétida. Ela puxara o vestido para cima até aos ombros, revelando o seu fato de banho espantosamente branco entre as cuecas e a faixa de cetim que lhe apertava os seios.

– Nas minhas costas – gemeu ela, voltando a dobrar-se para a frente –, depressa, depressa!

Ele pousou a camisa molhada nas suas costas e ela agarrou as pontas e apertou-a à volta do corpo, e depois encostou-se de novo aos joelhos dele com um suspiro prolongado e trémulo.

– Quero uma bebida. Posso beber água, David?

– Em breve – prometeu ele, desesperado. – Podes beber água assim que sairmos do pântano.

Ela voltou a gemer, um som prolongado e lamuriento, baixando a cabeça entre os braços. Agacharam-se lado a lado na estrada empoeirada. A estrada continuava a fervilhar perante eles, interminável sob as árvores barbadas e vigilantes, atravessando o pântano implacável com uma fanfarronice pueril como uma voz aguda a praguejar numa catedral. Agulhas de fogo disparavam à volta deles, à volta dos ombros e braços nus de David. Passado um bocado, ela disse:

– Por favor, David, volta a molhá-la.

Ele fê-lo e depois regressou, escorregando pelo aterro íngreme e nauseabundo do dique.

– Agora, molha-me a cara, David. – Ela levantou o rosto e fechou os olhos e ele molhou-lhe o rosto e a garganta e penteou-lhe o cabelo húmido e áspero, afastando-lho da testa.

– Vamos vestir-te a camisa – sugeriu ele.

– Não – disse ela, encostando-se recatada ao seu braço, sem abrir os olhos, sonolenta. – Eles comem-te vivo sem ela.

– Eles não me incomodam como te incomodam a ti. Vá lá, veste-a. – Ela voltou a mostrar-se recatada, e ele tentou desajeitadamente enfiar-lhe a camisa pela cabeça. – Não preciso dela – repetiu.

– Não. Fica com ela, David... Devias ficar com ela. Além disso, eu preferia tê-la por baixo... Óóóó, sabe tão bem. Tens a certeza de que não precisas dela? – Abriu os olhos, observando-o com aquela sua gravidade sóbria. Ele insistiu e ela sentou-se e despiu o vestido pela cabeça. Ele ajudou-a a vestir a camisa, depois ela voltou a enfiar o vestido. – Não a queria aceitar, mas eles magoam-me tanto. Um dia farei alguma coisa por ti, David. Juro que faço.

– Claro – repetiu ele. – Não preciso dela.

Ele levantou-se, e ela pôs-se de pé num único movimento, antes que se pudesse oferecer para a ajudar.

– Juro que não a aceitaria se não me estivessem a magoar tanto, David – insistiu ela, pousando a mão no ombro dele e erguendo o seu rosto sério e bronzeado.

– Certo, eu sei.

– Eu depois pago-te de alguma maneira. Vá lá, vamos sair daqui.

Uma Hora

A Sr.ª Wiseman e a menina Jameson afastaram da cozinha uma senhora Maurier que gemia e contorcia as mãos, e prepararam o almoço – de novo toranjas, cortadas muito finas para disfarçar.

– Temos tantas – desculpou-se a anfitriã, num tom de impotência. – E o criado desapareceu... E como podem ver, continuamos encalhados – explicou ela.

– Oh, acho que podemos aguentar algumas dificuldades – tranquilizou-a Fairchild, jovialmente. – A espécie humana ainda não degenerou assim tanto. Ora num livro, isto seria terrível; se forçasse personagens a comer tantas toranjas como o faz a nós, tanto os rapazes da arte como os humanitários erguer-se-iam nas suas patas traseiras e uivariam. Mas na vida real... Na vida, pode acontecer qualquer coisa; na vida real, as pessoas farão qualquer coisa. Só nos livros é que as pessoas devem agir segundo regras arbitrárias de conduta e probabilidade; só nos livros é que os acontecimentos nunca devem desprezar a credibilidade.

– Isso é verdade – concordou a Sr.ª Wiseman. – As personagens quando os escritores as definem, revelando aquilo de que gostam e de que não gostam, parecem sempre perfeitas, tão inevitavelmente consistentes, mas na vi...

– É por isso que a literatura é arte e a biologia não – interrompeu-a o irmão. – A personagem de um livro tem de ser consistente em todas as coisas, quando o homem é apenas consistente numa coisa: ele é consistentemente vaidoso. Apenas a sua vaidade faz com que as suas partículas húmidas adiram umas às outras, ao contrário de qualquer outro punhado de pó que qualquer brisa pode espalhar.

– Por outras palavras, ele é consistentemente inconsistente – resumiu Mark Frost.

– Acho que sim – respondeu o homem semita. – O que quer que isso signifique... Mas o que estavas a dizer, Eva?

– Estava a pensar como as pessoas dos livros, quando as encontramos na vida real, têm uma maneira tão perversa e desconcertante de gostar e não gostar das coisas erradas. Por exemplo, aqui a Dorothy. Imagine que estava a esboçar a personagem da Dorothy num romance, Dawson. Qualquer escritor poderia fazer com que ela preferisse joias azuis: ouro branco e platina, e safiras engastadas em prata batida... Você sabe. Não faria isso?

– Ora, sim, faria – concordou Fairchild, interessado. – Ela iria mesmo gostar de coisas azuis.

– E depois – continuou a outra –, música. Diria que ela gostava de Grieg, e daqueles outros loucos e frios do Norte com água gelada nas veias, não diria?

– Sim – voltou a concordar Fairchild, pensando de imediato em Ibsen e na lenda de Peer Gynt e recordando-se de um soneto de Siegfried Sassoon acerca de Sibelius, que lera uma vez numa revista. – Era disso que ela gostaria.

– Deveria gostar – corrigiu-o a Sr.ª Wiseman. – Pelo bem da consistência estética. Mas aposto que está errado. Não está, Dorothy?

– Ora, claro – respondeu a menina Jameson. – Eu sempre gostei de Chopin.

A Sr.ª Wiseman encolheu os ombros: um gesto sombrio e gracioso.

– E aí tem. É isso que torna a arte tão desencorajadora. Começamos a esperar que qualquer coisa associada com e dependente das ações do homem, seja algo de desencorajador. Mas sinto-me sempre chocada por saber que a arte também depende da população, do instinto de manada, tal como acontece com o fabrico de automóveis ou meias.

– Só que eles ainda não podem publicitar a arte através das pernas de uma mulher – interrompeu-a Mark Frost.

– Não seja tolo, Mark – disse a Sr.ª Wiseman, cortante. – É exatamente assim que se chama a atenção para a arte dos noventa e nove que não a produzem, e que têm assim uma razão possível para a comprarem; postais e litografias insuficientemente esotéricos para escaparem à perseguição policial. Pergunte a qualquer homem da rua aquilo que ele entende pela palavra arte: dir-lhe-á que significa um quadro. Não dirá? – apelou ela a Fairchild.

– É verdade – concordou ele. – E é uma impressão errada. Na minha opinião, arte significa qualquer coisa conscientemente bem-feita. Viver, ou construir um bom cortador de relva, ou jogar póquer. Não gosto de modo algum desta ideia moderna de restringir a palavra à pintura.

– A arte da Vida, de uma existência bela e completa da Alma – interveio a Sr.ª Maurier. – Não acha que é essa a maior função da Arte, senhor Gordon?

– Claro que não, filho – disse a Sr.ª Wiseman a Fairchild, ignorando a Sr.ª Maurier. – Por mais raivosamente americano que você seja, não consegue suportar isso, pois não? E aí está a base da sua desorientação, Dawson... a sua crença que a função de criar arte depende da geografia.

– E depende. Não se pode semear milho sem um sítio onde o plantar.

– Mas não se planta milho na geografia, planta-se no solo. Para além de não interessar onde fica esse solo, até se pode movê-lo de um lado para o outro, à volta do mundo, se assim o quiser, e ele continuará a produzir milho.

– No entanto, teria um tipo de milho diferente, milho russo ou latino ou anglo-saxão.

– Para o estômago, todo o milho é igual – disse o homem semita.

– Julius! – exclamou a Sr.ª Maurier. – A fome da Alma: é esse o verdadeiro objetivo da Arte. Há tantas coisas para satisfazer os apetites mais grosseiros. Não concorda, senhor Talliaferro?

– Sim – a Sr.ª Wiseman virou-se para o irmão. – O Dawson agarra-se à convicção pelo velho motivo: é suficientemente bom para se viver com ele e confortável para se morrer, como a crença na imortalidade. Um seguro contra a dúvida ou o alarme.

– E a preguiça – acrescentou o irmão. A Sr.ª Maurier voltou a exclamar «Julius». – Agarrarmo-nos espiritualmente a um pequeno ponto à superfície da terra, já que tanto do seu trabalho é feito por ele. Pormenores de vestuário e hábito e discurso que não requerem qualquer dificuldade na assimilação e que, amontoados uns sobre os outros, se tornam bastante imponentes como qualquer pincelada surpreendentemente original, algo que acontece com as trivialidades em grande quantidade. Não concordas? Mas também, suponho que nos seus corações todos os poetas consideram os escritores de prosa como mandriões, não é verdade?

– Sim – concordou a irmã. – Nós achamo-los preguiçosos, mas apenas um pouco. Não mentalmente, mas que os seus... não nos seus corações...

– Almas? – sugeriu o irmão. – Odeio essa palavra, mas é a coisa mais próxima. – Ela deparou-se com os olhos tristes e intrigados do irmão, e exclamou:

– Oh, Julius! Às vezes, tenho vontade de te matar. Ele está a gozar comigo, Dawson.

– Está a gozar com ambos – disse Fairchild. – Mas deixe-o divertir-se, pobre rapaz. – Riu-se e acendeu um cigarro. – Deixe-o rir. Eu sempre quis ser por uma noite um daqueles antigos eunucos. Eles deviam morrer de riso quando os sultões e outros os iam visitar.

– Senhor Fairchild! Mas que raio! – exclamou a Sr.ª Maurier.

– É bom que haja alguém para ver algo de divertido no processo – interveio o outro. – Os maridos, os participantes ativos, parecem nunca o ver.

– Essa é uma cláusula da natureza para a sobrevivência racial – disse Fairchild. – Se os maridos alguma vez vissem a faceta cómica disso... Mas nunca a veem, mesmo quando têm essa oportunidade, por mais branca e delicada que seja a mão que lhes decora as testas.

– Não são as damas adoráveis, nem os desconhecidos deslumbrantes – disse o homem semita –, é a cerimónia do casamento que desfigura as nossas testas.

Fairchild resmungou. Depois voltou a rir-se.

– Decerto que haveria um declínio na população se o homem fosse gémeo de si mesmo e tivesse de ficar a observar-se a fazer amor.

– Senhor Fairchild!

– Chopin – interrompeu-o a Sr.ª Wiseman. – A sério, Dorothy, estou desiludida contigo. – Voltou a encolher os ombros, e abanou as mãos. A Sr.ª Maurier disse, aliviada:

– Ninguém poderá imaginar o quanto Chopin representou para mim, nas minhas angústias. – Olhou em volta num espanto trágico e confiante.

– Claro – concordou a Sr.ª Wiseman. – Ele fá-lo sempre. – Virou-se para a menina Jameson. – Pensa só como o Dawson te teria representado muito melhor do que Deus o fez. Com toda a deferência pela senhora Maurier, são tantas as pessoas que encontram conforto em Chopin. É como ter uma dor que a aspirina irá curar, sabes. Eu até te teria perdoado Verdi, mas Chopin! Chopin – repetiu ela, e depois com uma inspiração alegre: – Neve a apodrecer sob uma Lua morta.

Mark Frost estava sentado a olhar para as mãos pousadas no colo, debaixo da borda da mesa, a mover ligeiramente os lábios. Fairchild disse:

– De que música gosta, Eva?

– Oh, Debussy, George Gershwin, talvez Berlioz... porque não?

– Berlioz – repetiu a menina Jameson, imitando o tom de voz da outra. – Swedenborg numas férias francesas. – Mark Frost olhou para as mãos pousadas no colo, movendo ligeiramente os lábios.

– Esqueceste-te do teu bloco de apontamentos, Mark? – perguntou Fairchild, perplexo.

– É muito triste – disse o homem semita. – O homem dá-se bastante bem até àquele dia infeliz no qual outra pessoa descobre que ele pensa. Depois disso, que Deus o ajude: não se atreve a sair de casa sem um bloco de apontamentos. É muito triste.

– O Mark não é um pirata tão talentoso como tu e o Dawson – respondeu rapidamente a irmã. – Pelo menos, ele precisa de um bloco de apontamentos.

– Minha cara rapariga – murmurou o homem semita na sua voz indolente –, estás a lisonjear-te.

– Eu também – disse Fairchild. – Eu sempre...

– Quem? – perguntou o homem semita. – Tu, ou eu?

– O quê? – disse Fairchild, olhando para ele.

– Nada. Desculpa, o que estavas a dizer ?

– Estava a dizer que ando sempre com o meu portfólio, porque é a única coisa confortável que alguma vez encontrei na qual me sentar.

Falar, falar, falar: a profunda e confrangedora estupidez das palavras. Parecia interminável, como se pudesse continuar assim para sempre. Ideias, pensamentos tornaram-se meros sons para serem lançados de um lado para o outro até estarem mortos.

O meio-dia era tão opressivo quanto uma mão, quanto a pancada incessante de uma mão de bronze: uma mão de bronze nem batida nem agarrada; asas apressadas de bronze que não iriam passar. O convés estava empolado pelo sol, a amurada demasiado quente para se tocar e as faixas de sombra pelo convés eram carregadas e estavam ensopadas em calor como cobertores encharcados. A água tinha um brilho insuportável, a floresta era um muro de bronze moldado num calor temeroso e ainda não refrescado, e não existia qualquer brisa em lugar algum sob o céu do mundo.

Mas o hiato insuportável do meio-dia acabou por passar, e as asas insolentes e sem som apressaram-se para leste. O convés estava deserto tal como estivera na primeira tarde quando ele a apanhara a meio voo como uma andorinha húmida, uma andorinha dura e apaixonada pelo voo; e era como se ele ainda visse sobre o convés as pegadas simples e molhadas dos seus pés nus, e ele parecia sentir à sua volta aquela sua gravidade jovem e endurecida como se fosse um cheiro. Não era de admirar que ela tivesse saído dali: ela que ali era como uma chama entre cinzas bolorentas, uma pequena chama bronzeada; que, desaparecida, era como um cachimbo fracamente soprado e distante, como a rebentação recordada de uma costa rochosa ao amanhecer... sim, sim... estrangula o teu coração ó israfel alado de solidão emplumado e amargo de orgulho.

A poeira girava à volta dos seus pés, rodopiando lenta e indolente sob o meio-dia taciturno e terrível. Sempre ao lado deles e sempre aquelas eternas árvores barbadas, barbadas e taciturnas, mais velhas e imóveis do que a eternidade. A estrada continuava a avançar como um hipnotismo: uma progressão apática e interminável da qual não havia fuga possível.

Passado um bocado, ele não a sentiu na sua posição junto do seu ombro, e parou e olhou para trás. Ela estava ajoelhada ao lado da valeta nauseabunda. Olhou-a estupidamente, depois de repente percebeu o que estava prestes a fazer e correu para junto dela, agarrando-a pelo ombro:

– Ouve, não podes fazer isso! Essa coisa é veneno, não a podes beber!

– Não o consigo evitar! Tenho de beber um pouco de água, tenho de o fazer! – Ela retorceu-se nas mãos dele. – Por favor, David. Só uma golada. Por favor, David. Por favor, David.

Ele colocou as mãos debaixo dos seus braços, mas os pés escorregaram-lhe na relva inclinada e fétida, e ele ficou enfiado até aos joelhos em água densa e relutante. Ela contorceu-se nas suas mãos.

– Por favor, oh, por favor! Só o suficiente para molhar a boca. Olha para a minha boca. – Ela levantou o rosto; os seus lábios pálidos e grossos estavam ressequidos, ásperos. – Por favor, David.

Mas ele segurou-a.

– Põe os pés dentro de água, como eu. Vai-te aliviar um pouco – disse ele, através da sua garganta seca e dorida. – Olha, deixa-me tirar-te os chinelos.

Ela sentou-se a gemer como um cão, enquanto ele lhe descalçava os chinelos. Depois ela enfiou as pernas dentro de água e gemeu com um alívio parcial. A luz do sol começava por fim a inclinar-se, a inclinar-se para oeste com a precipitação de asas douradas e não ouvidas que atravessavam o céu; embora o crepúsculo sombrio debaixo das árvores se mantivesse inalterado – sombrio e sem som, taciturno, e preenchido pelo disparar incessante de fogo invisível.

– Tenho de beber água – disse ela, por fim. – Tens de me encontrar água, David.

– Sim. – Saiu pesadamente do lodo quente, saiu da lama e do visco. Inclinou-se e enfiou as mãos debaixo dos braços dela. – Levanta-te. Temos de continuar.

Jenny bocejou abertamente, depois fez qualquer coisa à parte da frente do vestido, afastando-o do corpo para espreitar pelo decote. Parecia estar tudo bem, e voltou a ajeitar o vestido com um movimento vaidoso, erguendo os ombros e alisando-o sobre as ancas. Subiu a escada e viu-os ali sentados, como era habitual. A Sr.ª Maurier não estava por perto.

Ela aproximou-se da amurada e encostou-se descontraída contra ela e ficou ali, placidamente à espera que o Sr. Talliaferro se apercebesse da sua presença.

– Eu estava a observar aquelas coisas na água – disse ela, quando ele se aproximou como um prego de um imã, loquaz e sem vontade própria.

– Onde? – Também olhou para a água.

– Aquelas coisas ali – respondeu ela, olhando em frente para o grupo de cadeiras.

– Ora, são apenas restos da cozinha – disse o Sr. Talliaferro, surpreendido.

– São? Têm um aspeto engraçado... Há ali mais, daquele lado. – O Sr. Talliaferro seguiu-a, intrigado e curioso. Ela parou e olhou para trás por cima do ombro e para lá dele: o Sr. Talliaferro seguira-a, mas ela não viu nem uma coisa viva exceto Mark Frost na extremidade do grupo. Os outros não se viam, ocultos atrás da casa do leme. – É mais para aquele lado – disse Jenny.

Mais à frente, voltou a parar e olhou de novo para a água.

– Onde? – perguntou o Sr. Talliaferro.

– Aqui. – Jenny fixou o lago por um instante. Depois voltou a examinar o convés. O Sr. Talliaferro mostrava-se agora verdadeiramente intrigado, até um pouco alarmado. – Estava mesmo aqui, aquela coisa engraçada que vi. No entanto, acho que já desapareceu.

– O que viu?

– Uma coisa qualquer estranha – respondeu ela, indiferente. – O sol aqui está quente.

Jenny afastou-se e dirigiu-se a um ângulo na parede da casa do leme que formava um nicho pouco fundo. O Sr. Talliaferro seguiu-a espantado. Jenny voltou a olhar para lá dele, examinando a parte do convés que estava à vista e as suas proximidades imediatas. Depois ficou completamente estática ao lado dele e sem se mover pareceu abraçá-lo, fazendo com que ele pensasse que estava a ser cercado, envolvido pelo fogo doce e nublado das suas coxas, como só as jovens o sabem fazer.

O Sr. Talliaferro viu-se como se através de uma neblina loira. Uma leveza descia-lhe pelos membros, uma leveza tão requintada que era quase insuportável, enquanto acima de tudo aquilo ouvia a incoerência seca e interminável da sua própria voz. Aquela leveza insuportável desceu-lhe pelos braços até às mãos, e pelas pernas abaixo, atingindo-lhe por fim os pés, e o Sr. Talliaferro fugiu.

Jenny olhou para as suas costas. Suspirou.

Passado um bocado a estrada branca e empoeirada deixou o pântano para trás. Continuava agora por um campo que subia ligeiramente: areia e pinheiros e uma vegetação rasteira densa e quebradiça, sibilante e queimada pelo sol.

– Finalmente saímos dali – gritou-lhe ela. Acelerou o passo e gritou-lhe por cima do ombro: – Agora já não deve faltar muito. Vá lá, vamos correr um bocado.

Gritou-lhe, mas ela desatou a correr, afastando-se. Ele seguiu as suas pernas faiscantes e manchadas numa passada mais lenta, perdendo firmemente distância.

As pernas dela cintilavam mais à frente na estrada fervilhante e esquecida. O calor ondulava e borbulhava acima da estrada, o céu era uma tigela metálica intolerável, e os pinheiros altos na tarde sem vento exsudavam um odor ligeiro e excitante a resina e calor, lançando fracas faixas de sombra sobre o laço interminável e fervilhante da estrada. À frente deles, lagartos corriam apressados na poeira, silvando abruptamente entre a vegetação rasteira quebradiça e empoeirada à beira da estrada. A estrada continuava, interminável e fervilhante à frente deles. Ele voltou a chamá-la, mas ela continuou a avançar indiferente.

Sem hesitar na sua passada, virou-se e correu para fora da estrada e quando ele a apanhou, estava encostada a uma árvore, a ofegar.

– Corri de mais – arquejou, através da sua boca pálida e aberta. – Sinto-me esquisita... tudo desaparecido. É melhor segurares-me – disse, a olhar para ele. – Não, deixa-me deitar. – Deixou-se cair contra ele. – O meu coração está a bater demasiado depressa. Sente-o a bater. – Ele sentiu o seu coração a bater-lhe contra a mão. – Está demasiado rápido, não está? O que vou fazer agora? – perguntou, solenemente. – Faz qualquer coisa depressa, David – disse-lhe, a olhá-lo, e ele baixou-a desajeitadamente e ajoelhou-se ao seu lado, sustendo-lhe a cabeça. Ela fechou os olhos contra o céu implacável, mas voltou a abri-los de imediato e esforçou-se por se levantar. – Não, não, não devo ficar aqui. Quero voltar a levantar-me. Ajuda-me a levantar.

Ele ajudou-a, e teve de a manter de pé.

– Tenho de continuar – repetiu ela. – Faz-me continuar, David. Não quero morrer aqui. Ouve, faz-me continuar. – Tinha o rosto corado; ele conseguia ver o sangue a latejar na garganta, e, ao segurá-la, sentiu um terror intenso e profundo. – O que devo fazer? – estava ela a dizer. – Tu devias saber. Não sabes o que fazer? Estou-te a dizer que estou doente. Eles transmitiram-me hidrofobia ou qualquer coisa assim.

Fechou os olhos e todos os seus músculos se descontraíram de imediato e ela deslizou para o chão e ele voltou a ajoelhar-se ao seu lado, em terror e desespero.

– Levanta-me um pouco a cabeça – murmurou, e ele sentou-se e puxou-a para cima das suas pernas e encostou-lhe a cabeça contra o peito, afastando-lhe o cabelo húmido da testa. – Isso mesmo. – Abriu os olhos. – Anima-te, David... Já te disse que não devias olhar assim para mim. – Depois voltou a fechar os olhos.

Quinze Horas

– Se apenas estivéssemos a flutuar – queixou-se a Sr.ª Maurier, pela décima segunda vez. – Eles não podem estar muito para lá de Mandeville, eu sei que não podem. O que o Henry me vai dizer!

– Porque não o põem a funcionar e voltamos a partir? – perguntou Fairchild. – Talvez agora a areia tenha assentado, ou qualquer coisa desse género – acrescentou, vagamente.

– O capitão diz que não podem, que teremos de esperar pelo rebocador. Chamaram ontem o rebocador, e ainda não chegou – acrescentou ela, numa espécie de espanto teimoso. Levantou-se, dirigiu-se à amurada e olhou para o lago na direção de Mandeville.

– Não se pensaria que seria preciso um rebocador para nos tirar daqui – observou Fairchild. – Não é um barco assim tão grande, sabe. Parece que qualquer tipo de embarcação nos conseguiria puxar. Já vi por aí pequenas lanchas a rebocarem barcos maiores do que este. E um rebocador de rio também consegue puxar seis ou oito dessas barcaças de ferro, rio acima.

A Sr.ª Maurier regressou, esperançosa.

– Parece mesmo desnecessário arranjar um rebocador para mover este iate, não parece? Pensar-se-ia que os marinheiros se lembrassem de alguma coisa, de qualquer coisa relacionada com cabos e esses apetrechos – acrescentou ela, também vagamente.

– E em que é que eles se apoiariam para puxar os cabos? – quis saber Mark Frost. – Não o podem puxar da costa. Não é para lá que queremos ir.

– Podem puxá-lo com o bote, se o prenderem à âncora – sugeriu o homem semita.

– Ora, mas sim – concordou a Sr.ª Maurier, animando-se. – Se eles se limitassem a ancorar o bote em segurança, poderiam, se houvesse alguma coisa com a qual puxar o cabo. Os próprios homens... Acha que os próprios marinheiros poderiam mover um barco destes à mão?

– Já vi um rebocador de rio pouco maior do que um Ford a puxar um comboio de barcaças de ferro, rio acima – repetiu Fairchild. Estava sentado a olhar de um para outro dos seus companheiros, e uma luz estranha surgiu-lhe nos olhos. – Oiçam – disse ele, de repente –, aposto que se todos nós fôssemos...

O homem semita e Mark Frost resmungaram num alarme simultâneo, e Pete, sentado na extremidade do grupo, levantou-se apressado e discreto, e dirigiu-se para a escada. Enfiou-se na sua cabina e ficou à escuta.

Sim, eles iam mesmo tentá-lo. Conseguia ouvir a voz vigorosa de Fairchild a chamar todos os homens, e também uma ou duas vozes a erguerem-se em protesto; e acima de todas a voz da velha numa excitação indistinguível e sem sentido. Jesus Cristo, sussurrou ele, agarrando o chapéu.

Pessoas a descerem a escada alarmaram-no e ele saltou para trás da porta aberta. Era Fairchild e o judeu gordo, mas eles passaram pela sua porta e entraram na cabina ao lado da sua, e ouviu logo de seguida sons de atividade que culminaram numa concussão estridente de vidro contra vidro.

– Santo Deus, homem – a voz do judeu gordo –, o que foste fazer? Achas mesmo que vamos conseguir mover este barco?

– Não. Só os quero espicaçar um pouco. A vida está a tornar-se demasiado dócil neste barco, hoje ainda não aconteceu nada. Fi-lo sobretudo para ver o Talliaferro e o Mark Frost suarem um bocado. – Fairchild riu-se. As suas gargalhadas morreram em risadinhas, pesadas. – Mas vi mesmo um pequeno rebocador de rio pouco maior do que um Ford a puxar um co...

– Santo Deus – repetiu o outro homem. – Acaba lá a tua bebida. Ó querubim imaculado – disse ele, descendo o corredor. Fairchild seguiu-o. Pete ouviu os seus passos na escada, depois a atravessarem o convés. Regressou para junto da vigia.

Sim, senhor, era mesmo verdade, eles iam tentá-lo. Estavam agora a entrar para o bote; conseguia ouvi-los entre baques abafados, a embaterem de um lado para o outro e a falarem; um guincho estridente de alarme momentâneo. Também mulheres (Maldição, aposto que a Jenny está com elas, sussurrou Pete para si mesmo). E alguém que não queria nada ir.

Vozes no exterior; alarmes e correrias, etc.:

Vamos, Mark, tem de ir. Todos os homens serão necessários, ei, senhora Maurier?

Sim, é verdade; é verdade, sim. Todos os homens têm de ajudar.

Claro, todos vocês, homens fortes e corajosos, têm de ir.

Sou um poeta, não um remador. Não posso...

A Eva também: olhe para ela, ela vai.

Shelley conseguia remar um barco.

Sim, mas lembre-se do que lhe aconteceu.

Vou evitar que vocês se afoguem, Jenny. É por isso (Maldição, sussurrou Pete) que vou.

Ah, vá lá, Mark; mereça a sua cama e mesa.

Óóóó, mantenha o barco imóvel, Dawson.

Vamos, vamos. Mas, onde está o Pete?

Pete!

Pete! (Passos no convés.)

Pete! Oh, Pete! (Na escada.) Pete! (Jesus Cristo, sussurrou Pete, sem emitir um som.)

Não interessa, Eva. O barco já está cheio. Se vier mais alguém, vai ter de ir a pé.

Ainda falta alguém. Quem é que falta?

Ah, já temos os suficientes. Vamos.

Mas falta aqui alguém. Não me parece que ele tivesse caído borda fora enquanto não estávamos a olhar, pois não?

Oh, vá lá, vamos. Empurre-nos, você aí, Talliaferro (um grito).

Cuidado aí, apanhem-na! Está bem, Jenny? Então, vamos. Agora, cuidado.

Óóóóóóó!

– Maldição, ela está com eles – voltou a sussurrar Pete, tentando vê-los pela vigia. Mais embates e naquele momento o bote surgiu sacudida e letargicamente à sua frente, carregado até à amurada como uma excursão de negros. Sim, estava no seu interior, bem como a Sr.ª Wiseman e cinco homens, incluindo o Sr. Talliaferro. A Sr.ª Maurier inclinou-se sobre a amurada acima da cabeça de Pete, a abanar o seu lenço e a gritar-lhes enquanto o bote se afastava incerto, arrastando um cabo atrás de si. Quase todos tinham um remo: o pequeno barco estava eriçado de remos que batiam futilmente na água, e assemelhava-se a uma tarântula paralítica sem articulações nos joelhos. Mas acabaram por conseguir apanhar-lhe o jeito, e gradualmente o barco começou a seguir por aquilo que se parecia com uma direção definida. Enquanto Pete o observava voltaram a ouvir-se passos na escada e uma voz disse, cautelosamente:

– Ed.

Uma resposta indistinguível vinda da cabina do capitão, e a voz acrescentou misteriosamente:

– Sobe ao convés um momento.

Depois os passos afastaram-se, acompanhados.

O bote evidenciava uma inclinação enlouquecida a qualquer tipo de progresso, exceto àquele para o qual fora construído. Fairchild virou a cabeça e olhou com uma expressão compreensiva para a sua pequena ilha congestionada, confinada pelo bater não ritmado dos remos. Os remos batiam uns contra os outros, esmurrando e espalhando a água torturada até o bote se assemelhar a um velho cavalo de articulações rígidas num estado de alarme louco e sem motivo.

– Temos demasiados remadores – decidiu Fairchild. Mark Frost retirou imediatamente o seu remo da água, batendo com ele nas articulações dos dedos do homem semita. – Não, não, tu não – disse Fairchild. – Julius, para tu. De qualquer maneira, não estás a fazer nada de jeito; és tu que nos estás a atrasar. O Gordon e o Mark, Talliaferro e eu.

– Eu quero remar – disse a Sr.ª Wiseman. – Deem-me o remo do Julius. O Ernest vai ter de ajudar a Jenny a vigiar o cabo.

– Fique com o meu – ofereceu Mark Frost rapidamente, estendendo o seu remo e batendo com ele contra o de outra pessoa. O bote oscilou alarmantemente. Jenny guinchou.

– Cuidado – exclamou Fairchild. – Queres que vamos todos parar à água? Julius, passa o teu remo, isso mesmo. Agora, vocês fiquem sentados quietos aí atrás. Raios, Mark, se voltas a bater em mais alguém com essa coisa, nós atiramos-te borda fora. O Shelley também sabia nadar, sabes.

A Sr.ª Wiseman arranjou por fim um remo, e finalmente o bote tornou-se comparativamente dócil. Jenny e o Sr. Talliaferro estavam sentados à popa, e iam soltando o cabo.

– Agora – disse Fairchild, olhando para a sua equipa, e dando a ordem –, vamos.

– Todos ao mesmo tempo – corrigiu-o a Sr.ª Wiseman, inspirada.

Mergulharam os remos. Mark Frost voltou a enfiar o seu na água, batendo contra o de Gordon.

– Deixe-me tirar o meu lenço – disse ele. – As minhas mãos são tenras.

– Também é isso que quero – decidiu a Sr.ª Wiseman. – Dê-me o seu lenço, Ernest.

Mark Frost soltou o seu remo e aquele caiu rapidamente borda fora.

– Apanhem esse remo! – gritou Fairchild.

A Sr.ª Wiseman e o Sr. Talliaferro estenderam-se ambos para ele, e Gordon e o homem semita equilibraram o bote no último instante. Conseguiram estabilizá-lo e Jenny fechou a boca sobre o seu grito silencioso.

O remo afastou-se a boiar para lá do alcance deles, subindo e descendo com as pequenas vagas.

– Vamos ter de remar até ali para o ir buscar – disse a Sr.ª Wiseman.

E eles remaram, mas quando estavam quase a apanhá-lo o remo voltou a afastar-se, enlouquecedora e lentamente. Os remadores chocaram e bateram. O Sr. Talliaferro mantinha-se sentado num alarme tenso e acanhado.

– Sou da opinião que devíamos voltar para o iate – disse ele. – Vocês sabem, as senhoras. – Mas não lhe prestaram atenção.

– Agora, Ernest – dirigiu-o a Sr.ª Wiseman, num tom incisivo –, estique-se e apanhe-o. – Mas o remo voltou a escapar-se, e Fairchild disse:

– Deixem a maldita coisa. De qualquer maneira, temos os suficientes para continuarmos a remar. – Mas nesse momento o remo, a baloiçar indolente, girou devagar e nadou docilmente ao lado do bote.

– Agarrem-no! Agarrem-no! – exclamou a Sr.ª Wiseman.

– Sou da opinião – começou de novo o Sr. Talliaferro. Mark Frost agarrou o remo, e aquele saiu fraco e submissamente da água.

– Apanhei-o – disse ele, e ao falar o remo saltou selvaticamente e atingiu-o na boca. Depois voltou a ficar dócil.

Por fim, recomeçaram; e passadas algumas falsas tentativas, adquiriram uma espécie de ritmo vago apesar de a cada remadela Mark Frost, que protegia as mãos, sentir uma cãibra, e molhava liberalmente o Sr. Talliaferro e Jenny onde aqueles estavam sentados, tensos, à popa.
Os olhos de Jenny estavam bastante redondos e a sua boca era um O pequeno e vermelho: um guincho contínuo e silencioso. A expressão do Sr. Talliaferro era a de um alarme antecipado e extenuado. Voltou a dizer:

– Sou da opinião...

– Desconfio que devíamos tentar ir por outro caminho – sugeriu o homem semita, sem ênfase, da proa –, ou então também vamos acabar por encalhar.

Enfiaram todos os remos na água, esticando os pescoços. A costa encontrava-se a poucos metros de distância e, de repente, como se tivessem ouvido o homem semita falar, agulhas de fogo assaltaram a tripulação com uma alegria feroz.

Voltaram a inclinar-se sobre os remos, sacudindo as suas mãos livres e frenéticas, e passados alguns minutos de uma violenta comoção o bote moveu-se, rastejando lenta e terrificamente de novo em direção ao mar. Mas a presença deles era agora conhecida, o original grupo de batedores foi reforçado e nem a distância os conseguiu ajudar.

– Sou da opinião, que para bem das senhoras, devíamos regressar – disse o Sr. Talliaferro.

– Eu também – apoiou-o rapidamente Mark Frost.

– Não perca a coragem, Mark – disse-lhe a Sr.ª Wiseman. – Só mais um pouco e esta tarde podemos dar um agradável e longo passeio de barco.

– Nesta última meia hora já tive o suficiente de passeios de barco para me durarem muito tempo – respondeu o poeta. – Vamos voltar. O que acham, vocês aí atrás? O que acha, Jenny? Não quer voltar?

Jenny respondeu «Sim, senhor», numa voz aguda e assustada, agarrando-se ao banco com as duas mãos. O seu vestido verde estava manchado e salpicado da água lançada pelo remo de Mark Frost. A Sr.ª Wiseman soltou uma mão e deu uma palmadinha no joelho de Jenny.

– Cale-se, Mark. A Jenny está bem. Não estás, minha querida? Iria ser uma bela história se conseguíssemos mesmo pôr o iate a boiar. Tenha atenção, Ernest. Esse cabo não está demasiado retesado?

Estava quase retesado, e afastava-se a deslizar pela água num belo arco esguio voltando a erguer-se até à proa do iate. A Sr.ª Maurier encontrava-se na amurada, acenando-lhes por vezes com o seu lenço. Do lado mais afastado estavam três pessoas sentadas com um ar deliberadamente casual; eram o capitão, o timoneiro e o marinheiro de convés.

– Agora – disse Fairchild –, vamos todos começar ao mesmo tempo. Talliaferro, mantém a corda direita, e Julius... – olhou por cima do ombro, a transpirar, comandando a sua equipa. – Maldita costa – exclamou num tom aborrecido –, ali está ela outra vez.

Quase que se encontravam em terra pela segunda vez. Comoção, e mais transpiração e um fogo virulento; e passado um tempo o bote aquiesceu relutantemente e eles conseguiram afastar-se o suficiente.

– Todos ao mesmo tempo! – exclamou a Sr.ª Wiseman.

Eles voltaram a mergulhar os remos.

– O meu remo magoa-me as mãos – queixou-se Mark Frost. – Está a mover-se, Ernest? – O bote estava afastado das proximidades do iate: a proa do iate apontava na direção da costa. O Sr. Talliaferro levantou-se cauteloso e ajoelhou-se no banco, pousando uma mão no ombro de Jenny para se equilibrar.

– Ainda não – respondeu ele.

– Remem com toda a força que tiverem, homens – arquejou Fairchild, soltando por momentos uma mão e sacudindo-a enlouquecidamente à volta do rosto. A tripulação remou e suou, levada à loucura por invisíveis agulhas de fogo, esmagando os dedos uns dos outros com os seus remos, e naquele momento o bote adquiriu um movimento que fazia recordar os cavalos de baloiço da infância.

– O cabo está a ficar lasso – chamou o Sr. Talliaferro num tom de aviso.

– Puxem – incitou-os Fairchild, cerrando os dentes.

Mark Frost resmungou desanimado, e levantou uma mão para abanar o rosto.

– Ainda está lasso – disse o Sr. Talliaferro, passado um bocado.

– Então, é porque o iate se deve estar a mover – arquejou Fairchild.

– Talvez seja por não estarmos a cantar – sugeriu naquele momento a Sr.ª Wiseman, descansando sobre um remo. – Não conhece nenhum cântico de mar alto, Dawson?

– Deixe o Julius cantar; ele não está a fazer nada – respondeu Fairchild. – Remem, seus diabos!

De repente, o Sr. Talliaferro soltou um guincho:

– Está a mover-se! Está a mover-se!

Pararam todos de remar para olhar para o iate. E era verdade, o barco oscilava lentamente à popa deles.

– Está a mover-se! – voltou a gritar o Sr. Talliaferro, a acenar.

A Sr.ª Maurier respondeu enlouquecida do convés do iate com o seu lenço; atrás dela, os três homens mantinham-se sentados imóveis e desinteressados.

– Porque é que os tolos não ligam o motor? – arquejou Fairchild. – Remem! – rugiu.

Eles mergulharam os remos com um novo ânimo, batendo a água como loucos. O iate oscilou devagar; passado pouco, tinha a proa virada para o mar e continuou a dar lentamente a volta.

– Está a soltar-se, está a soltar-se – cantarolou o Sr. Talliaferro num falsete estridente, a sua voz quebrando-se, e quase dançando para cima e para baixo. A Sr.ª Maurier também soltava guinchos, e acenava com o lenço. – Está a soltar-se – cantarolou o Sr. Talliaferro, mantendo-se de pé e apertando o ombro de Jenny. – Remem! Remem!

– Todos juntos – arquejou Fairchild e a tripulação voltou a remar, batendo na água. O iate estava agora quase ao lado deles.

– Vem aí! – gritou o Sr. Talliaferro, extasiado. – Vem a...

Um choque ligeiro e repentino. O bote parou de imediato. Viram integralmente as pernas doces e loiras de Jenny e o fundilho rosa da sua combinação de laços quando com um grito selvagem e desesperado o Sr. Talliaferro foi lançado borda fora, levando Jenny com ele, e desaparecendo sob as ondas.

Isto é, todo ele menos as suas nádegas. Aquelas não desapareceram por inteiro, e naquele momento o Sr. Talliaferro levantou-se em quarenta e cinco centímetros de água e olhou com um espanto chocado para o ramo de árvore mesmo acima da sua cabeça. Jenny, ainda enfiada na água, era um turbilhão indistinguível loiro de crepe verde e susto. Ela levantou-se, escorregou e voltou a cair, depois o homem semita entrou para a água e apanhou-a, e colocou-a dentro do bote, onde ela se sentou e olhou para eles com olhos suplicantemente infelizes, estrangulados.

Apenas a Sr.ª Wiseman teve a presença de espírito suficiente para lhe bater entre os ombros, e passado um momento terrível semelhante a um transe durante o qual se mantiveram todos sentados a apertarem os seus remos e a olharem para ela enquanto os seus olhos os olhavam suplicantes, ela conteve a respiração, a choramingar. A Sr.ª Wiseman acarinhou-a, abraçando a sua humidade infeliz e descomposta enquanto Jenny chorava intensamente.

– Ele... ele assustou-me tanto – arquejou Jenny passado um bocado, a tremer e a recomeçar a chorar, verdadeiramente infeliz, sem fazer qualquer esforço para esconder o rosto.

A Sr.ª Wiseman emitiu sons reconfortantes e sem significado, apertando Jenny nos braços. Pediu um lenço emprestado e limpou o rosto gotejante de Jenny. O Sr. Talliaferro estava de pé no lago a pingar desconsoladamente, a espreitar com o seu rosto perturbado por cima do ombro da Sr.ª Wiseman. Os outros estavam sentados imóveis, a segurarem os remos.

Jenny sacudiu futilmente as suas pequenas mãos molhadas à volta do rosto. Depois reparou na mão e ergueu-a em frente do rosto, a olhar para ela. Na mão encontrava-se uma mancha que se espalhava vagamente e que crescia enquanto a olhava, e Jenny recomeçou a chorar com um pesar profundo e impotente.

– Oh, cortaste a tua pobre mão! Dawson – disse a Sr.ª Wiseman –, você é o idiota mais consumado que anda por aí à solta. Volte a levar-nos imediatamente para aquele iate. Não tente recomeçar a remar, nunca mais lá chegaremos. Não nos pode puxar, por meio do cabo?

Podiam fazê-lo, e a Sr.ª Wiseman ajudou Jenny a avançar até à proa e os homens voltaram a sentar-se nos seus lugares. O Sr. Talliaferro saltitava dentro de água com uma expressão desesperada.

– Salta cá para dentro – disse-lhe Fairchild. – Não te vamos abandonar.

Voltaram a puxar o bote para o iate com uma diligência purificada. A Sr.ª Maurier foi ter com eles junto da amurada, guinchando de espanto e alarme. Pete estava ao seu lado. Os marinheiros tinham desaparecido discretamente.

– O que aconteceu? O que aconteceu? – cantarolou a Sr.ª Maurier, erguendo o seu rosto redondo e alarmado acima deles. Aproximaram o bote e mantiveram-no estável, enquanto a Sr.ª Wiseman ajudava Jenny a passar sobre os bancos dos remadores e por cima da amurada. O Sr. Talliaferro saltitava numa distração perturbada, mas Jenny afastou-se dele.

– Assustou-me tanto – repetiu ela.

Pete inclinou-se sobre a amurada, estendendo as mãos enquanto o Sr. Talliaferro saltitava à volta da sua vítima. O bote oscilou, raspando contra o casco do iate. Pete agarrou as mãos de Jenny.

– Mantenha o bote quieto, seu velho tonto – disse ele ao Sr. Talliaferro, raivosamente.

*

As pernas de David estavam completamente dormentes sob o peso dela, mas não se moveu. Sacudiu o ramo partido à sua volta, e a intervalos curtos batia com ele nas próprias costas. O rosto dela já não estava tão corado, e voltou a pousar a mão em cima do seu coração. Ao sentir o seu toque, ela abriu os olhos.

– Olá, David. Sonhei com água Onde estiveste todos estes anos? – Voltou a fechar os olhos. – Sinto-me melhor – disse, passado um bocado. E depois: – Que horas são? – Ele olhou para o sol e fez um cálculo. – Temos de continuar – disse ela. – Ajuda-me a levantar.

Sentou-se e um milhão de formigas vermelhas apressaram-se através das artérias das suas pernas.

– Céus, não valho nada. Para a próxima vez que fugires com alguém, é melhor pedires-lhe que faça primeiro um exame físico, David. Estás a ouvir?... Mas temos de continuar; vamos. Faz-me andar. – Deu alguns passos pouco firmes e voltou a agarrar-se a ele, fechando os olhos. – Jesus Cristo, se alguma vez sair daqui viva. – Voltou a parar. – O que temos de fazer? – perguntou.

– Levo-te um bocado às cavalitas – disse ele.

– Consegues? Quero dizer, não estás cansado?

– Levo-te um bocado às cavalitas, até chegarmos a algum lado – repetiu ele.

– Acho que vais ter de o fazer... Mas se tu fosses eu, deixava-te apeado. Era isso que eu faria.

Agachou-se à frente dela, dobrou-se e passou as mãos por trás dos seus joelhos; e, ao levantar-se, ela inclinou-se para a frente sobre as costas dele e colocou os braços à volta do seu pescoço, apertando o ramo partido contra o seu peito. Ele endireitou-se devagar, empurrando-lhe as pernas mais para cima à volta das suas ancas enquanto a compressão do vestido dela diminuía.

– És terrivelmente bom para mim, David – murmurou contra o seu pescoço, flácida nas suas costas.

A Sr.ª Wiseman lavou e ligou cuidadosamente a mão de Jenny; depois esfregou os pequenos dedos macios e semelhantes a vermes de Jenny e limpou-lhe as unhas enquanto Jenny, nua, se secava rosadamente sob o ar da cabina. Não fora difícil arranjar-lhe roupa interior, e as meias também eram algo simples. Mas os pés de Jenny eram mais para o curto do que para o pequeno, e os sapatos eram um problema. Embora Jenny insistisse que os sapatos da Sr.ª Wiseman eram bastante confortáveis.

Mas ficou por fim vestida, e a Sr.ª Wiseman apanhou desajeitadamente as peças de roupa molhadas e encostou uma anca ao beliche. O vestido que Jenny agora usava pertencia a Patricia, e Jenny parou em frente do espelho, fazendo-o sobressair divinalmente, examinando-se ao espelho, alisando o vestido sobre as ancas com um movimento lento e vaidoso.

Nunca pensei que houvesse uma diferença tão grande entre ambas, pensou a outra. É muito mais excitante que um fato de banho...

– Jenny – disse ela –, acho mesmo, eu... Querida, assim vestida não podes ir para onde os homens te vejam. Pelo bem da senhora Maurier, sabes; ela já está a ter chatices suficientes, sem haver motins.

– Não estou bem? Sinto-me bem – respondeu Jenny, tentando ver o máximo possível de si mesma num espelho de trinta centímetros.

– Não duvido. Deves conseguir sentir cada ponto da costura. Mas vamos ter de te arranjar outra coisa para vestires. Despe-o lá, querida.

Jenny obedeceu.

– Parecia ficar-me bem – repetiu ela. – Não me pareceu esquisito.

– Não te fica esquisito, de modo nenhum. Na verdade, antes pelo contrário. É esse o problema – respondeu a outra, vasculhando atarefadamente a sua mala.

– Sempre pensei ter o tipo de figura que poderia vestir qualquer coisa – insistiu Jenny, segurando com pena o vestido nas mãos.

– E tens – disse-lhe a outra – exatamente esse tipo. Tens terrivelmente esse tipo. Simples e inevitável. Devastador.

– Devastador – repetiu Jenny, interessada. – Havia um homenzinho engraçado em Mandeville naquele dia... – Virou-se de novo para o espelho, tentando ver o máximo possível. – Disseram-me que tenho uma figura parecida com a da Dorothy Mackaill, só que não tão magra... Acho que um pouco de carne fica bem numa rapariga. Não acha?

– Devastador – concordou de novo a outra. Levantou-se e estendeu-lhe um vestido de cor escura. – Vais ficar pior do que nunca com isto... terrível como uma jovem viúva... – Aproximou-se de Jenny e levantou o vestido contra ela, pensativa; ainda a segurar o vestido entre as mãos, passou os braços à volta de Jenny. – Um pouco de carne é pior do que um pouco de dinamite, Jenny – disse ela, séria, a olhar para Jenny com os seus olhos escuros e tristes. – Ainda te dói a mão?

– Agora está boa. – Jenny esticou o pescoço, a olhar para baixo ao longo do seu flanco. – É um pouco comprido, não é?

– O teu vai secar num instante. – Levantou o rosto de Jenny e beijou-a na boca. – Veste-o, e vamos pendurar as tuas coisas ao sol.

Dezasseis Horas

Ele continuou a avançar na poeira, ao longo da estrada interminável e fervilhante por entre pinheiros semelhantes a explosões fixas na tarde. A tarde era um fulgor incessante e insuportável. A sombra sem forma e misturada de ambos continuava a mover-se: mais dois passos e ele iria pisá-la e passar através dela como fazia com as sombras escassas dos pinheiros, mas a sombra continuava a mover-se à sua frente entre os sulcos desvanecidos e esquecidos, mantendo sem esforço a sua distância na poeira irregular. A poeira estava intacta e era tão fina como pó; apenas a ocasional pegada de um casco, o fantasma desvanecido de uma passagem esquecida. Acima, o céu implacável e metálico pousado sobre o seu pescoço dobrado e sobre o peso flácido e húmido dela em cima das suas costas e a sua face encostada ao seu pescoço, a roçar monotonamente contra ele. Fogo fino disparava constantemente contra ele. Continuou a avançar.

A estrada empoeirada nadava na sua visão, passava por baixo dos seus pés e ficava para trás como uma fita interminável. Descobriu que tinha a boca aberta, a babar-se, embora não saísse qualquer humidade, e as suas gengivas tinham uma textura fina e seca como se fossem mortalhas de cigarro. Fechou a boca, tentando humedecer as gengivas.

Árvores sem copa passaram por ele, marchando à sua frente, sem copa, e ficaram para trás; a relva fétida da berma da estrada aproximava-se, tornava-se monstruosa e separava-se, lâmina a lâmina: lagartos assobiavam sibilantes, e desapareciam atrás dele. Aquele fogo invisível lançava-se sobre ele, mas nem sequer o sentia, pois nos seus ombros e braços já não existia qualquer sensação exceto a do peso flácido dela sobre as suas costas e o céu de bronze pousado em cima do seu pescoço e a face húmida dela a roçar monotonamente contra o seu pescoço. Descobriu que tinha outra vez a boca aberta, e fechou-a.

– Já chega – disse ela, endireitando-se. – Põe-me no chão. – A sombra misturada de ambos fundia-se a intervalos regulares com as sombras das árvores altas e sem copa, mas para lá da sombra das árvores a sua sombra misturada voltava a aparecer, dois passos à frente dele. E a estrada continuava à sua frente fervilhante e empolada e mais branca do que sal. – Põe-me no chão, David – repetiu.

– Não – respondeu ele, por entre os dentes secos, ásperos, por cima do latejar distante, imperturbável do seu coração – estou cansado.

O seu coração era um som distante. Cada pancada parecia estar algures na sua cabeça, mesmo no fundo dos seus olhos; cada pancada era uma maré vermelha que lhe obscurecia temporariamente a visão. Mas acabava sempre, depois outra pancada abafada cegava-o por um instante. Mas distante, como os passos pesados de soldados em uniformes vermelhos a avançarem interminavelmente através da porta de uma sala onde ele se encontrasse, onde se agachava a tentar olhar pela porta. Era um som pesado, abafado, como o dos motores de um barco a vapor, e ele descobriu que estava a pensar em água, na monotonia azul dos mares. Era um som vermelho, mesmo no fundo dos seus olhos.

A estrada aproximava-se, uma fita interminável empolada entre sulcos gastos onde não passava nada há muito tempo. O mar emitia um som sibilante nos seus ouvidos. Regular. Sibilante. Sibilante. No entanto, não no fundo dos seus olhos. Não contra o fundo dos seus olhos. A sombra saía de uma mancha de sombras maiores lançadas pelas árvores que não tinham copas. Mais dois passos. Não, agora três passos. Três passos. A tarde a chegar, a tornar-se mais tarde do que alguma vez o fora.

Então, três passos. Estava bem. O homem caminha sobre as suas patas traseiras; um homem pode dar três passos, um macaco pode dar três passos, mas há água na gaiola de um macaco, numa panela. Três passos. Estava bem. Um. Dois. Três. Desaparecido. Desaparecido. Desaparecido. É um som vermelho. Não no fundo dos teus olhos. Mar. Ver. Mar. Ver. Estás numa gruta, numa gruta de som escuro, o som do mar está no exterior da tua gruta. Mar. Ver. Ver. Ver. Não quando eles continuam a passar pela porta.

Ouvia-se agora outro som nos seus ouvidos, um som vago e irritante, e o peso das suas costas estava a mover-se por vontade própria, a lançá-lo para baixo em direção à poeira empolada, esbranquiçada na qual ele caminhava, deu três passos um homem pode dar três passos e cambaleou, tentando mover os braços dormentes e arranjar um novo ponto de apoio. Tinha de novo a boca aberta e quando a tentou fechar, fez um som seco, sibilante. Um. Dois. Três. Um. Dois. Três.

– Põe-me no chão, já te disse – repetiu ela, atirando-se para trás. – Olha, há ali um letreiro. Põe-me no chão, já te disse. Agora já consigo andar.

Afastou-se dele, torcendo as pernas entre as suas mãos e forçando-o para baixo, e ele tropeçou e caiu de joelhos. Os pés dela tocaram o chão e, ainda montada no seu corpo, preparou-se e segurou-o parcialmente pelos ombros. Ele parou por fim, de gatas como uma besta, a cabeça pendurada entre os ombros; e ajoelhada na poeira ao seu lado, levou a mão à testa dele para diminuir a tensão do seu pescoço e levantou os olhos para o letreiro. Mandeville. Vinte e dois quilómetros, e um dedo grosseiro a apontar na direção de onde tinham vindo. A parte da frente do seu vestido estava húmida, com manchas escuras devido ao suor dele.

*

Depois de as mulheres terem levado a impotência descomposta de Jenny para a cabina, Fairchild tirou o chapéu e limpou o rosto, olhando para o seu Frankenstein tolo com uma espécie de espanto infantil. Depois o seu olhar pousou no desespero húmido e desvairado do Sr. Talliaferro e ele riu-se e riu-se.

– Podes rir-te à vontade – disse-lhe o homem semita –, mas mais momentos desse teu género de humor e vais-te estar a rir em terra. Parece-me que se o Talliaferro começasse agora um protesto ativo contra ti como seu objeto imediato, teríamos todos a tendência para o apoiar. – O Sr. Talliaferro pingava solitariamente: uma rejeição profunda e impotente. O homem semita olhou para ele, depois também olhou em volta para os outros e para o cenário agora pacífico das suas recentes atividades. – Paga-se mesmo o preço da arte – murmurou ele –, é que se paga mesmo.

– O Talliaferro foi o único verdadeiramente prejudicado – protestou Fairchild. – E eu vou agora mesmo comprá-lo. Vem, Talliaferro, podemos ajudar-te.

– Isso não será suficiente – disse o homem semita, ainda agoirento. – Os restantes foram assaltados nas suas vaidades para se erguerem por uma questão de princípio.

– Bem, então, vou ter de vos comprar a todos – respondeu Fairchild. Dirigiu-se à escada. Mas voltou a parar e olhou para eles. – Onde está o Gordon? – perguntou. Ninguém sabia. – Bom, não interessa. Ele sabe onde estamos. – Continuou. – Afinal – disse –, há compensações pela arte, não há?

O homem semita admitiu que havia.

– Embora seja um preço elevado para pagar pelo uísque – acrescentou. Também desceu a escada. – Sim, temos mesmo de conseguir alguma coisa. Gastamos dinheiro suficiente com ela, e sofremos de suficiente agitação moral e mental devido a ela.

– Claro – concordou Fairchild. – Aqueles que a produzem recebem muito por ela. Ficam com a recompensa de manterem o seu tempo bem preenchido. E isso é muito a esperar neste mundo – disse ele profundamente, remexendo atrapalhado na sua porta. Abriu-a por fim, e disse: – Oh, aí está o senhor. Oiça, nem sabe o que perdeu.

O major Ayers, um cálice esquecido ao seu lado e a apertar um livro, levantou-se em busca de ar quando eles entraram, ainda tomado por uma espécie de confusão afável.

– Perdi o quê? – disse ele.

Começaram todos a contar-lhe ao mesmo tempo o que acontecera, produzindo o Sr. Talliaferro como prova, o Sr. Talliaferro que se escondera com uma expressão triste entre eles, para inspeção e comiseração do major Ayers; e ainda a contarem-lhe o que se passara sentaram-se, enquanto Fairchild regressava ao ritual da sua mala escondida. O major Ayers já estava sentado na cadeira, mas apesar disso o homem semita tentou ver o livro.

– O que tem aí? – perguntou.

A confusão animada do major Ayers voltou a abater-se sobre ele.

– Estava a passar o tempo – explicou rapidamente. Olhou para o livro. – É bastante estranho – disse ele. Depois acrescentou: – Quero dizer, o modo... O modo como fazem os livros hoje em dia. Gosto da maneira como os fazem. Divertidos, com cores, sabem. Mas eu... – Pensou por um instante. – Perdi praticamente o hábito da leitura em Sandhurst – explicou, numa erupção de confiança. – E depois, constantemente em serviço ativo...

– A guerra é má – concordou o homem semita. – O que estava a ler?

– Perdi praticamente o hábito da leitura em Sandhurst – voltou a explicar o major Ayers. Levantou outra vez o livro.

Fairchild abriu uma garrafa nova.

– Alguém vai ter de procurar mais copos. Mark, vê se te consegues escapulir até à cozinha e arranja mais um ou dois. Vamos lá ver o livro – disse ele, estendendo a mão. O homem semita deteve-o.

– Vá lá, serve-nos mas é um uísque. Neste momento, preferia esquecer assim a minha dor.

– Mas olha... – insistiu Fairchild. O outro resistiu.

– Estou-te a dizer para nos servires uísque – repetiu. – Aqui está o Mark com os copos. Aquilo de que precisamos neste país é de proteção contra os artistas. Eles até nos querem aborrecer com as coisas dos outros.

– Continua – respondeu calmamente Fairchild –, diz lá a tua piada. Sabes bem qual a minha opinião a respeito da esperteza. – Distribuiu copos por todos.

– Ele não pode estar a falar a sério – disse o homem semita. – Só porque o *New Republic* o faz passar um inferno...

– Mas o *Dial* comprou-lhe uma vez uma história – disse Mark Frost, com uma inveja vã.

– E que destino para um homem em todo o orgulho lascivo da sua masculinidade do vale do Ohio: a imolação numa casa para velhas jovens senhoras de ambos os sexos Aquela atmosfera era demasiado rarefeita para ele. Ei, Dawson?

Fairchild riu-se.

– Bem, não sou grande alpinista. Porque queres entrar ali, Mark?

– Iria adequar-se muito bem ao Mark – disse o homem semita – essa fúria delicada e vaga do intelecto no qual eles funcionam. Aquilo que não consigo perceber é como o Mark se conseguiu manter afastado disso... Mas também, se olharmos com bastante atenção, iremos encontrar um adicional grão de verdade nessas observações que o Mark e eu fazemos, e que vocês consideram meramente inteligentes. Mas proferem coisas que não são suficientemente inteligentes para serem falsas, e enquanto nós nos maravilhamos com a vossa profundidade, vocês perdem coragem e contradizem-se redondamente no momento seguinte. Ora, só aquele vosso Deus bem-intencionado e sem tato o sabe. Porque é que alguém se deve preocupar o suficiente com o significado temporário ou a construção de palavras para se contradizer conscientemente ou para se sentir aborrecido quando o faz inconscientemente está para lá da minha compreensão.

– Bem, é uma espécie de esterilidade... Palavras – admitiu Fairchild. – Começas a substituir as palavras por coisas e feitos, como o marido cornudo e murcho que leva o *Decameron* para a cama todas as noites, e passado pouco tempo a coisa ou o feito transforma-se apenas numa espécie de sombra de um certo som que tu fazes ao moldares a boca de certa maneira. Mas também aí tens uma confusão. Não afirmo que as palavras tenham vida em si mesmas. Mas as palavras que são trazidas para uma conjunção feliz produzem algo que vive, tal como o solo e o clima e uma bolota irão produzir uma árvore se houver a devida conjunção. As palavras são como bolotas, sabes. Nem todas farão uma árvore, mas se tiveres as suficientes, é quase certo que mais cedo ou mais tarde terás uma árvore.

– Se falares durante o tempo suficiente, é provável que um dia digas a coisa certa. É isso que queres dizer? – perguntou o homem semita.

– Deixa-me mostrar-te o que quero dizer. – Fairchild voltou a estender a mão para o livro.

– Por amor de Deus – exclamou o outro –, vamos apenas beber em paz. Nós admitimos a tua contenção, se é isso que queres. Não é da mesma opinião, major?

– Não, a sério – protestou o major Ayers –, eu gostei do livro. Embora tivesse praticamente perdido o hábito da leitura em Sa...

– Eu também gosto do livro – disse Mark Frost. – A minha única crítica deve-se ao facto de ter sido publicado.

– Não podes evitar isso – disse-lhe Fairchild. – É inevitável; acontece a todos que correm o risco de escrever um milhar de palavras coerentes e consecutivas.

– E mais cedo do que isso – acrescentou o homem semita –, se tiveres assassinado o teu marido ou ganho um campeonato de golfe.

– Sim – concordou Fairchild. – Impressão a frio. O teu material parece tão diferente quando é impresso a frio. Empresta uma espécie de autoridade impessoal até à estupidez.

– Isso é retrógrado – disse o outro. – A estupidez empresta uma espécie de autoridade impessoal até à impressão a frio.

Fairchild olhou para ele.

– Ouve, o que acabaste de me dizer acerca das minhas contradições?

– Eu posso dar-me a esse luxo – respondeu o outro. – As minhas nunca são autenticadas. – Esvaziou o copo. – Mas no que se refere à arte e artistas, prefiro os artistas: nem sequer levanto objeções a pagar a minha parte para os alimentar, desde que não me convençam a ouvi-los.

– Parece-me – replicou Fairchild – que passas demasiado tempo a ouvi-los, para um homem que professa a sua antipatia por eles e que não tem de o fazer.

– Isso é porque tenho de ouvir alguém, artista ou empregado de uma sapataria. E o artista é mais divertido, porque não sabe tão bem o que está a tentar fazer... E além disso, eu também falo pouco. Pergunto-me o que terá acontecido ao Gordon.

Dezassete Horas

O crepúsculo surgiu triste como espinhos entre as árvores. A estrada voltava a descer para o pântano, onde, entre uma vegetação féti-da e impenetrável, serpenteavam riachos inúteis e obscenos; e contra a chama escondida do Oeste, árvores enormes cismavam barbadas e antigas como profetas saídos do Génesis. David estendeu-se ao comprido na berma da estrada. Ficou ali deitado durante muito tempo, mas por fim sentou-se e olhou em volta à procura dela.

Encontrava-se ao lado de um cipreste, enfiada até aos joelhos em água densa, os braços cruzados contra o tronco da árvore e o rosto escondido nos braços, completamente imóvel. À volta deles, uma claridade verde e húmida cheia de um fogo invisível.

– David. – A sua voz soava abafada pelos braços, e depois dela não se ouviu qualquer som naquele entardecer fecundo, intemporal de árvores. Sentou-se à beira da estrada, e naquele momento ela voltou a falar. – É uma confusão, David. Eu não sabia que ia ser assim. – Ele emitiu um som rouco e estranho, como se estivesse a tentar falar pela voz de outra pessoa. – Cala-te – disse ela. – A culpa é minha; fui eu que te meti nisto. Desculpa, David.

Aquelas árvores eram mais grossas e maiores, mais antigas do que qualquer uma até ao momento, entre o crepúsculo contemplativo das suas barbas.

– O que fazemos agora, David? – Passado um bocado, levantou a cabeça e olhou para ele e repetiu a pergunta.

Ele respondeu lentamente:

– Aquilo que quiseres fazer.

– Vem cá, David. – E ele levantou-se devagar e entrou na água densa e negra e aproximou-se, e durante um momento ela olhou-o solenemente, sem se mover. Depois afastou-se da árvore e aproximou-se mais, e ficaram parados na água negra, nauseabunda, abraçados. De repente, ela apertou-o com força. – Não podes fazer nada quanto a isto? Não podes tornar as coisas diferentes? Tem de ser assim?

– O que queres que eu faça? – perguntou ele devagar, naquela voz que não era a sua. Ela soltou os braços, e ele repetiu o que já dissera como se lhe tivesse sido pedido: – Tu fazes o que quiseres fazer.

– Lamento imenso, David, por te ter metido nisto. O Josh tem razão, não passo de uma tola. – Contorceu o corpo debaixo do vestido, de novo a choramingar. – Magoam-me tanto – gemeu.

– Temos de sair daqui – disse ele. – Diz-me tu o que queres fazer.

– Vai correr bem, se eu fizer aquilo que achar melhor? – perguntou rapidamente, a olhar para ele com os seus olhos graves e opacos. – Juras que vai?

– Sim – respondeu ele, com um cansaço profundo. – Faz aquilo que quiseres.

Tornou-se de imediato passiva, uma docilidade submissa nos seus braços. Mas ele continuou a apertá-la com pouca força, sem sequer olhar para ela. Com a mesma rapidez, a sua passividade desapareceu e ela disse:

– És bom, David. Gostaria de fazer alguma coisa por ti. Pagar-te de alguma maneira. – Voltou a olhar para ele e descobriu que estava a olhar para ela. – David! Ora, David! Não te sintas assim por causa disso! – Mas continuou a olhar para ela com o seu anseio silencioso e profundo. – David, desculpa, desculpa, desculpa. O que posso fazer quanto a isso? Diz-me, eu fá-lo-ei. Qualquer coisa, mesmo qualquer coisa.

– Está tudo bem – disse ele.

– Mas não está. Quero compensar-te de alguma maneira, por te ter metido nisto. – Ele tinha a cabeça desviada; parecia estar à escuta. Depois o som voltou a ouvir-se através da tarde, entre as árvores patriarcais: um som vago, irritante.

– É um barco – disse ele. – Estamos perto do lago.

– Sim – concordou ela. – Ouvi-o há um bocado. Acho que está perto daqui. – Moveu-se, e ele soltou-a. Ela voltou a escutar, tocando-lhe no ombro ao de leve. – Sim, vem para este lado. É melhor vestires outra vez a camisa. Vira-te por favor, David.

Dezoito Horas

– Claro, eu sei onde está o vosso barco, vi-o encalhar quando ia a passar. E também está em águas muito baixas. Não deve estar a mais de três milhas no lago – disse-lhes o homem, pousando um balde galvanizado de água na borda do alpendre. A sua casa erguia-se sobre estacas enfiadas na terra húmida, na extremidade da floresta. À sua frente havia um riacho escuro e amplo aparentemente sem qualquer movimento entre as paliçadas rígidas das árvores.

O homem estava de pé no alpendre a observá-la, enquanto ela despejava conchas de água celestial por cima da cabeça. A água escorria-lhe pelo cabelo e pingava-lhe pelo rosto, ensopando-lhe o vestido, enquanto o homem permanecia imóvel a observá-la. A sua camisa azul sem colarinho estava apertada até ao pescoço, apertada por um botão de colarinho de latão, os seus suspensórios manchados pela transpiração repuxavam-lhe firmemente as calças de algodão desbotado sobre a barriga. O seu maxilar solto movia-se ritmicamente e ele cuspiu qualquer coisa castanha sobre a terra a seus pés, mal movendo a cabeça.

– Vocês andaram a vaguear pelo pântano durante todo o dia? – perguntou, olhando para ela com os seus olhos claros, pesados, o seu olhar a subir lentamente ao longo das suas meias enlameadas e do seu vestido manchado. – E agora querem voltar para quê? O tipo já teve o suficiente, ei? – Voltou a cuspir, e emitiu um som depreciativo carregado de desprezo. – Nunca é suficiente. Para a próxima arranje um homem a sério. – Olhou para David e fez-lhe uma pergunta, usando um verbo impublicável.

Uma fúria, automática apesar do seu cansaço, ergueu-se lentamente dentro de David, mas ela deteve-o.

– Primeiro vamos voltar para o barco – disse. Voltou a olhar para o homem, enfrentando o seu olhar claro e pesado. – Quanto? – perguntou, bruscamente.

– Cinco dólares. – Ele voltou a olhar para David. – Adiantados.

David levou a mão à cintura.

– Com o meu dinheiro – disse ela rapidamente, observando-o enquanto ele vasculhava o bolso do relógio e tirava uma única nota, bem dobrada. – Não, não, com o meu – insistiu ela perentória, segurando-lhe a mão. – Onde está o meu? – perguntou, e ele tirou do bolso das calças o seu maço de notas amarrotado, e ela pegou nele.

O homem aceitou a nota e voltou a cuspir. Desceu pesadamente do alpendre e dirigiu-se à água onde a sua lancha estava amarrada. Entraram e ele afastou o barco da margem e inclinou-se pesadamente sobre o motor.

– Sim, senhor, são assim as coisas com estas pessoas da cidade. Não têm coragem. Para a próxima, venha até aqui e arranje um homem a sério. Estou por aqui quase todos os dias. E também não tenho pressa de voltar para casa ao pôr do Sol – acrescentou ele, olhando para trás por cima do ombro.

– Cale a boca – disse-lhe ela, cortante. – Fá-lo calar-se, David.

O homem interrompeu-se, olhando para ela com os seus olhos claros e sonolentos.

– Ora, oiça lá – começou ele, pesadamente.

– Cale-se e ponha o motor a funcionar – repetiu ela. – Tem o seu dinheiro, por isso é melhor pormo-nos a caminho.

– Bom, isso também está bem. Gosto que tenham um pouco de sangue na guelra. – Olhou para ela com os seus olhos indolentes e descaídos, a mastigar ritmadamente, depois chamou-lhe um nome.

David levantou-se do seu lugar, mas ela agarrou-o com uma mão e amaldiçoou o homem fluente e desembaraçadamente.

– Agora, ligue o motor – concluiu ela. – Se voltar a abrir a boca, David, atira-o para fora do barco.

O homem rosnou exibindo os seus dentes amarelos, depois voltou a dobrar-se sobre o motor. Passados instantes fez-se ouvir o seu clamor irritante e o barco afastou-se a deslizar em círculos, cortando a água negra e imóvel. Passado pouco, mais à frente, havia um clarão de espaço para lá das árvores, um clarão de água; e depois tinham passado da nave cor de bronze do rio para o lago sob as asas silenciosas e apressadas do crepúsculo e a glória moribunda do dia sob a tigela metálica, refrescante do céu.

O *Nausikaa* parecia-se mais do que nunca com uma gaivota rosada ao entardecer, tranquilamente agachado sobre o índigo escurecido da água, contra o negro metálico das árvores. O homem desligou o motor barulhento e a lancha deslizou ao lado do iate e o homem agarrou a amurada e manteve o seu barco estável, observando as suas pernas enlameadas enquanto ela subia a bordo.

Não se via ninguém. Pararam junto da amurada e olharam para baixo, para as costas largas do homem, enquanto ele puxava o cabo do motor. O motor acabou por pegar e a lancha afastou-se do iate num círculo dirigindo-se de novo para o crepúsculo, enquanto o motor barulhento profanava a calma da água e do céu e das árvores. Passados instantes o barco era apenas um ponto na estrada desvanecida do entardecer.

– David? – disse ela, quando o barco desapareceu. Virou-se e pousou a mão firme e bronzeada sobre o peito dele, e ele também virou a cabeça e olhou para ela com o seu anseio animal.

– Está tudo bem – disse ele, passado um bocado. Ela voltou a abraçá-lo, assexuada e dura, puxando a face dele para o seu beijo sóbrio e molhado. Daquela vez ele não moveu a cabeça.

– Desculpa, David.

– Está tudo bem – repetiu ele. Ela pousou-lhe as mãos no peito e ele soltou-a. Durante um momento olharam um para o outro. Depois ela afastou-se e atravessou o convés e desceu a escada sem olhar para trás, e assim deixou-o; e o entardecer, do qual o Sol desaparecera repentinamente e no qual a noite chegara repentinamente, era atravessado pelo som irritante e agudo da lancha que ainda se ouvia vagamente ao longo da água sonhadora, sob o céu embaciado já salpicado de estrelas como um florescimento abafado e mágico de flores.

Ela encontrou os outros a jantar no salão, já que a pouca brisa que existia ainda soprava de terra e o salão tinha portadas nas vigias. Eles cumprimentaram-na com uma surpresa variada, mas ela ignorou-os e ao rosto redondo ruborizado da tia, dirigindo-se arrogantemente para o seu lugar.

– Patricia – disse por fim a Sr.ª Maurier –, onde é que estiveste?

– A passear – disparou a sobrinha. Apertava na mão uma pequena massa amarrotada e colocou-a em cima da mesa, separando as notas e alisando-as em três montes achatados.

– Patricia – repetiu a Sr.ª Maurier.

– Estava a dever-lhe seis dólares – disse ela à menina Jameson, empurrando um dos montes para junto do seu prato. – A senhora só tinha um dólar – informou ela a Sr.ª Wiseman, estendendo-lhe uma única nota por cima da mesa. – Pago-lhe o resto do seu dinheiro quando chegarmos a casa – disse ela à tia, inclinando-se sobre o ombro do Sr. Talliaferro com o terceiro monte. Voltou a deparar-se com o rosto apoplético da tia. – Também lhe trouxe o seu criado de bordo. Por isso, não tem de se chatear.

– Patricia – exclamou a Sr.ª Maurier. Depois, num tom sufocado: – O senhor Gordon, ele não voltou contigo?

– Ele não estava comigo. Porque haveria de o levar comigo? Já tinha um homem.

O rosto da Sr.ª Maurier esboçou uma expressão horrorizada, e à medida que o sangue desfalecia no seu coração, ela teve de novo uma visão rápida de nádegas a boiarem inertes, indo mais tarde dar à costa com aquela implacabilidade inoportuna e horrível dos afogados.

– Patricia – disse ela, num tom horrorizado.

– Oh, cace lá a vela – interrompeu-a a sobrinha, cansada. – Está a cambar. Céus, estou faminta. – Sentou-se e enfrentou o olhar frio do irmão. – E tu também, Josh – acrescentou, pegando num pedaço de pão.

O sobrinho olhou por instantes para o rosto retorcido da tia.

– Devia dar-lhe uma tareia – disse ele calmamente, e continuou a jantar.

– Mas eu vi-o por volta das quatro horas – argumentou Fairchild. – Ele estava no barco connosco. Não o viu, major? Mas é verdade, o senhor não estava connosco. Tu viste-lo, Mark, não viste?

– Ele estava no barco quando partimos. Lembro-me disso. Mas não me lembro de o ver depois de o Ernest ter caído.

– Bem, eu lembro. Sei que o vi no convés mesmo depois de termos voltado. Mas não me lembro de o ver no barco depois de a Jenny e o Talliaferro... Ah, no entanto, ele está bem. Vai aparecer dentro em breve. Não é do tipo de se afogar.

– Não tenha assim tanta certeza disso – disse o major Ayers. – Não faltam mulheres, sabe.

Fairchild riu-se, com a sua gargalhada forte e apreciadora. Depois deparou-se com o olhar vidrado e solene do major Ayers, e interrompeu-se. De seguida recomeçou a rir, um pouco à semelhança de alguém que entra a tatear numa sala escura, e voltou a interromper-se, virando para o major Ayers a sua expressão perplexa e confiante. O major Ayers disse:

– Esse lugar onde aqueles jovens foram hoje...

– Mandeville – ajudou-o o homem semita.

– ... que tipo de lugar é?

Eles disseram-lhe.

– Ah, sim. Eles têm instalações para esse tipo de coisas, ei?

– Bem, não mais do que as habituais – respondeu o homem semita, e Fairchild disse, ainda a observar o major Ayers com uma espécie de perplexidade cautelosa:

– Não mais do que aquelas que podemos levar connosco. Nós, americanos, levamos sempre connosco as nossas instalações. É o que fazemos neste país, vivemos a alta tensão dos fura-vidas, percebe.

O major Ayers olhou para ele, com uma expressão delicada.

– Um pouco como no Continente – sugeriu, passado um bocado.

– Não exatamente – disse o homem semita. – Na América, é frequente encontrar um H em classe[12].

Fairchild e o major Ayers olharam para o homem semita.

– Bem como alguém com classe num casto – interveio Mark Frost.

Nesse momento, Fairchild e o major Ayers olharam para ele, observando-o enquanto ele acendia um novo cigarro com a beata daquele que estava a fumar, levantando-se da cadeira e indo estender-se ao comprido no convés.

– Porque não? – O homem semita aceitou o desafio. – O amor por nós mesmos é cego como uma pedra.

– Tem de ser – respondeu Mark Frost.

O major Ayers olhou de um para o outro durante um bocado. Depois disse:

– Ora, essa Mandeville. É uma convenção, ei? Uma convenção local?

– Convenção? – repetiu Fairchild.

– Quero dizer, como a nossa Gretna Green. Aí faz-se um pedido a uma senhora e há de imediato um entendimento; poupa explicações desnecessárias e tudo isso.

– Pensei que Gretna Green era um lugar onde se arranjavam licenças de casamento à pressa – disse Fairchild, desconfiado.

– E foi, outrora – concordou o major Ayers. – Mas durante o Grande Incêndio todas as casas de párocos e os registos foram destruídos. E nesses tempos a comunicação era tão fraca que só passados uns quinze dias ou mais é que a notícia se espalhou. Entretanto, muitos jovens tinham ido até ali com

---

[12] Trocadilho intraduzível com as palavras *caste* (casta, classe) e *chaste* (casto, recatado). (*N. da T.*)

toda a honestidade, sabem, e foram forçados a regressar no dia seguinte sem o benefício de um clérigo. Claro que as jovens não se atreveram a dizer nada até as coisas estarem resolvidas, o que durante aqueles tempos perturbados poderia levar um mês ou mais. Mas claro que por essa altura, já a polícia tinha ouvido falar daquilo... A polícia londrina ouve sempre as coisas a tempo, sabem.

– E assim, hoje em dia, quando se vai a Gretna Green, arranja-se um polícia – disse o homem semita.

– Você tem Yokohama no pensamento – respondeu o major Ayers, no mesmo tom sério. – Claro que são polícias nativos – acrescentou.

– Como peixe miúdo – sugeriu o homem semita.

– Ou sardinhas – corrigiu-o Mark Frost.

– Ou sardinhas – concordou o major Ayers, com delicadeza. Sugou violentamente o seu cachimbo apagado, enquanto Fairchild olhava para ele com um espanto intrigado.

– Mas esta jovem, aquela que fugiu com o criado de bordo. E que voltou no mesmo dia... Isto é habitual com as vossas jovens? Peço-vos que me informem – acrescentou, rapidamente. – As nossas jovens não fazem isso, sabem; connosco, apenas as condessas decadentes o fazem... fogem para Itália com os motoristas e os lacaios de segunda. E nunca regressam antes do cair da noite. Mas as nossas jovens...

– Arte – explicou sucintamente o homem semita. Mark Frost elaborou:

– Na Europa, ser-se artista é uma forma de comportamento; na América, é uma desculpa para uma forma de comportamento.

– Sim. Mas, eu sou da opinião... – O major Ayers voltou a pensar, a sugar violentamente o seu cachimbo apagado. Depois disse: – Não foi ela que escreveu aquele livrinho fino, pois não? O livro da sífilis?

– Não. Essa foi a irmã do Julius; aquela que se chama Eva – disse Fairchild. – Esta que fugiu e depois voltou, nem sequer é artista. Acho que é apenas a atmosfera artística do barco.

– Oh – disse o major Ayers. – Estranho – observou. Levantou-se e bateu o cachimbo na palma da mão. Depois soprou pelo fornilho e enfiou-o no bolso. – Acho que vou descer e beber um uísque. Quem vem?

– Eu acho que não, pelo menos para já – decidiu Fairchild. O homem semita disse que iria mais tarde. O major Ayers virou-se para o poeta reclinado.

– E você, velho amigo?

– Traga-nos antes o uísque – sugeriu Mark Frost. Mas Fairchild opôs-se àquilo. O homem semita apoiou-o e o major Ayers afastou-se.

– Quem me dera beber qualquer coisa – disse Mark Frost.

– Então, desce e vai beber – disse-lhe Fairchild. O poeta resmungou.

O homem semita voltou a acender o seu charuto, e Fairchild falou com a sua perplexidade hesitante.

– Aquilo acerca de Gretna Green foi interessante, não foi? Não sabia. Quero dizer, nunca o li em lado nenhum. Mas presumo que há muitas coisas grandiosas nos anais de todas as pessoas que nunca entram para os livros de história. – O homem semita riu-se. Fairchild tentou ver-lhe o rosto na penumbra. Depois disse: – Os ingleses são indivíduos engraçados, sempre a gozarem connosco no momento errado. As coisas encontram-se à beira da probabilidade, e mesmo quando nos decidimos a considerá-las de uma maneira, descobrimos que eles queriam dizê-la de outra. – Pensou um bocado na escuridão.

» Parece ser bastante agradável, não parece? Jovens, rapazes e raparigas apanhados naquela estranha magia abafada do sexo e do mistério da roupa íntima e das funções corporais e tudo isso, e deitados lado a lado na escuridão, a contarem coisas um ao outro... é esse o encanto da virgindade: contar coisas um ao outro. A virgindade não faz qualquer diferença, no que se refere ao corpo. Os jovens que fogem juntos numa pressa de secretismo e cautela e desejo, e chegam ali para encontrar... – Virou de novo o rosto amável, perplexo para o amigo. Prosseguiu passado um bocado.

» Claro que as raparigas podem ser convencidas depois de chegarem tão longe, não podem? Sabes... um ambiente estranho, um quarto estranho como uma ilha num mar não cartografado cheio de monstros como senhorios e desconhecidos e coisas dessas; o simples ato de levaram os seus corpos de lugar para lugar e alimentarem-no e cuidarem dele; e o nosso jovem contrariado e lascivo e provavelmente receoso que elas tivessem mudado de ideias e que estivessem prestes a desistir, e um quarto estranho secreto e trancado e longe das coisas familiares e elas, jovens e macias e belas, para as quais se olhar e tendo também conhecimento disso... Claro que seriam convencidas.

» E, é claro, quando voltassem para casa elas não o iriam contar, não até aparecer outra pessoa e tudo ficar de novo normal. E talvez até nem nessa altura. Talvez um dia o segredem a uma amiga, depois de estarem casadas há tempo suficiente para preferirem conversar com outras mulheres a falarem com os seus maridos, enquanto estiveram a falar das coisas de que as mulheres falam. Mas, no entanto, não o irão contar às jovens solteiras. E se, até um ano depois, tiverem conhecimento de outra que tenha sido vista a ir até ali ou a voltar... São criaturas tão práticas, sabes; só os homens se agarram às convenções por motivos morais.

– Ou pela força do hábito – acrescentou o homem semita.

– Sim – concordou Fairchild. – Pergunto-me o que terá acontecido ao Gordon.

*

Jenny observou as pernas dele, cobertas pelo *tweed*. Como consegue aguentar roupa tão quente com este tempo, pensou com uma admiração plácida, chamando-o silenciosamente quando passou. A passada dinâmica hesitou e ele aproximou-se.

– A apreciar a noite, ei? – sugeriu afavelmente, a baixar os olhos para ela na escuridão. Dentro da sua roupa emprestada, era copiosa como natas batidas, loira e perecível como um bolo caro.

– Mais ou menos – admitiu ela. O major Ayers encostou os cotovelos à amurada.

– Ia descer agora mesmo – disse-lhe ele.

– Sim, senhor – concordou Jenny, passiva na escuridão, como um relâmpago erótico, mas projetando-lhe aquela sensação de que ele estava cercado, envolvido pelo fogo doce e nublado das suas coxas, como só as jovens o sabem fazer. O major Ayers baixou os olhos para a sua cabeça vaga, macia. Depois abanou bruscamente a cabeça, a olhar em volta.

– Sim, senhor – repetiu Jenny. Ela florescia como uma flor pesada e saciada. O major Ayers moveu-se inquieto. Voltou a abanar a cabeça como se tivesse ouvido o seu nome. Depois olhou de novo para Jenny.

– É uma nativa de Nova Orleães?

– Sim, senhor. De Esplanade.

– Desculpe?

– Esplanade. É onde vivo em Nova Orleães – explicou ela. – É uma rua – acrescentou, passado um bocado.

– Oh – murmurou o major Ayers. – Gosta de lá viver?

– Não sei. Sempre lá vivi. – Passado um bocado, acrescentou: – Não é longe.

– Não é longe, ei?

– Não, senhor. – Ela manteve-se imóvel ao seu lado, e pela terceira vez o major Ayers abanou rapidamente a cabeça, como se alguém estivesse a tentar atrair a sua atenção.

– Eu ia lá para baixo – repetiu.

Jenny esperou um bocado. Depois murmurou:

– Está uma bela noite para cortejar.

– Cortejar? – repetiu o major Ayers.

– Para encontros. – O major Ayers baixou os olhos para o seu cabelo abafado, macio. – Quando os rapazes nos vêm visitar – explicou ela. – Quando saímos com os rapazes.

– Sair com rapazes – repetiu o major Ayers. – Talvez até Mandeville?

– Às vezes – concordou ela. – Já lá estive.

– Vai até lá com frequência?

– Ora... às vezes – repetiu ela.

– Com rapazes, ei? Com homens também, ei?

– Sim, senhor – respondeu Jenny, com uma ligeira surpresa. – Não me parece que alguém fosse até lá sozinho.

O major Ayers pensou com intensidade. Jenny manteve-se dócil e copiosa, projetando a sua pequena aura sedutora, dando o seu melhor.

– Oiça – disse ele naquele momento –, suponha que amanhã vamos até lá, nós os dois?

– Amanhã? – repetiu Jenny com um ligeiro espanto.

– Então, esta noite – corrigiu-se ele. – O que diria?

– Esta noite? Conseguimos lá chegar esta noite? É um pouco tarde, não é? Como vamos até lá?

– Como aquelas pessoas que foram hoje de manhã. Há um elétrico ou um autocarro, não há? Ou um comboio na povoação mais próxima?

– Não sei. Eles voltaram num barco.

– Oh, um barco. – O major Ayers pensou por um momento. – Bem, não interessa; vamos então esperar até amanhã. Vamos amanhã, ei?

– Sim, senhor – repetiu Jenny incansável, passiva e copiosa, projetando a sua emanação. O major Ayers voltou a olhar em volta. Depois afastou a mão da amurada e quando Jenny, ao ver o movimento, se virou para ele com uma aquiescência lenta, ele deu-lhe uma pancadinha debaixo do queixo.

– Então, está combinado – disse ele bruscamente, afastando-se. – Que seja amanhã.

Jenny viu-o afastar-se num espanto passivo e ele virou-se e voltou para junto dela, e lançando-lhe um olhar convidativo e íntimo voltou a dar-lhe uma pancadinha debaixo do seu queixo macio e surpreendido. Depois afastou-se de vez.

Jenny olhou para a sua forma vestida de *tweed* que se desvanecia, observando-o a desaparecer. Decerto que era estrangeiro, pensou. Suspirou.

A água saltava contra o casco do iate emitindo sons ligeiros, pequenos sons abafados semelhantes àqueles que uma mão sem ossos poderia fazer, e ela voltou a inclinar-se sobre a amurada, baixando os olhos para a água escura.

Ele era tão refinado quanto qualquer outro, pensou. Sendo seu irmão... mais refinado, porque ela estivera fora durante todo o dia com aquele criado da sala de jantar... Mas talvez o criado também fosse refinado. Só que eu nunca encontrei muitos rapazes que... Presumo que a tia se deve ter zangado com ela. Pergunto-me o que teria feito quando voltasse, e nós tivéssemos empurrado o barco e partido... e agora aquele homem ruivo e ela diz que ele se afogou...

Jenny olhou para a água escura, a pensar na morte, em ser impotente naquela terrível e sufocante resistência da água, sentindo de novo aquela impotência profunda e horrível de terror e medo. Assim, quando o Sr. Talliaferro surgiu súbita e silenciosamente ao seu lado, a tocar-lhe, ela reconheceu-o por instinto. E sentindo de novo o seu mundo a tornar-se instável e em movimento debaixo dela, sentindo todas as coisas sólidas e familiares a caírem por baixo dela e vendo rostos familiares e objetos a fazerem um arco repentino para longe dela enquanto mergulhava da luz do sol ofuscante através de um intervalo intemporal para o Medo como uma cintilação verde afastando-se para a receber, ficou rígida e em transe. Mas por fim conseguiu voltar a mover-se, e gritou.

– Assustou-me tanto – arquejou pateticamente, encolhendo-se e afastando-se dele. Virou-se e fugiu, correu em direção à luz, em direção à segurança das paredes.

A cabina estava escura: nenhum som no seu interior, e depois do espaço escurecido do convés parecia apertada e quente. Mas ali havia paredes confortáveis e Jenny acendeu a luz e entrou, entrou numa atmosfera de familiaridade. Ali estava o fantasma vago do odor de que ela gostava e com o qual fora alegremente impregnada quando subira a bordo e que ainda não tinha desaparecido por completo, e o cheiro ligeiro e pungente a lilases que ela começara a associar à Sr.ª Wiseman e que também persistia na cabina, e a roupa da outra, e o seu próprio pente no toucador e o cilindro de metal brilhante do seu batom ao lado.

Jenny observou o seu rosto ao espelho durante um bocado. Depois despiu o vestido e voltou a olhar para o branco e rosa puro, encantador, imaculado por qualquer pensamento.

De seguida despiu o resto da roupa, e de novo perante o espelho passou o pente pela sonolenta Golconda miniatural do seu cabelo, depois enfiou placidamente na cama o seu corpo nu, como era seu hábito desde há três noites.

Mas não apagou a luz. Ficou deitada no beliche, os olhos erguidos para o clarão presumido da luz sobre a extensão pintada e ininterrupta do teto. O tempo passou enquanto ela se mantinha deitada rosada e imóvel, o tempo medido pelas pequenas mãos sem ossos da água que saltava contra o casco para lá da vigia; e também conseguia ouvir passos, e pessoas a moverem-se de um lado para o outro e a fazerem barulho.

Não sabia o que queria, exceto que era alguma coisa. Por isso deixou-se ficar deitada de costas, rosada e imóvel sob o clarão desprotegido da luz inadequada, e passado um bocado pensou que talvez fosse chorar. Talvez fosse isso, por isso deixou-se ficar deitada nua e rosada e passiva, de costas, à espera de começar.

Ainda conseguia ouvir pessoas a andarem de um lado para o outro: vozes e passos, e ela continuou à espera daquele primeiro travo a lágrimas que nos chega à garganta ainda antes de começarmos a chorar – aquela sensação de que existem dois canais salgados debaixo das nossas orelhas quando sentimos pena de nós mesmos, e aquele outro tipo de sensação que sentimos na base do nariz. Só que o meu nariz não fica vermelho quando choro, pensou, numa lástima iminente e plácida de tristeza e desespero sem sentido, à espera, passiva e imóvel e sem terror que aquilo começasse. Mas antes de começar, a Sr.ª Wiseman entrou na cabina.

Aproximou-se de Jenny e Jenny levantou os olhos e viu a cabeça escura e pequena da outra, como a cabeça de um veado, contra a luz e aquela atenção escura era o modo como a outra olhava para ela: e naquele momento, a Sr.ª Wiseman disse:

– O que foi, Jenny? O que se passa?

Mas ela já quase se esquecera do que era; a única coisa de que se conseguia lembrar é que houvera alguma coisa; mas agora que a outra aparecera, Jenny mal se conseguia lembrar que até já se esquecera de tudo, e assim limitou-se a ficar deitada a olhar para cima, para a cabeça escura e esguia da outra contra a luz desprotegida.

– Pobre criança, tiveste um dia difícil, não tiveste? – Pousou a mão na testa de Jenny, afastando o dourado fino abafado do cabelo de Jenny, acariciando-lhe a face. Jenny manteve-se imóvel debaixo daquela mão, a semicerrar os olhos como um gatinho ao ser acariciado, e depois soube que podia mesmo chorar, sempre que o quisesse fazer. Só que era quase tão divertido ficar apenas ali deitada e saber que podia chorar sempre que estivesse preparada para o fazer como o choro o seria. Abriu os seus olhos azuis encantadores.

– Acha mesmo que ele se afogou? – perguntou.

A mão da Sr.ª Wiseman acariciou a face de Jenny, puxando-lhe o cabelo para cima, afastando-o da testa.

– Não sei, querida – respondeu ela, gravemente. – É um homem desafortunado. E qualquer coisa pode acontecer a um homem desafortunado. Mas não penses mais nisso. Estás a ouvir? – Baixou o rosto até junto do de Jenny. – Estás a ouvir? – repetiu.

– Não – disse Fairchild –, ele não é do género de se afogar. Algumas pessoas não são desse género... Pergunto-me – interrompeu-se de repente, e olhou para os seus companheiros. – Oiçam, acham que ele partiu por achar que aquela rapariga tinha desaparecido de vez?

– Afogar-se por amor? – disse Mark Frost. – Não nos tempos que correm. As pessoas suicidam-se por causa de dinheiro e de doenças, não por amor.

– Quanto a isso, não sei – objetou Fairchild. – As pessoas costumavam morrer de amor. E a natureza humana não muda. As suas ações conseguem resultados diferentes sob condições diferentes, mas a natureza humana não muda.

– O Mark tem razão – disse o homem semita. – As pessoas nos livros antigos também morriam de corações partidos, que eram provavelmente apenas alguma maleita que qualquer cirurgião moderno ou veterinário conseguiria curar sem grandes problemas. Mas as pessoas não morrem de amor. É por esse motivo que o amor e a morte em conjunção têm um apelo tão imperecível nos livros: só aí têm uma associação tão próxima.

» Mas quanto a um coração partido nestes tempos de literacia geral e facilidades para a disseminação da palavra impressa… – Ele emitiu um som depreciativo. – Por sorte, aquele que acredita que o seu coração está partido, pode escrever imediatamente um livro e assim vingar-se (o que é mais terrível do que o conhecimento de que o homem que acabámos de atirar ao chão descobriu uma moeda na sarjeta enquanto se levantava?) dele ou dela, que danificou os ventrículos dele ou dela. Para além da erradicação nos filmes e revistas. Não, não – repetiu ele –, não se comete suicídio quando estamos desiludidos com o amor. Escreve-se um livro.

– Quanto a isso, não sei – repetiu Fairchild, teimosamente. – As pessoas farão qualquer coisa. Mas presumo que seja preciso um tolo para acreditar nisso e agir segundo esse princípio. – Para lá do horizonte oriental ouvia-se um rumor de prata clara, pálida e fria e vaga, e eles permaneceram sentados em silêncio durante um tempo, a pensarem no amor e na morte. O olho vermelho de um cigarro a trinta centímetros do convés: aquele era Mark Frost. Fairchild quebrou o silêncio.

– O modo como ela fugiu com o Da… o criado de bordo. Foi bastante agradável, não foi? E voltou. Sem desculpas, sem explicações, «não pensar em nenhum mal», vocês sabem. Foi isso que estes indivíduos jovens do pós-guerra nos ensinaram. Apenas os velhos como o Julius e eu poderíamos ver o mal naquilo que as pessoas, as pessoas jovens, fazem. Mas também presumo que os indivíduos que crescem observando a vida que herdámos encontrariam o mal em qualquer coisa onde a tendência não tivesse sido subserviente ao dever. Fomos ensinados a acreditar que o dever é infalível, ou não seria dever, e se fosse apenas desagradável, claro que teríamos um lugar no céu... Mas talvez não seja assim tão diferente, trocar uma geração pela outra. De qualquer maneira, a maior parte dos nossos pecados são indiretos. Presumo que quando se é jovem nos divertimos demasiado em sê-lo, para pecarmos demasiado. Mas é mais ou menos agradável ser-se jovem nesta geração.

– Certamente. Todos pensamos isso quando as nossas artérias começam a endurecer – replicou o homem semita. – Não são apenas a maior parte dos nossos pecados que são indiretos, mas a maior parte dos nossos prazeres também o são. Repara nos nossos livros, palcos, filmes. Quem os apoia? Não são os jovens. Eles preferem dar um passeio ou limitarem-se a ficar sentados de mãos dadas.

– É uma substituição – disse Fairchild. – Não vês?

– Substituição de quê? Quando se é jovem e se está apaixonado, ontem e hoje desapaixonado, e de novo apaixonado amanhã, sabe-se alguma coisa a respeito do amor? Representa para nós alguma coisa, exceto uma mistura bastante terrível de ciúme e desejos frustrados e interferência com aquele mundo humano que, afinal, todos nós preferimos, é um aborrecimento e talvez um pequeno prazer como uma droga? Não são as mulheres com quem dormiste que recordas, sabes.

– Não, graças a Deus – disse Fairchild.

O outro continuou:

– É de novo o velho problema da aristocracia: uma inveja natural daquela minoria que é livre de cometer todos os pecados que a maioria não terá um período de vida suficientemente longo para cometer. – Voltou a acender o charuto. – Os jovens adaptam sempre as suas vidas, tal como a geração precedente o requer. Por exemplo, não quero exatamente dizer que eles vão à igreja quando os mandam, porque os mais velhos esperam isso deles... embora só Deus saiba que outro motivo eles poderiam ter para irem à igreja como é dirigida hoje em dia, com um guarda para patrulhar o edifício nas localidades urbanas e brigadas do KKK nos distritos rurais a baterem os matagais circundantes, e todos aqueles retiros tradicionais que nos velhos tempos possibilitavam à Igreja produzir uma alma por cada uma que salvava. Mas a juventude em geral vive inquestionavelmente segundo os preceitos arbitrários dos mais velhos.

» Por exemplo, há uma geração uma educação superior não era considerada essencial, e os jovens cresciam em casa segundo a convenção de que o ideal era casarem-se aos vinte e um e começarem imediatamente a trabalhar, independentemente das tendências, equipamento ou aptidão de cada um. Mas agora eles crescem com a convenção de que a juventude, ter-se menos de trinta anos, é um curso prolongado e sem preleções de alunos do segundo ano, no qual se deve passar todo o tempo vestido como uma caricatura, a beber álcool feito em casa e a apalpar o sexo oposto nos intervalos em que não se está a ser preso pela brigada de trânsito.

» Há alguns anos um assim chamado artista comercial (resmunga, maldito sejas) chamado John Held começou a fazer caricaturas da vida universitária, enclausurada e não só, nas revistas; desde essa altura que a vida universitária, enclausurada e não só, tem andado atarefada a caricaturar John Held. Os mais velhos esperam isso deles, percebes. E os jovens fazem-lhes a vontade: os jovens são muito mais tolerantes das excentricidades inexplicáveis e perigosas dos seus idosos do que estes alguma vez o foram ou alguma vez o serão das fraquezas naturais e inofensivas das suas crianças... Mas talvez ambos gostem disso.

– Não sei – disse Fairchild. – Nem sequer os velhos gostariam de estar cercados de pessoas que fazem um tal drama da existência. E os jovens também não iriam gostar; os jovens têm tantas outras coisas para fazer, sabes. Acho... – A sua voz interrompeu-se, morreu na escuridão e no som ténue da água a saltar. A Lua voltara a erguer-se a leste, aquela Lua decrescente de decadência, gasta e afável e fria. Era a magia na água, uma magia de coisas pálidas e sem carne. O olho vermelho do cigarro de Mark Frost esboçou um arco lento e lateral na sua mão invisível, regressou ao seu posto trinta centímetros acima do convés, e brilhou e desvaneceu-se como uma pulsação. – Sabes – acrescentou Fairchild, como se fosse uma desculpa –, eu acredito no amor jovem na primavera, e em coisas como essa. Presumo que seja um romântico inveterado.

O homem semita resmungou. Mark Frost disse:

– A virtude por meio do servilismo e da falsificação: a imolação da sinceridade.

Fairchild ignorou-o, envolvido naquele sonho só seu.

– Quando a juventude sai de ti, tu sais dela. Quero dizer, sais da vida. Até esse momento, limitas-te a viver; depois disso, ficas consciente do que é viver e viver torna-se um processo consciente. Tal como o ato de pensar também se torna consciente com o tempo, sabes. Tornas-te consciente de que pensas, e depois começas a pensar em palavras. E assim que te apercebes, não tens pensamento nenhum na cabeça, só tens palavras. Mas quando és jovem, limitas-te a ser. Depois chegas a uma fase onde fazes. Depois a uma fase onde pensas, e por fim, onde te lembras. Ou tentas fazê-lo.

– Sexo e morte – disse Mark Frost num tom sepulcral, fazendo girar o olho vermelho do seu cigarro –, um muro branco no qual o sexo lança uma sombra, e a sombra é vida.

O homem semita voltou a resmungar, imerso num dos seus raros períodos de taciturnidade. A Lua subiu mais, a barriga clara e não musculada da Lua, e o *Nausikaa* sonhou como uma gaivota prateada na água escura e inquieta.

– Não sei – repetiu Fairchild. – Nunca encontrei nada de sombrio na vida, nas pessoas. E muito menos, nas minhas próprias coisas. Mas pode ser que existam pessoas sombrias no mundo, pessoas para quem a vida é uma espécie de espetáculo de palhaçadas. Mas as pessoas assim não me causam qualquer impressão, não as consigo perceber. Mas isto pode ser porque tenho uma espécie de crença firme de que a vida é boa. – Mark Frost deitara fora o seu último cigarro, e era agora uma sombra comprida e estendida. O homem semita também estava imóvel, segurando o seu charuto apagado.

» Eu estava a passar o verão com o meu avô, no Indiana. No campo. Na altura era um rapaz, e era uma espécie de reunião de família, com tias e primos que não se viam há anos. E também crianças, de todos os tamanhos.

» Lembro-me de que havia uma menina, acho que tinha a minha idade. Tinha olhos azuis e muitos caracóis compridos, bem penteados, dourados. Essa rapariga, Jenny, devia ser parecida com ela, quando tinha doze anos. Eu não conhecia muito bem as outras crianças, e além disso estava habituado a criar as minhas próprias diversões; por isso limitava-me a andar por ali, a vê-los a fazerem as coisas que as crianças fazem. Não sabia como é que podia começar a conhecê-los. Eu via como os recém-chegados o faziam, e fazia planos para mim mesmo como o iria fazer: o que diria quando fosse ter com eles... – Interrompeu-se e pensou durante algum tempo, numa espécie de surpresa abafada. – Tal como o Talliaferro – disse por fim, em voz baixa. – Nunca tinha pensado nisso antes. – Pensou mais um bocado. Depois voltou a falar.

» Eu era como um cão a andar entre cães desconhecidos. Um pouco assustado, mas a mostrar-me desdenhoso e altivo. Mas observava-os. Por exemplo, o modo como ela os mantinha à distância. No dia depois da sua chegada ela era a líder, sempre a dizer-lhes o que deviam fazer a seguir. Tinha muitos vestidos azuis. – Mark Frost ressonava no silêncio. O *Nausikaa* sonhava como uma gaivota na água escura.

» Isto foi antes do tempo das canalizações e sistemas de esgoto nas casas de campo, e esta tinha a habitual latrina. Ficava no fundo de um carreiro, que saía das traseiras da casa. No fim do verão havia bardanas altas de ambos os lados do carreiro, mais altas do que um rapaz de doze anos em finais de agosto. A latrina era uma pequena caixa de estrutura quadrada, com uma divisória no interior que separava os homens das mulheres.

» Estava um dia quente, a meio da tarde. Os outros estavam no pomar, debaixo das árvores. Do sítio onde me encontrava, numa árvore grande no pátio, eu conseguia vê-los, e aos vestidos coloridos das raparigas na sombra; e quando desci da árvore e atravessei o pátio das traseiras e passei pelo portão e ao longo do carreiro em direção à latrina, ainda os conseguia ver ocasionalmente por entre os intervalos nas bardanas. Estavam sentados à sombra, a jogarem a um jogo qualquer, ou talvez estivessem apenas a conversar.

» Desci o carreiro e entrei, e quando me virei para fechar a porta do lado dos homens, olhei para trás. E vi o vestido azul dela quase a brilhar, a avançar pelo carreiro entre as ervas altas. Eu não sabia se ela me tinha visto ou não, mas sabia que se voltasse para trás teria de passar por ela, e tinha vergonha de o fazer. Teria sido diferente se eu já lá estivesse e tivesse saído, ou parecia-me que o seria. Os rapazes são assim, sabes – acrescentou ele, inseguro, voltando a olhar para o amigo com a sua expressão perplexa. O outro resmungou. Mark Frost ressonava na sua sombra.

» Por isso fechei rapidamente a porta e mantive-me muito quieto, e passados instantes ouvi-a entrar pelo outro lado. Ainda não sabia se ela me tinha visto, mas eu ia ficar o mais quieto possível até ela se ir embora. Parecia-me que tinha mesmo de fazer isso.

» As crianças são muito mais físicas do que os adultos. Passam-se mais coisas na mente de uma criança do que aquilo em que as pessoas acreditam. Uma criança pode destilar toda uma gama de experiências que na realidade nunca conheceu, num único instante. A antropologia explica um pouco disso. Mas não muito, porque as brechas no conhecimento humano que têm de ser ultrapassadas pela especulação são demasiado grandes. A primeira coisa que se ensina a uma criança é a infalibilidade e a necessidade de normas, e na altura em que a criança tem idade suficiente para acrescentar algo ao seu conhecimento mental, já se esqueceu. Acredito que a alma muda de pele todos os anos, como as cobras. Não se podem recordar as emoções que sentimos no ano passado: lembramo-nos apenas que uma emoção ficou associada a algum facto físico da experiência. Mas tudo o que se tem dela é uma espécie de fantasma de felicidade e um arrependimento vago e sem significado. Experiência: porque se espera que aprendamos sabedoria com a experiência? Os músculos apenas recordam, e é necessária repetição e repetição para ensinar alguma coisa ao músculo...

Arcturo, Órion a oscilar de cabeça virada para baixo junto dos seus joelhos, no céu meridional uma lagosta elétrica a desvanecer-se à medida que a Lua se erguia. A água batia contra o casco do *Nausikaa* com sons ligeiros.

– Por isso, avancei em bicos de pés até ao assento. Estava quente ali dentro, com o sol a incidir-lhe: eu sentia o cheiro a resina quente, mesmo por cima daquele lugar. Num canto do teto havia o ninho de terra de uma vespa, um montículo duro de barro com buracos, preso ao teto, e moscas grandes e verdes emitiam um zumbido firme. Lembro-me como estava quente ali dentro, e a sensação que lugares como aquele nos dão: uma espécie de abandono das grades do fingimento, sabes; uma espécie de submersão das censuras civilizadas perante a grandiosa implacabilidade da natureza e do corpo físico. E fiquei ali, a sentir aquela sensação e o calor, e a ouvir o zumbido daquelas moscas enormes, a conter a respiração e a ouvir algum som que viesse do outro lado da divisória. Mas não se ouvia qualquer som para lá dela, por isso enfiei a cabeça pelo assento.

Mark Frost ressonava. A Lua, a barriga clara da Lua, inundava o mundo com uma magia embaciada não de coisas vivas, lançando a sua mão prateada e sem carne sobre a água que sussurrava e saltava contra o casco do iate. O homem semita apertou o seu charuto apagado, e ele e Fairchild mantiveram-se sentados na implacável lassidão dos músculos e no suavizar dos tecidos dos seus quarenta e tal anos, vendo dois olhos azuis escancarados e curiosos nos quais uma surpresa invertida surgia límpida como água, e longos caracóis dourados baloiçavam para baixo por cima dos excrementos; e eles permaneceram em silêncio, a recordarem a juventude e o amor, e o tempo e a morte.

Vinte e Três Horas

Mark Frost levantara-se e com um epigrama fantasmagórico fora-se deitar. Mais tarde, o homem semita levantou-se e partiu, deixando-o com um charuto; e Fairchild ficou sentado com os pés calçados de meias pousados sobre a amurada, a fumar o tabaco desconhecido. Conseguia ver todo o convés sob o luar pálido, e naquele momento reparou em alguém sentado perto da amurada de popa. Fairchild não saberia dizer há quanto tempo estava aquela pessoa ali sentada, mas ele estava ali agora, sozinho e imóvel, e havia algo na sua atitude que provocou a curiosidade de Fairchild, e por fim acabou por se levantar da cadeira.

Era David, o criado de bordo. Estava sentado num molho de cabos enrolados e tinha algo nas mãos, entre os joelhos. Quando Fairchild parou ao seu lado, David levantou lentamente a cabeça para o luar e olhou para o homem mais velho, sem se esforçar por esconder aquilo que segurava. Era um chinelo, um único chinelo, estalado e manchado de lama seca e vergonhoso e, no entanto, parecia ainda conter na sua forma muda um pouco da gravidade dura e assexuada dela.

Passado um bocado, David desviou os olhos, voltou a olhar para a água escura e para o seu carreiro prateado em movimento, segurando o chinelo entre as mãos; e sem falar com Fairchild, virou-se e afastou-se silenciosamente.

O QUARTO DIA

Sete Horas

Fairchild acordou e deixou-se ficar voluptuosamente deitado de costas durante um bocado. Passados instantes virou-se de lado para continuar a dormitar, e quando se virou reparou num quadrado de papel caído no chão, como se tivesse sido enfiado debaixo da porta. Ficou deitado a olhá-lo durante um momento, depois despertou por completo, levantou-se, atravessou a cabina e apanhou-o.

> Caro Sr. Fairchild: Vou deixar hoje o barco arranjei um trabalho melhor tenho dois dias a receber não os vou pedir vou deixar o barco antes de a viagem ter terminado diga à Sr.ª More tenho um trabalho melhor peça-lhe ela vai pagar-lhe os cinco dólares que me emprestou sinceramente seu
>
> DAVID WEST.

Ele releu a nota, pensativo, depois dobrou-a e enfiou-a no bolso do casaco do pijama, e serviu-se de uma bebida. O homem semita ressonava profundamente no seu beliche, deitado de costas e indefeso.

Fairchild voltou a sentar-se no seu beliche, a bebida intocada ao seu lado, e desdobrou a nota e voltou a lê-la, relembrando a juventude e o afrouxamento da carne como uma dor antiga e aguda que se podia encontrar em qualquer lugar do mundo.

Oito Horas

– Agora, não se preocupe com nada – tranquilizaram elas a Sr.ª Maurier –, podemos fazer o mesmo que fizemos ontem; assim, ainda será mais divertido. A Dorothy e eu podemos abrir latas e aquecer coisas. Podemos dar-nos tão bem sem o criado como com ele. Não podemos, Dorothy?

– Será como um piquenique – concordou a menina Jameson. – Claro que os homens também terão de nos ajudar – acrescentou ela, a olhar para Pete com os seus olhos claros e sem graça.

A Sr.ª Maurier submeteu-se, perseguindo-as com a sua fatuidade queixosa enquanto a Sr.ª Wiseman, a menina Jameson e a sobrinha abriam latas e aqueciam coisas, sujando terrivelmente a cozinha com gordura e molho e sangue do polegar da sobrinha, ao abrir, por insistência de Mark Frost, uma lata rotulada com «Feijões», que afinal era de feijão-verde.

Mas acabaram por conseguir fazer café, e o pequeno-almoço não ficou demasiado atrasado. Tal como tinham dito, foi como um piquenique, embora não houvesse formigas, como o homem semita referiu mesmo antes de ser expulso da cozinha.

– Vamos abrir uma lata delas, só para ti – disse-lhe a irmã, bruscamente.

Além disso, havia muitas toranjas.

Ao Pequeno-Almoço

Fairchild – Mas eu vi-o depois de regressarmos ao barco. Eu sei que vi.

Mark – Não, ele não estava no barco quando voltámos, estou-me a lembrar agora. Nunca mais o vi depois de termos trocado de lugares, logo a seguir à Jenny e ao Ernest terem caído.

Julius – É verdade... Ele chegou a estar no barco connosco? Alguém se lembra de o ter visto no barco?

Fairchild – Claro que estava; não te lembras de como o Mark estava sempre a bater-lhe com o remo? Estou a dizer que o vi...

Mark – A princípio, ele estava no barco. Mas depois da Jenny e...

Fairchild – Claro que estava. Não se lembra de o ter visto quando voltámos, Eva?

Eva – Não sei. Estive sempre de costas para vocês todos, enquanto remávamos. E depois do Ernest ter atirado a Jenny borda fora, não me lembro de quem lá estava e de quem não estava.

Fairchild – O Talliaferro estava de frente para nós. Não o viste, Talliaferro? E Jenny, a Jenny deve lembrar-se. Não te lembras de o ter visto, Jenny?

Senhor Talliaferro – Eu estava a vigiar o cabo, sabem.

Fairchild – E tu, Jenny? Não te lembras?

Eva – Ora, não incomodem a Jenny por causa disso. Como podem esperar que ela se lembre de alguma coisa? Como se pode esperar que alguém se lembre de alguma coisa acerca de um idiota... idiota...

Fairchild – Bem, eu lembro-me. Não se lembram todos de ele ter descido connosco, depois de termos voltado?

Senhora Maurier (a torcer as mãos) – Ninguém se lembra de nada a esse respeito? É terrível. Não sei o que fazer; parece que vocês não percebem a posição em que me encontro, com uma coisa tão terrível suspensa sobre mim. Vocês não têm nada a perder, mas eu vivo aqui, eu tenho a certeza... E agora uma coisa como esta...

Fairchild – Ah, ele não se afogou. Vai aparecer dentro de pouco tempo; oiçam o que vos digo.

A sobrinha – E se ele se tiver afogado, acabaremos por o encontrar. A água não é muito profunda, entre o iate e a costa. (A tia olhou para ela com uma expressão horrorizada.)

O sobrinho – Além disso, um cadáver fica sempre a boiar passadas quarenta e oito horas. Tudo que temos a fazer é esperar mesmo aqui, até amanhã de manhã; as hipóteses são que ele apareça a boiar contra o barco, pronto a ser içado para bordo. (A Sr.ª Maurier gritou. O seu grito estremeceu e morreu entre a sua papada, e ela olhou em volta para o grupo com um desespero servil.)

Fairchild – Ah, ele não se afogou. Estou a dizer-vos que vi...

A sobrinha – Claro. Anime-se, tia Pat. Vamos recuperá-lo, mesmo que ele se tenha afogado. Não é como se o perdêssemos completamente, sabe. Se enviar o seu corpo, talvez os pais dele nem sequer culpem o barco ou qualquer coisa assim.

Eva – Cala-te, criança.

Fairchild – Mas estou a dizer que o vi...

Nove Horas

Mais à frente, Jenny, a sobrinha, o seu irmão, que saíra temporariamente da sua concha científica, e Pete encontravam-se reunidos num grupo; Pete com o seu chapéu de palha e o sobrinho com o seu corpo jovem e esguio e as duas raparigas nos seus vestidinhos curtos, desajeitadas com uma espécie de graciosidade terrífica. Eram tão flagrantemente jovens que aquilo servia de barreira entre eles e os outros, fazendo com que até o Sr. Talliaferro se escondesse ali por perto sem coragem para se juntar a eles.

– Estas raparigas jovens – disse Fairchild. Observava o grupo, observava a sobrinha e Jenny enquanto elas se inclinavam sobre a amurada e se baloiçavam futilmente para a frente e para trás, girando sobre os calcanhares, num estouvamento puro de músculos jovens. – Elas assustam-me – confessou. – Não devido a uma possível ou provável castidade, sabem. A castidade não...

– Uma ilusão incorpórea multiplicada pela falta de oportunidade – disse Mark Frost.

– O quê? – perguntou ele, a olhar para o poeta. – Bem, talvez sim. – Retomou o seu pensamento vago. – Talvez tenhamos todos ideias diferentes a respeito do sexo, como todas as raças o têm... Talvez nós os três aqui sentados não estejamos racialmente ligados uns aos outros, no que se refere ao sexo. Como um francês e um anglo-saxão e um mongol, por exemplo.

– O sexo – disse o homem semita – para um italiano é algo semelhante a um foguete numa festa de crianças; para um francês, um negócio descontraído com o qual se pode fazer dinheiro; para um inglês, é um incómodo; para um americano, uma corrida de cavalos. Agora, tu és qual?

Fairchild riu-se. Observou o grupo que se encontrava mais à frente durante um bocado.

– As suas estranhas formas assexuadas, sabes – prosseguiu. – Nós, tu e eu, crescemos a esperar por algo debaixo do vestido de uma mulher. Algo que satisfizesse, como seios e ancas e isso. Mas agora...

– Lembras-te das fotografias que se arranjavam nos maços de cigarros, ou aquelas que se viam nas revistas dos barbeiros?

Anna Held e Eva Tanguay, com formas semelhantes às das elegantes chaminés de candeeiros de salão? Onde estão agora? Agora, na rua, o que se vê? Criaturas maljeitosas com a falta de complexos de bezerros ou potros, com dois pequenos botões como seios e uma sugestão de nádegas que, excetuando a sua aparência macia, bem podiam pertencer a um rapaz de quinze anos. Já não satisfazem; apenas excitantes e monótonas. Sobretudo monótonas.

» Onde – prosseguiu ele – estão as coisas macias e protuberantes semelhantes a coelhos que as mulheres usavam dentro da sua roupa? Desaparecidas, como o índio pobre e a cerveja de dez cêntimos e as ceroulas de cambraia. Mas, apesar disso, são agradáveis, estas jovens raparigas; um pouco à semelhança de uma música de flauta estridente, ou qualquer coisa do género.

– Estridente e estúpida – concordou o homem semita. Também ele olhou durante um pouco para o grupo que se encontrava mais à frente. – Quem foi o tolo que disse que a nossa roupa e os nossos hábitos de vestuário não afetam o formato dos nossos corpos e o nosso comportamento?

– Não é estúpido – objetou o outro. – As mulheres nunca são estúpidas. O seu equipamento mental também é sublimemente eficiente para seguir a pouca orientação que os seus corpos requerem. E quando a tua mentalidade for suficiente para as tuas necessidades corporais, onde houve um acasalamento perfeito da capacidade e da necessidade não pode haver qualquer estupidez. Quando as mulheres têm mais inteligência do que isso, transformam-se mais cedo ou mais tarde em aborrecimentos. Tudo de que precisam é de inteligência suficiente para se moverem e comerem e observarem as precauções fundamentais da existência...

– E reconhecerem os modos atuais a tempo de se padronizarem – interveio Mark Frost.

– Bem, sim. E também não levanto objeções em relação a isso – disse Fairchild. – Quero dizer, como um irmão puramente leigo da espécie humana. Afinal elas são apenas órgãos genitais articulados, com uma espécie de aptidão para gastar qualquer dinheiro que tenhamos; por isso, quando conseguem parecer-se exatamente com todas as outras, podemos prestar atenção aos seus corpos.

– E quanto às exceções? – perguntou Mark Frost. – Aquelas que não se maquilham nem cortam o cabelo?

– Pobres coitadas – respondeu Fairchild, e o homem semita disse:

– Talvez, afinal, sempre exista um céu.

– Acreditas então que elas têm almas? – perguntou Fairchild.

– Claro. Se não nascem com elas, é na verdade uma pobre criatura, aquela que não consegue arranjar uma de algum homem na altura em que chega aos onze anos.

– É verdade – concordou Fairchild. Observou durante um bocado o grupo que se encontrava um pouco mais à frente. Depois levantou-se. – Acho que vou até lá para ouvir de que estão a falar.

A Sr.ª Wiseman aproximou-se e pediu um cigarro a Mark Frost, e ficaram a ver as costas corpulentas de Fairchild a afastarem-se. O homem semita disse:

– Ali está um homem de um talento indiscutível, apesar da sua desorientação atrapalhada quando na presença de emoções sofisticadas.

– Apesar da sua falta de autoconfiança, é o que queres dizer – corrigiu-o Mark Frost.

– Não, não é isso – interveio a Sr.ª Wiseman. – Está a querer dizer o mesmo que o Julius disse: que tendo nascido americano de uma família da classe média baixa de uma província do Midwest, ele herdou toda a reverência da classe média baixa pela Educação com um E maiúsculo; uma reverência que a sua dificuldade em entrar para a universidade e ficar por lá, fez aumentar.

– Sim – concordou o irmão. – E a reação que o total de anos acumulados e a experiência humana lhe trouxeram lançou-o para o extremo oposto sem destruir essa reverência arraigada ou oferecer-lhe alguma coisa com o qual o substituir. A sua escrita parece atrapalhada, não porque a vida não lhe seja clara, mas devido à sua crença inata e sem humor (apesar de por vezes o espantar) de que a vida no fundo é segura e admirável e ótima; e porque pairam acima deste cenário americano no qual ele foi lançado os fantasmas dos Emerson e dos Lowell e outros exemplificadores da Educação com um E maiúsculo que, «sentados em poltronas em salões elegantemente alcatifados», e cercados por uma atmosfera de cabedais e segurança, dominaram as letras americanas na sua fase americana mais saudável «sem medo ou vulgaridade», com sorrisos ainda mais afetados numa espécie de vigilância ubíqua. Uma espécie de fanfarronice pueril em exibir aquilo que receia – explicou ele.

– Mas – disse a irmã – para um homem como o Dawson não há melhor tradição americana do que a deles... se ele apenas o soubesse. Eles podem ter permanecido sentados entre os seus objetos, a transcreverem o seu grego e latim e a manterem correspondência com o outro lado do Atlântico, mas ainda encontraram tempo para partirem dos seus portos da Nova Inglaterra com a Palavra de Deus numa mão e uma cavilha de malagueta na outra, e todas as velas enfunadas; e o que quer que tenham encontrado que fosse sórdido era americano. E era americano. E ainda o é.

– Sim – voltou a concordar o irmão. – Mas falta-lhe aquilo que eles tinham para comandar entre as suas estantes de livros discretos, e a sua escassez de calor e vulgaridade: um padrão de literatura que é internacional. Não, não exatamente um padrão: uma crença, uma convicção de que o seu talento não precisa de ser restringido para delinear as coisas que a sua mente consciente lhe garante serem reações americanas.

– Liberdade? – sugeriu Mark Frost, num tom cavernoso.

– Não. Ninguém precisa de liberdade. Não a conseguimos aguentar. Ele apenas precisa de se deixar ir, esquecer-se do seu fetiche da cultura e da educação que o modo como foi criado e os fantasmas daqueles cujas circunstâncias permitiram que residissem durante mais tempo numa universidade do que ele, e que apesar de tudo ele olha com admiração, lhe asseguram que lhe falta. Pois ao colocar-se a ele e à sua própria reverência e inibições fora do caminho descrevendo a vida americana, de um modo que nem sequer a tradução pode prejudicar (tal como Balzac o fez), como a vida americana o é tornar-se-á eterna e intemporal apesar dele mesmo.

» A vida é igual em toda a parte, sabem. Os modos de vida podem ser diferentes: e não o são diferentes entre povoações vizinhas? Apelidos, lucros de um único campo ou pomar, influências de trabalho, mas as antigas compulsões do homem, dever e tendência: o eixo e a circunferência da sua gaiola de esquilo, esses não podem ser alterados. Os pormenores não interessam, os pormenores apenas nos divertem. E nada que se limite a divertir-nos pode interessar, porque as coisas que nos divertem são puramente especulativas: prazeres em perspetiva que provavelmente nunca atingiremos. As outras coisas apenas nos surpreendem. E aquele que aguentou a surpresa do nascimento pode aguentar qualquer coisa.

– Raios – disse o sobrinho, levantando a cabeça. – Já te disse uma vez o que estava a fazer, não disse? – Regressara ao seu refúgio a sotavento da casa do leme, onde estaria mais a salvo de interrupções. Ou assim o pensou.

Jenny estava junto da sua cadeira e olhava placidamente para ele.

– Não to ia voltar a perguntar – respondeu sem rancor –, só passei por aqui por acaso. – Depois examinou o espaço visível do convés com um olhar rápido e abrangente. – Este é um belo lugar para cortejar – observou ela.

– É, hum? – disse o sobrinho. – O que se passa com o Pete? – O seu canivete deteve-se e ele voltou a levantar a cabeça. Jenny respondeu qualquer coisa vaga. Moveu de novo a cabeça e ficou ali parada sem olhar exatamente para ele, plácida e copiosa, dando-lhe motivo para pensar que estava a ser cercado, envolvido pelo fogo doce e nublado das suas coxas, como só as jovens o sabem fazer. O sobrinho pôs o seu cachimbo e o canivete de lado.

– Onde me vou sentar? – perguntou Jenny, por isso ele afastou-se para o lado na cadeira de lona, dando-lhe espaço, e ela aproximou-se com uma aquiescência lenta e comprimiu-se na cadeira descaída. – É um pouco apertado – observou.

Naquele momento, o sobrinho levantou a cabeça.

– Não animas muito uma pessoa – disse ele. Por isso, placidamente, Jenny animou-o um pouco mais... Passado um bocado, o sobrinho levantou a cabeça e olhou para a água. – Raios – murmurou num tom de indiferença abafada, esfregando lentamente a mão sobre os pontos plácidos das coxas de Jenny –, raios. – Passados instantes, voltou a levantar a cabeça. – Diz-me – disse ele abruptamente –, onde está o Pete?

– Lá à frente, algures – respondeu Jenny. – Vi-o mesmo antes de me teres detido.

O sobrinho esticou o pescoço, olhando para a popa ao longo do convés. Depois voltou a baixá-lo, e passado um instante levantou a cabeça.

– Acho que já chega – disse ele. Empurrou o abandono loiro de Jenny. – Agora, levanta-te. Tenho o meu trabalho para fazer. Pira-te daqui.

– Dá-me tempo para isso – disse Jenny placidamente, esforçando-se por se levantar da cadeira. Era um pouco apertado, mas ela acabou por ficar de pé, a ajeitar a roupa. O sobrinho voltou a pegar nas suas ferramentas, e assim passado um instante Jenny afastou-se.

Onze Horas

Era um volume fino e cartonado azul-escuro, com um arabesco laranja e estreito semelhante a um desenho esotérico contínuo que atravessava a capa e o cimo da contracapa, e o título, em laranja, *Satyricon in Starlight.*

– Agora – disse Fairchild, alisando a página debaixo da mão, os seus pesados óculos de osso a cavalgarem descontraidamente o seu rosto benigno e manchado – aqui está o poema da sífilis do major. Afinal, a poesia sempre consegue alguma coisa quando faz com que um homem como o major medite sobre ela durante algum tempo. Falta aos poetas um senso comercial. Agora, se eu...

– Talvez seja isso que faz de alguém um poeta – sugeriu o homem semita –, ser-se capaz de aguentar um delicado esquecimento do mundo e das suas compulsões.

– Estás a pensar nos pescadores de ostras – disse a Sr.ª Wiseman. – Ser-se um poeta bem-sucedido é ser-se apenas brilhante, obscuro e suficientemente iminente na nossa vida pública para desculpar o que quer que possamos fazer em privado.

– Se eu fosse poeta... – tentou Fairchild.

– Isso é verdade – disse o homem semita. – Hoje em dia, a arte delicada obteve aquele estado de perfeição onde não se tem de saber nada a respeito de literatura para se ser poeta; e está a chegar o dia em que não terá de se escrever para se ser um. Mas esse dia ainda não chegou: ainda se tem de escrever alguma coisa, ocasionalmente; claro que não com muita frequência, mas ainda assim ocasionalmente. E se for suficientemente obscura ficarão todos satisfeitos e tu ter-te-ás justificado e serás imediatamente esquecido, e estarás de novo à tua vontade para jantares com quem quer que te convide.

– Mas oiçam – repetiu Fairchild –, se eu fosse poeta, sabem o que faria? Eu...

– Tu irias capturar uma fêmea solteira, mas ardente e rica. Ou, na falta disso, algum outro poeta mais afortunado iria dividir o fim de semana, ou qualquer coisa desse género, contigo: parece existir uma *noblesse oblige* entre eles – respondeu o outro. – Isto é, entre os cavalheiros poetas – acrescentou.

– Não – disse Fairchild, infatigável. – Eu iria entremear o meu livro com fotografias e estudos de arte acerca de idiotas encantadoras em fatos de banho, ou a segurarem imitações de cortinados de renda a meio do corpo. Era isso que eu faria.

– Isso iria condenar o livro, enquanto arte – objetou Mark Frost.

– Está a confundir arte com vida de estúdio, Mark – disse-lhe a Sr.ª Wiseman. Ela deteve-o, e aceitou um cigarro. – Acabaram-se os meus. Desculpe. Obrigada.

– Porque não? – respondeu Mark Frost. – Se a vida de estúdio nos for suficientemente difícil, transforma-se em arte. Temos de ter bons motivos para dar à nossa família no Ohio ou no Indiana, ou algures.

– Mas, graças a Deus, que nem todos nasceram no vale do Ohio – disse o homem semita. Fairchild olhou para ele, amável e intrigado, ligeiramente beligerante. – Falo por aqueles que leem livros em vez de os escreverem – explicou ele. – Já é suficientemente mau crescermos na convicção de que depois de atingirmos a idade da razão vamos passar o resto da nossa vida a escrever livros, mas ter a nossa infância ensombrada pela possibilidade de podermos escrever o Grande Romance Americano...

– Oh – disse Fairchild. – Bem, talvez sejas como eu, e prefiras um poeta vivo aos escritos de um homem qualquer.

– Transforma-o num poeta morto, e eu concordo contigo.

– Bom... – Ele ajeitou os óculos. – Ouve isto.

Mark Frost resmungou, levantando-se, e afastou-se. Fairchild leu implacavelmente:

Em rosas e pessegueiros as suas gotas sangravam,
O amor criou o sacrifício,
Sob a sua mão a sua boca está massacrada.
Sob a sua mão a sua boca está morta...

– Não, esperem. – Voltou ao cimo da página. A Sr.ª Wiseman ouviu-o inquieta, o seu irmão com a sua habitual fleuma intrigada.

O Corvo sombrio e Philomel
Entre as árvores sangrentas estava parado,
O seu grito rouco e o dela estavam misturados
E por entre a escuridão as suas gotas caíam

Sobre a rosa vermelha desabrochada,
Sobre o ramo partido do pessegueiro
Manchado por bocas aromáticas, cada um
Canta ao outro, e ali perto...

Leu o poema até ao fim.

– O que acham? – perguntou.

– São sobretudo palavras – respondeu de imediato o homem semita –, uma espécie de *cocktail* de palavras. Presumo que te sintas verdadeiramente perturbado por ele, se as tuas preferências tiverem sido educadas para os *cocktails*.

– Bem, porque não? – disse a Sr.ª Wiseman, com um instinto de proteção feroz. – Só os tolos é que precisam de ideias em verso.

– Talvez sim – admitiu o irmão. – Mas não há qualquer alimento na eletricidade, como vocês poetas da atualidade parecem acreditar.

– Bem, então, farias com que eles escrevessem a respeito do quê? – quis ela saber. – Só há um assunto possível a respeito do qual todos podem escrever. O que existe que valha o esforço e o desespero de se escrever, exceto o amor e a morte?

– Essa é a versão feminina da questão. É melhor deixares a arte em paz e agarrares-te aos artistas, tal como é da tua natureza.

– Mas as mulheres fizeram algumas coisas bem feitas – interveio Fairchild. – Eu li...

– Elas carregam os génios. Mas achas que se interessam minimamente pelos quadros e música que os seus filhos produzem? Que sentem alguma outra emoção, para além da tolerância feroz pelos caprichos dos filhos? Achas que a mãe de Shakespeare tinha mais orgulho nele do que, digamos, a mãe de Tom o' Bedlam?

– Claro que tinha – disse a Sr.ª Wiseman. – Shakespeare fazia dinheiro.

– Arranjaste uma má comparação – disse Fairchild. – Todos os artistas são um pouco loucos. Não concorda? – perguntou ele à Sr.ª Wiseman.

– Sim – disparou ela. – Quase tão loucos como aqueles que ficam sentados a falar a respeito deles.

– Bem... – Fairchild voltou a olhar para a página debaixo da sua mão. Disse lentamente: – É uma espécie de coisa obscura. É como se alguém nos levasse até uma porta escura. Iremos entrar nesse quarto ou não?

– Mas os antigos fizeram com que entrasses primeiro nesse quarto – disse o homem semita. – Depois perguntaram-te se querias sair ou não.

– Não sei. Há quartos, quartos escuros, dos quais eles não sabiam nada. Freud e aqueles outros...

– Descobriram-nos mesmo a tempo de fornecer aos nossos *literati* sem abrigo alojamentos gratuitos. Mas tu e a Eva acabaram de concordar que assunto, substância, não significa que tenha de ser em verso, que a melhor poesia é constituída apenas por palavras.

– Sim... paixão pelas palavras – concordou Fairchild. – É nesse momento que se consegue uma boa poesia, uma grande poesia. Uma espécie de ritmo cantado no mundo no qual entras sem te aperceberes, como um nadador entra na corrente. Palavras... tive-as outrora.

– Cale-se, Dawson – disse a Sr.ª Wiseman. – O Julius pode dar-se ao luxo de ser um tolo.

– Palavras – repetiu Fairchild. – Mas agora deixou-me. Quero dizer, aquela primeira paixão; aquela paixão pura e reverente pela beleza e poder das palavras. Isso deixou-me. Acho que a gastei. Por isso, já não posso escrever poesia. Agora demoro demasiado tempo a dizer coisas.

– Todos escrevemos poesia quando éramos jovens – disse o homem semita. – Alguns até a colocaram no papel. Mas todos a escrevemos.

– Sim – repetiu Fairchild, virando lentamente as páginas do livro. – Oiçam:

... Ó primavera ó desumana ó cruel
que revelas até à mão curva e faminta
de março as tuas coxas brancas e óbvias...

– E oiça. – Folheou o livro. A Sr.ª Wiseman estava a olhar para o local onde Jenny e o Sr. Talliaferro tinham aparecido e estavam agora inclinados juntos sobre a amurada. O homem semita escutou com uma cortesia desgastada.

... acima da convolução sem seiva das colinas
abril uma abelha bebericando perplexa de prazer...

– É uma espécie de fé infantil na eficácia das palavras, percebes, uma espécie de crença que de certo modo a circunstância irá revestir de magia a maior das banalidades. E, raios, por vezes até acontece, deixa-a ser histórica ou gramaticalmente incorreta ou fisicamente impossível; deixa-a até ser trivial: chega uma altura em que será revestida por algo que não pertença de modo algum a esta vida, a este mundo. É uma espécie de fogo, sabes... – Atrapalhou-se entre as palavras, a olhar para elas, para os olhos tristes e intrigados do homem semita e para o rosto desviado da Sr.ª Wiseman.

» Alguém, algum droguista ou qualquer coisa do género, retalhou a ternura... e sabes o que acho? Acho que ele está sempre a escrever para alguma mulher, acho que acredita estar afetuosamente a ultrapassar os limites de algum bruto maior ou mais rico ou mais atraente do que ele; acredito que cada palavra que um homem escritor escreve é colocada no papel com a derradeira intenção de impressionar alguma mulher, que provavelmente nem se interessa nada pela literatura, como é da natureza das mulheres. Bem, talvez ela não seja sempre uma criatura de carne e osso. Pode ser apenas o símbolo de um desejo. Mas é feminina. A fama é apenas um subproduto... Lembrem-se, os antigos nem se davam ao trabalho de assinarem as suas coisas... Mas, não sei. Presumo que ninguém saiba os motivos para um homem fazer o que faz: só se pode generalizar a partir dos resultados.

– Mesmo ele raramente sabe os seus motivos – disse o outro. – E na altura em que recuperou do seu espanto pelo resultado imprevisto que obteve, já se esqueceu do o motivo que outrora acreditou ter... Mas como podes generalizar a partir de um poema? Que resultado tem um poema? Dizes que a substância não interessa, que não tem um lugar devido num poema. Tu tens – continuou o homem semita, com uma curiosidade especulativa – o estranho hábito de te contradizeres, de te atrapalhares e depois virares a casaca e bateres em quem te ouve até à refutação... Mas Deus sabe que há muito espaço para especulação nos versos modernos. E também muita atrapalhação, embora sejam os poetas que fazem a maior parte. Não concordas, Eva?

A irmã respondeu «O quê?» virando para ele o seu olhar escuro, preocupado. Ele repetiu a pergunta. Fairchild interrompeu-o a toda a velocidade:

– O problema com os versos modernos é que, para os compreenderes tens de ter passado recentemente por uma experiência emocional idêntica àquela pela qual o poeta passou recentemente. A poesia dos poetas modernos é como um par de sapatos que apenas aqueles cujos pés têm a forma dos pés do sapateiro podem usar; enquanto os antigos rejeitam qualquer pessoa que possa andar...

– Como galochas – sugeriu o outro.

– Como galochas – concordou Fairchild. – Mas não estou a ser depreciativo. Talvez os poucos a quem os sapatos servem, possam chegar muito mais longe do que toda uma manada de pessoas igualmente calçadas pode chegar.

– De qualquer maneira, interessante – disse o homem semita –, reduzir o progresso espiritual da espécie em termos de uma migração emocional; israelitas estéticos a atravessarem sem se molharem num mar rosa de tédio e segurança. Que tal, Eva?

A Sr.ª Wiseman, a pensar no corpo macio de Jenny, despertou do seu devaneio.

– Acho que nenhum de vocês é tolo, mas que são ambos entediantes. – Levantou-se. – Quero cravar-lhe outro cigarro, Dawson.

Ele deu-lhe um cigarro e um fósforo, e ela deixou-os. Fairchild virou algumas páginas.

– É-me um pouco difícil conciliá-la com este livro – disse ele, lentamente. – És da mesma opinião?

– Não tanto pelo facto de ela ter escrito isto – respondeu o outro –, mas pelo facto de ter escrito alguma coisa. Pelo facto que alguém o faça. Mas não há qualquer enigma no livro em si. Isto é, pelo menos para mim. Mas tu, que deambulas confiadamente por este parque de árvores obscuras e sem raízes, que o doutor Ellis[13] e os seus alemães abriram recentemente ao público... Serás sempre um bebé nesse campo, sabes. Perplexo e ligeiramente aborrecido; inquieto, como o garanhão de Assurbanipal[14] quando o seu senhor o montou.

– Bissexualidade emocional – disse Fairchild.

– Sim. Mas estás a tentar conciliar o livro e o autor. Um livro é a vida secreta do escritor, o gémeo negro de um homem: não os podes conciliar. E contigo, quando o embate inevitável

---

[13] Havelock Ellis (1859-1936), médico e psicólogo britânico. *(N. de E.)*

[14] Último rei dos assírios (668 a.C. – *c.* 627 a.C). *(N. da T.)*

chegar, o eu real do autor é aquele que irás absorver, pois tu és um daqueles a quem o facto e a falácia obtêm verosimilhança por terem sido imprimidos a frio.

– Talvez sim – disse Fairchild, com indiferença, voltando a deter-se numa página. – Ouve:

Lábios que de exaustos ainda parecem mais exaustos,
Parecem exaustos devido à dissimulação enrolada e clara
Ainda crivam vosso rosto secreto, e vosso
Desespero doentio da obsessão da sua própria doença;
Não leveis a sério a mão do vosso rapaz, para protestar
Essas folhas sorridentes que vossa boca cansada reconciliou,
Pois jurar assim mantém-vos seduzido
Com uma alegria secreta pelo seio da vossa própria mulher.

Exausta vossa boca de sorrir; não podeis vós casar-vos
Com vós mesmo e vosso próprio beijo satisfazer-vos?
O vosso despertar virgem irá escarnecer de si mesmo
Com a ausência aguçada do sono, tornando-se mais desperto,
E perto de vossa boca a dor do vosso coração gémeo irá ocultar-se
Pois não há qualquer peito entre ele: não pode ser partido.

– «Hermafroditas» – leu. – É a respeito disso. É uma espécie de perversão sombria. Como um fogo que não precisa de combustível, que vive pelo seu próprio calor. Quero dizer, todos os versos modernos são uma espécie de perversão. Como se os dias da poesia saudável estivessem terminados, como se os indivíduos modernos não tivessem nascido para escrever poesia. Possivelmente outras coisas. Mas poesia não. Tal como os homens que hoje em dia não são suficientemente masculinos e fortes para falsificarem algo que roça de tão perto o antinatural. Uma espécie de raça estéril: mulheres demasiado masculinas para conceber, homens demasiado femininos para gerar...

Fechou o livro e tirou lentamente os óculos.

– Eu e tu aqui sentados, neste momento, essa é uma das coisas mais traiçoeiras que a poesia tem de combater. A educação geral tornou as coisas demasiado fáceis para todos terem uma opinião. E isso aplica-se a tudo o resto. As únicas pessoas a quem devia ser permitida uma opinião a respeito da poesia, deviam ser os poetas. Mas como está... No entanto, todos os artistas têm de passar por isso: o esquecimento e a troça e a indignação e, o que é pior, a adulação dos tolos.

– E – acrescentou o homem semita –, o que ainda é pior: a conversa.

Doze Horas

– Deves ficar bastante cansado por te ralares com isso – sugeriu Fairchild enquanto desciam para almoçar. (Soprava uma brisa de terra e o salão estava fechado. Além disso, ficava perto da cozinha.) – Porque não o deixas na tua cabina? Parece-me que o major Ayers é de confiança.

– Não há problema – respondeu Pete. – Estou habituado a ele. Iria sentir a sua falta, percebe?

– Sim – concordou o outro. – É novo, não é?

– Já o tenho há algum tempo. – Pete tirou o chapéu e Fairchild fez um comentário acerca da faixa alegre e extravagante, e do entrançado pesado da palha.

– Pela minha parte, gosto de panamás – murmurou ele. – Um chapéu mole... Esse deve ter custado uns cinco ou seis dólares, não custou?

– Sim – concordou Pete –, mas acho que posso tomar conta dele.

– É um belo chapéu – disse o homem semita. – Nem todos podem usar um chapéu de palha rijo. Mas adequa-se bastante bem ao formato do rosto do Pete, não é verdade?

– Sim, é verdade – concordou Fairchild. – O Pete tem uma espécie de rosto estouvado e sem graça, ao qual um chapéu rígido se adequa mesmo bem. Um homem com um rosto engraçado nunca devia usar um chapéu de palha rijo. Mas também, só um homem sem graça se atreveria a comprar um.

Pete precedeu-os até ao interior do salão. Apesar de tudo, a intenção do homem era amável. Um passarão velho e engraçado. Simples. Simples. Estripar alguém. Qualquer pessoa. Fairchild voltou a falar com ele, com uma espécie de persistência delicada:

– Ouve, aqui está um bom lugar onde o deixares enquanto comes. Presumo que não tivesses visto este lugar. Enfia-o aqui debaixo, estás a ver? Aqui ficará tão seguro como numa igreja, até voltares a precisar dele. Olha, Julius, este lugar foi mesmo feito para um chapéu de palha rijo, não foi? – O lugar em questão era uma mesa de servir dobrável constituída por duas prateleiras, que se encaixavam a pouca profundidade na antepara: funcionava por meio de uma mola, e tudo aquilo colocado sobre a prateleira inferior ficaria inviolado até aparecer alguém que voltasse a baixar as prateleiras.

– Não me incomoda nada – disse Pete.

– Está bem – respondeu o outro. – Mas bem o podes deixar aqui; é um sítio bom para deixar um chapéu. Muito melhor do que os bengaleiros dos teatros. Até me apetece ter um chapéu para o deixar aqui, não concordas, Julius?

– Eu posso ficar com ele – repetiu Pete.

– Claro – concordou Fairchild prontamente –, mas experimenta apenas por um momento. – Pete experimentou-o, e os outros dois observaram-no com interesse. – Fica aí mesmo bem, não fica? Porque não o deixas aí, só para experimentares?

– Acho que não. Acho que vou ficar com ele – decidiu Pete. Voltou a pegar no chapéu e quando se sentou enfiou-o no seu lugar habitual, entre ele e as costas da cadeira.

A Sr.ª Maurier estava a cantarolar, «Sentem-se, amigos», num tom impotente, apologético.

– Têm de desculpar estas coisas. Esperei que pudéssemos almoçar no convés, mas com o vento a soprar de terra...

– Eles descobriram onde estávamos e que éramos bons para comer, por isso não faz qualquer diferença de onde o vento sopra – disse a Sr.ª Wiseman, muito dinâmica com o seu tabuleiro.

– E com a partida do criado de bordo, e as coisas tão perturbadas – a anfitriã retomou a sua antístrofe, o seu olhar infeliz a deambular sobre eles. – E o senhor Gordon...

– Oh, ele está bem – disse Fairchild, pesadamente prestimoso, sentando-se. – Vai acabar por aparecer.

– Não seja tola, tia Pat – acrescentou a sobrinha. – Porque haveria de querer afogar-se?

– Tenho tão pouca sorte – queixou-se a Sr.ª Maurier –, acontecem-me... acontecem-me coisas, percebem – explicou ela, assombrada por aquela visão da implacabilidade clara da água e calças ensopadas, e uma barba ruiva perdida entre as regiões verdes inclinadas do mar, numa terrível simulação da vida.

– Ah, diachos – protestou a sobrinha –, por mais feio que seja e tão vaidoso... Ele também tem demasiados bons motivos para se afogar. São aqueles que não têm desculpas para isso que se afogam, e são atropelados por táxis e essas coisas.

– Mas nunca se pode dizer o que as pessoas vão fazer – replicou a Sr.ª Maurier, tornando-se profunda através da pura desintegração das coisas confortáveis. – As pessoas farão qualquer coisa.

– Bem, se ele se afogou, acho que o quis fazer – disse a sobrinha, friamente. – De qualquer maneira, não pode estar a pensar que vamos ficar por aqui à sua espera. Nunca ouvi falar de ninguém que tivesse desaparecido sem deixar alguma espécie de bilhete. Tu ouviste, Jenny?

Jenny estava sentada, num suave terror antecipado.

– Ele afogou-se? – perguntou. – Um dia em Mandeville, eu vi... – Nos olhos celestiais de Jenny acumulou-se por instantes uma emoção altruísta, temporariamente pura e limpa.

A Sr.ª Wiseman olhou para ela, incitando-a com os olhos. Disse:

– Oh, esqueçam o Gordon por um bocado. Se ele se afogou (que eu não acredito), afogou-se; se não se afogou, vai voltar a aparecer, tal como o Dawson diz.

– Foi isso que eu disse – apoiou-a rapidamente a sobrinha. – Só que seria melhor que ele aparecesse depressa, se é que quer voltar connosco. Temos de voltar para casa.

– Temos? – perguntou a tia, com uma ironia carregada e espantada. – Diz-me, como vais voltar?

– Talvez o irmão dela nos faça um barco com a sua serra – sugeriu Mark Frost.

– É uma ideia – concordou Fairchild. – Diz-me, Josh, não tens nenhuma espécie de ferramenta que nos consiga pôr outra vez em movimento?

O sobrinho olhou para Fairchild com uma expressão solene.

– Pode esculpi-la – disse ele. – Empresto-lhe o meu canivete, se mo trouxer logo de seguida. – Continuou a comer.

– Bem, temos de voltar – repetiu a sua irmã. – Vocês podem ficar por aqui se quiserem, mas eu e o Josh temos de voltar para Nova Orleães.

– Vão por Mandeville? – perguntou Mark Frost.

– Mas o rebocador deve estar a chegar a qualquer momento – insistiu a Sr.ª Maurier, regressando ao seu espanto impotente. A sobrinha lançou a Mark Frost um olhar pensativo e grave.

– Você é espertinho, não é?

– Tenho de o ser – respondeu-lhe Mark Frost, no mesmo tom –, ou então teria...

–... teria de trabalhar, ei? É preciso ser-se um homem esperto para espremer a tia Pat, não é?

– Patricia! – exclamou a tia.

– Bem, nós temos de voltar. Temos de nos preparar para regressar a New Haven no próximo mês.

O irmão voltou a ser arrancado ao seu devaneio.

– Temos? – repetiu ele, num tom carregado.

– Eu vou voltar – respondeu ela, rapidamente. – O Hank disse que eu podia.

– Olha lá – disse o irmão –, vais passar a vida a seguir-me?

– Vou para Yale – disse ela, teimosamente. – O Hank disse que eu podia ir.

– O Hank? – repetiu Fairchild, observando a sobrinha interessado.

– É assim que ela chama ao pai – explicou a tia. – Patricia...

– Bem, tu não podes ir – respondeu o irmão, violentamente. – Maldito seja, se vou deixar que andes para sempre atrás de mim. Não me posso mover, por ti. Devias ser cobradora de impostos.

– Não me interessa; eu vou – repetiu ela, teimosa. A tia disse, futilmente:

– Theodore!

– Bom, eu não posso fazer nada por ela – queixou-se ele, amargamente. – Não me posso mover, por ela. E agora está a dizer que vai... Chateou o Hank até ele dizer que podia ir. Só Deus sabe que eu também diria isso; não ia querer tê-la sempre à minha volta.

– Cala a maldita boca – disse-lhe a irmã. A Sr.ª Maurier cantarolou «Patricia, Patricia». – Eu vou, eu vou, eu vou.

– O que vais fazer lá em cima? – perguntou Fairchild.

A sobrinha virou-se, perigosamente beligerante.

– O que disse?

– Quero dizer, o que vais fazer enquanto ele estiver nas aulas e essas coisas? Também vais aceitar algum trabalho?

– Oh, só vou andar por ali com calças de balão. Ir a clubes noturnos e essas coisas. Não o vou incomodar. Mal o irei ver, ele é um imbecil tão grande.

– O raio é que vais – interrompeu-a o irmão –, estou-te a dizer que não vais.

– Vou, sim. O Hank disse que eu podia ir. Ele disse que eu podia. Eu...

– Bem, nunca me irás ver. Lá em cima, não vou deixar que andes atrás de mim.

– És a única pessoa no mundo que para o ano vai lá para cima? És o único que estará por lá? Não vou até lá acima para perder o meu tempo a andar pela entrada da residência Dwight ou Osborne, só para te ver. Não me vais apanhar no alpendre do Green com caloiros. Vou a lugares onde talvez tu só vás daqui a três anos, se não fugires ou qualquer coisa desse género. Não te preocupes comigo. Quem é que no ano passado foi convidada para a semana de finalistas, só que o Hank não me deixou ir? Quem é que assistiu ao jogo do outono passado, enquanto estavas empoleirado na última fila com um monte de repórteres, à chuva?

– Tu não foste à semana de finalistas.

– Porque o Hank não me deixou ir. Mas no próximo ano lá estarei, e podes apostar o dinheiro da família nisso.

– Oh, cala-te um bocado – disse-lhe o irmão, exausto. – Talvez algumas destas senhoras também queiram falar.

E ali estava o rebocador, agachado com os seus cabos, quebrando o horizonte meridional com um efeito de magia repentina, como o *slide* de um projetor a incidir num ecrã quando viramos a cabeça por um momento.

– Vejam bem aquele barco – disse Mark Frost, num tom curioso.

A Sr.ª Maurier, que se encontrava mesmo atrás dele, guinchou:

– É o rebocador! – Virou-se e gritou pela escada abaixo: – É o rebocador, o rebocador chegou!

Os outros cantarolaram todos, «O rebocador! O rebocador!». O major Ayers exclamou dramática e oportunamente:

– Ah, podemos partir!

– Finalmente, chegou – guinchou a Sr.ª Maurier. – Chegou enquanto estávamos a almoçar. Já alguém foi... – Olhou à sua volta. – O capitão... Ele foi informado? Senhor Talliaferro...?

– Com certeza – concordou o Sr. Talliaferro com uma vivacidade educada, subindo a escada e desintegrando os seus membros com a diligência –, vou chamar o capitão.

Apressou-se para a popa e os outros subiram ao convés e olharam para o rebocador, e uma brisa suave soprou vinda da costa e eles baterem intermitentemente nas suas superfícies expostas. O Sr. Talliaferro gritou, «Capitão! Ó capitão!», pelo convés; gritou-o para a casa do leme vazia e voltou.

– Deve estar a dormir – disse-lhes.

– Vamos finalmente partir – entoou a Sr.ª Maurier –, podemos por fim partir. O rebocador chegou, mandei-o vir já há muitos dias. Mas agora podemos partir. Mas o capitão... Onde está o capitão? Ele não devia estar a dormir, numa altura destas. De todas as alturas em que o capitão tinha para dormir... Senhor Talliaferro...

– Mas o Gordon – disse Mark Frost –, e quanto...

A menina Jameson agarrou-lhe o braço.

– Primeiro, vamos partir – disse ela.

– Eu chamei-o – recordou-os o Sr. Talliaferro. – Deve estar a dormir na sua cabina.

– Deve estar a dormir – repetiu a Sr.ª Maurier. – Algum dos cavalheiros...

O Sr. Talliaferro pegou na deixa.

– Eu vou – disse.

– Se tiver essa gentileza – gritou a Sr.ª Maurier, nas suas costas. Voltou a olhar para o rebocador. – Ele devia estar aqui, para podermos estar prontos para partir – disse ela, irritada. Acenou com o seu lenço ao rebocador; aquele ignorou-a.

– No entanto, devíamos ir preparando as coisas – sugeriu Fairchild. – Devíamos ter tudo preparado, para quando eles nos rebocarem.

– É verdade – concordou Mark Frost. – Era melhor irmos até lá abaixo fazer as malas, não era?

– Ah, ainda não vamos voltar para casa. Acabámos de iniciar o cruzeiro. Vamos voltar, amigos?

Olharam todos para a sua anfitriã. Os olhos espantados da Sr.ª Maurier deambularam pelos seus rostos, mas por fim disse corajosamente:

– Ora, não. Não, claro que não, se vocês não quiserem... Mas o capitão, nós devíamos estar prontos – repetiu ela.

– Bem, então vamo-nos preparar – disse a Sr.ª Wiseman.

– Ninguém sabe nada a respeito de barcos, exceto o Fairchild – disse Mark Frost.

O Sr. Talliaferro regressou, sozinho.

– Eu? – disse Fairchild. – O Talliaferro é que já atravessou todo o oceano. E ali está o major Ayers. Os dentes de todos os ingleses já nascem presos a correntes de âncoras e a passadores de cabos.

– E puxam os seus brinquedos com linhas verticais de direção – cantarolou a Sr.ª Wiseman. – É quase um poema. Que alguém o termine.

O Sr. Talliaferro soltou um som de alarme.

– Não, a sério, eu...

A Sr.ª Maurier virou-se para Fairchild.

– Irá assumir o comando até o capitão aparecer, senhor Fairchild?

– Senhor Fairchild – imitou-a o Sr. Talliaferro. – O senhor Fairchild é o capitão temporário. Parece que o capitão não se encontra a bordo – sussurrou ele à Sr.ª Maurier.

Fairchild olhou em volta, com uma espécie de impotência ridícula.

– O que devo fazer? – perguntou ele. – Saltar borda fora com uma pá e escavar a areia?

– Um homem que reiterou tanto a sua superioridade, como o nosso amigo o fez durante a última semana, nunca deveria ficar sem saber o que fazer – disse-lhe a Sr.ª Wiseman. – Nós, senhoras, já pensámos nisso. O Dawson é aquele que deve pensar noutra coisa.

– Bem, já pensei em não saltar borda fora e escavar a areia para o arrancar daqui – respondeu Fairchild –, mas isso não parece ser de grande ajuda, pois não?

– Devia estar a enrolar cabos ou qualquer coisa desse género – sugeriu a menina Jameson. – Estão sempre a fazer isso a bordo de todos os navios a respeito dos quais já li.

– Está bem – concordou Fairchild, tranquilamente. – Então vamos enrolar cabos. Onde é que eles estão?

– O problema é esse – disse a Sr.ª Wiseman. – Agora, é você o capitão.

– Bem, nós iremos encontrar alguns cabos e enrolá-los. – Dirigiu-se à Sr.ª Maurier: – Temos a sua autorização para enrolar cabos?

– Não, a sério – disse a Sr.ª Maurier, na sua voz espantada e impotente. – Não há nada que possamos fazer? Não lhes podemos fazer sinais com uma vela? Eles podem não saber que este é o barco certo.

– Oh, eu acho que sabem. De qualquer maneira, vamos enrolar cabos e estarmos preparados para eles. Vamos lá, homens. – Nomeou a sua equipa desfalcada e apascentou-os para a frente. Apascentou-os até à sua cabina e alimentou-os de estimulantes.

– Nós até podemos enrolar o cabo certo – sugeriu o homem semita. – O major Ayers deve saber alguma coisa a respeito de barcos. Deve fazer parte do seu sangue inglês.

O major Ayers não era da mesma opinião.

– Os barcos americanos têm características anfíbias, que não existem nos nossos – explicou ele. – Metade viajam por terra, sabem – explicou ele, tediosamente.

– Claro – concordou Fairchild. Levou de novo a sua equipa para o convés e para a popa, onde o seu instinto lhe dizia que se deviam encontrar os cabos. – Pergunto-me onde estará o capitão. Decerto que não se afogou, não acham?

– Presumo que não – respondeu o homem semita. – Ele é pago para isto... Aí vem um barco.

Um bote saiu do rebocador, e passados instantes abordou o iate e o capitão saltou por cima da amurada. Um desconhecido seguia-o e desceram a escada sem pressas, deixando as palavras da Sr.ª Maurier suspensas no ar como pássaros fúteis, por acasalar.

– Então, vamo-nos preparar – ordenou Fairchild à sua equipa. – Vamos atar um cabo a qualquer coisa.

Por isso eles ataram um cabo a qualquer coisa, com nós intrincados, depois o major Ayers descobriu que o tinham atado à manivela de um molinete que encaixava solta num olhal e que provavelmente sairia com facilidade assim que o cabo ficasse tenso. Por isso desataram-no e encontraram algo firmemente fixo ao convés, e ataram o cabo àquilo, e passado um bocado o capitão e o desconhecido, que apertava um cachimbo curto de mau aspeto, regressaram ao convés e detiveram-se a observá-los.

– Temos o cabo certo – disse Fairchild à sua equipa num sussurro, e eles ataram intrincadamente o cabo, e de seguida endireitaram-se. – Que tal, capitão? – perguntou Fairchild.

– Muito bem – respondeu o capitão. – Podia arranjar-nos um fósforo?

Fairchild deu-lhes um fósforo. O desconhecido acendeu o seu cachimbo, e depois entraram para o bote e partiram. Não tinham chegado muito longe quando aquele chamado Walter saiu e chamou-os, e eles viraram e regressaram para o ir buscar. Depois voltaram para o rebocador. A equipa de Fairchild tinha parado de trabalhar, e olharam para o bote. Passado um bocado, Fairchild disse:

– Ele disse que era o cabo certo. Por isso, parece-me que podemos parar.

Por isso pararam, e dirigiram-se à popa até ao lugar onde as senhoras se encontravam, e naquele momento o bote regressou a baloiçar na água. Voltou a abordar o iate e um negro, a transpirar ligeira e regularmente, manteve-o estável enquanto aquele chamado Walter e outro desconhecido subiam a bordo, trazendo um cabo que se arrastava até à água atrás deles.

Observaram todos com interesse enquanto Walter e o seu companheiro atavam firmemente o cabo à proa, depois de terem removido o cabo de Fairchild. De seguida Walter e o seu amigo desceram.

– Oiçam – disse Fairchild, de repente –, acham que eles encontraram o nosso uísque?

– Acho que não – tranquilizou-o o homem semita. – Espero que não – corrigiu-se; e regressaram todos em grupo para olharem para o bote, onde o negro estava sentado sem qualquer constrangimento, a comer um objeto grande e acinzentado. Enquanto observavam o negro, Walter e o seu companheiro regressaram, e o desconhecido pondo as mãos em concha berrou para o rebocador. Por fim uma resposta, e a outra ponta do cabo que eles tinham recentemente trazido para bordo do iate e atado, deslizou do convés até ao bote e caiu pesadamente na água; e Walter e o seu companheiro puxaram-no para bordo do iate e enrolaram-no, molhado e a pingar. Depois encostaram-se à amurada, lançaram o cabo para o bote e entraram nele, e o negro guardou temporariamente o seu estranho objeto comestível e remou de regresso ao rebocador.

– Voltaste a calcular mal – disse Mark Frost com uma ironia sepulcral. Dobrou-se e coçou os tornozelos. – Tenta outro cabo.

– Espera – retorquiu Fairchild –, espera dez minutos, e depois fala. Dentro de dez minutos, já estaremos a todo o vapor... De onde veio aquele barco?

O barco era um esquife, embora eles não soubessem de onde tinha vindo nem quando; e sob a tarde sonolenta, ouvia-se vagamente de algures no cimo do lago o som irritante do motor de um barco. O esquife aproximou-se, manobrado por um homem com malária que usava um chapéu feminino e arruinado, de palha preta, que lhe dava uma aparência vagamente enlutada.

– É aqui que têm um tipo afogado? – perguntou ele, agarrando-se à amurada.

– Não sabemos – respondeu Fairchild. – Perdemo-lo algures entre o iate e a costa. – Estendeu o braço. O recém-chegado seguiu o gesto, com uma expressão triste.

– Alguma recompensa?

– Recompensa? – repetiu Fairchild.

– Recompensa? – ecoou a Sr.ª Maurier, sem fôlego. – Sim, há uma recompensa; eu ofereço uma recompensa.

– Quanto?

– Encontre-o primeiro – interveio o homem semita. – E depois haverá uma recompensa.

O homem continuou agarrado à amurada.

– Já dragaram o lago à procura dele?

– Não, só agora começámos a procurá-lo – respondeu Fairchild. – Vá lá dar uma vista de olhos por aí, e nós vamos buscar o nosso bote e ajudá-lo. Haverá uma recompensa.

O homem empurrou o seu esquife para longe e pegou nos remos. O som do barco a motor aumentava nítida e firmemente; passado pouco apareceu à vista deles, com dois homens no seu interior, e mudou de curso e apanhou o esquife. O pequeno motor barulhento parou com a sua algazarra e aproximou-se do esquife, causando uma ondulação moribunda sob a sua proa. Os dois barcos mantiveram-se juntos durante um bocado, depois afastaram-se, e a curta distância um do outro moveram-se lentamente para a frente enquanto os seus ocupantes espetavam o fundo do lago com os seus remos.

– Olhem para eles – disse o homem semita –, exatamente iguais a bútios. Provavelmente, na próxima hora, vai haver uma dúzia de barcos ali fora. Como souberam?

– Só Deus sabe – respondeu Fairchild. – Vamos buscar a nossa equipa, e vamos ajudá-los a procurar. É melhor irmos buscar os homens do rebocador.

Gritaram à vez durante um bocado, e naquele momento um dos homens aproximou-se da amurada do rebocador e olhou com uma expressão apática para eles, e afastou-se; e passado um bocado, o pequeno bote afastou-se do rebocador e avançou até ao iate. Uma consulta, à qual assistiram todos os homens, enquanto o homem do rebocador se movia sem pressas no seu trabalho de apertar um cabo ainda mais sujo do que o anterior à proa do *Nausikaa*. Depois ele e Walter voltaram para o rebocador, soltando o cabo atrás deles enquanto a insistência da Sr.ª Maurier se gastava a si mesma sob a tarde sonolenta. Os convidados olharam uns para os outros, impotentes. Depois Fairchild disse com determinação:

– Vá lá, vamos no nosso barco. – Escolheu os seus homens, e eles reuniram todos os remos disponíveis e prepararam-se para embarcar.

– Aí vem de novo o bote do rebocador – disse Mark Frost.

– Eles esqueceram-se, e ataram uma ponta daquele cabo a qualquer coisa – disse a Sr.ª Wiseman, maldosa. O barco aproximou-se sem pressa, e ele e o bote do iate ficaram parados a esfregarem as proas, e o companheiro de Walter perguntou, desinteressado:

– Onde está o tipo que vocês afogaram?

– Eu vou no barco deles e mostro-lhes – decidiu Fairchild. Mark Frost regressou rapidamente para o iate. Fairchild deteve-o. – Vocês, rapazes, venham atrás de mim nesse barco. Quantos mais a procurar, melhor.

Mark Frost resmungou e aquiesceu. Os outros tomaram os seus lugares, e sob a direção de Fairchild, os dois botes retomaram o trajeto do dia anterior. Os primeiros dois barcos estavam a uma certa distância, a moverem-se lentamente, e os botes também se separaram e aqueles que procuravam continuaram a espetar os seus remos no leito do lago. E é tal a influência da ação na mente que passado pouco até o otimismo firme de Fairchild se tornou abafado e incerto perante a iminência do desconhecido, e inconscientemente também ele começou a aceitar o possível como provável.

O Sol estava encoberto, como se exausto do seu próprio calor implacável, e a água – aquela água que poderia conter, para em breve revelar, a prova muda da chacota derradeira de todas as lutas de um homem – saltava e embatia contra as fragilidades mecânicas que os aguentavam: um som baixo, monótono e sem rancor – bem podia esperar! Eles continuaram a sondar lentamente o fundo do lago.

Passado pouco os quatro barcos, espalhados em leque, tinham atravessado o trajeto, e eles viraram e voltaram a avançar de trás para a frente, lentamente e em silêncio. A tarde arrastou-se, adormecida e sonolenta. Iate e rebocador permaneciam imóveis no brilho ofuscante de água e sol...

De novo o trajeto do dia anterior foi coberto metro a metro, paciente, silenciosamente e em vão; e os quatro barcos como se sem vontade própria aproximaram-se mais uns dos outros, apertando-se como ovelhas a aconchegarem-se no seu sono, enquanto a água saltava e batia sob os seus cascos, sinistra e imperturbada pela espera... Passado pouco, o barco a motor aproximou-se e roçou ligeiramente ao longo do casco no qual Fairchild estava sentado, e ele levantou a cabeça, a piscar os olhos contra o brilho. Passado um bocado, disse:

– És um fantasma, ou sou eu?

– Estava prestes a perguntar-te a mesma coisa – respondeu Gordon, sentado no barco a motor. Permaneceram sentados a olhar um para o outro. O outro bote também se aproximou mais, e naquele momento o que se chamava Walter falou.

– Era só isto de que precisavam – perguntou ele num tom de desagrado delicado, quebrando o feitiço –, ou querem remar mais um bocado?

Fairchild teve de imediato um ataque de gargalhadas histéricas.

O homem da malária prendera o seu esquife ao barco a motor do homem gordo, e eles tinham-se afastado num desânimo sombrio, sem recompensa; o rebocador soltara um último assobio, mostrara-lhes a sua proa agachada e feia onde o negro estava recostado, de novo a comer o seu objeto acinzentado, os pés em cima da amurada com o par de calcanhares mais sujos que eles teriam alguma vez a sorte de ver, e partiu. O *Nausikaa* estava outra vez livre e avançou rapidamente para a frente, a ganhar velocidade, e a última concussão abrupta de carne contra carne morreu sob a tarde.

A Sr.ª Maurier olhou para ele, levantou as mãos num gesto agitado e retraído, e ignorou-o.

– Mas eu vi-te no barco, logo depois de termos regressado – repetiu Fairchild, com uma espécie de espanto teimoso. Abriu uma nova garrafa.

– Não podias ter visto – respondeu Gordon, conciso. – Eu saí do barco no meio da confusão do Talliaferro. – Rejeitou com um gesto o copo estendido.

O homem semita disse num tom triunfante:

– Eu bem te disse.

E Fairchild começou de novo, teimosamente:

– Mas eu vi...

– Se voltas a dizer isso – disse-lhe o homem semita –, mato-te. – Virou-se para Gordon. – E pensaste que o Dawson se tinha afogado?

– Sim. O homem que me trouxe (hoje de manhã, encontrei a sua casa por acaso) já tinha ouvido falar disso, de alguma maneira. Deve ter-se espalhado ao longo de todo o lago. Ele não se lembrava exatamente do nome, e quando lhe disse os nomes do grupo e referi Dawson Fairchild, ele disse que era esse. Dawson e Gordon... estão a perceber? E por isso pensei...

Fairchild recomeçou a rir. Riu-se firmemente, tentando dizer alguma coisa.

– E assim... e assim ele volta e pa... passa... – De novo aquela nota histérica entrou-lhe na voz e as suas mãos tremeram, batendo com a garrafa contra o copo e espalhando uma colherada de líquido no chão –... e passa... Ele volta, sabem, e passa metade de um dia atrás... atrás do seu próprio traseiro...

O homem semita levantou-se e tirou-lhe a garrafa e o copo da mão e, meio a conduzi-lo meio a arrastá-lo, levou-o até ao seu beliche.

– Senta-ta e bebe isto. – Fairchild bebeu o uísque obedientemente. O homem semita virou-se de novo para Gordon. – O que te fez regressar? Não foi só porque ouviste dizer que o Dawson se tinha afogado, pois não?

Gordon manteve-se encostado à parede, enlameado e silencioso. Levantou a cabeça e olhou para eles e através deles, com o seu olhar duro e constrangido. Fairchild tocou no joelho do homem semita, num sinal de aviso.

– Isso não é nem aqui nem ali – disse ele. – A questão é: devemos ou não devemos embebedar-nos? Quanto a mim, acho que o devo fazer.

– Sim – concordou o outro. – Parece que depende de nós. De qualquer maneira, o Gordon devia comemorar a sua ressurreição.

– Não – respondeu Gordon –, não quero nada disso.

O homem semita protestou, mas Fairchild agarrou-o em silêncio, e quando Gordon se virou para a porta, ele levantou-se e seguiu-o pelo corredor.

– Ela também voltou, sabes – disse ele.

Gordon olhou para o homem mais baixo com o seu rosto esguio e barbudo, o seu rosto arrogante e solitário de falcão, com timidez e orgulho.

– Eu sei – respondeu. (O seu nome é um pouco como uma campainha de ouro pendurada no meu coração.) – O homem que me trouxe foi o mesmo que os trouxe ontem.

– Foi? – disse Fairchild. – Ele está a fazer um excelente negócio com os desertores, não está?

– Sim – respondeu Gordon. E desceu o corredor com uma leveza cantarolada no coração, uma alegria de prata brilhante como asas.

O convés estava deserto, tal como estivera naquela outra tarde. Mas ele esperou pacientemente na felicidade abafada do seu sonho e o seu coração arrogante e amargo era ainda tão jovem, tão desatento como ontem e amanhã; e em breve, como se em resposta a isso, ela surgiu de pernas nuas e moldada pelo vento do movimento, e a sua surpresa grave diminuiu e ela estendeu na sua direção uma mão endurecida e bronzeada.

– Então, fugiu – disse ela.

– E você também – respondeu ele, passado um intervalo preenchido por algo constituído de prata e límpido e bom.

– É verdade. Somos mesmo os arenques deste barco, não somos?

– Arenques?

– As entranhas, percebe – explicou ela. Olhou gravemente para ele sob a madeixa áspera e escura do seu cabelo. – Mas você voltou – acusou-o ela.

– E você também – recordou-a ele, entre as suas asas de prata silenciosas.

Dezassete Horas

– Mas, finalmente, estamos de novo em movimento – repetiu a Sr.ª Maurier a intervalos, com um ar distanciado, a escutar o som vagamente sociável que se acumulava e subia pela escada acima. Naquele momento, a Sr.ª Wiseman reparou no ar preocupado da sua anfitriã e também ela se deteve, à escuta.

– Outra vez? – disse ela, num tom agoirento.

– Receio bem que sim – respondeu a outra, com uma expressão infeliz.

O Sr. Talliaferro também escutou.

– Talvez seja melhor eu...

A Sr.ª Maurier fixou-o, e a Sr.ª Wiseman disse:

– Pobres rapazes. Eles tiveram de aguentar muito nos últimos dias.

– Os rapazes serão sempre rapazes – acrescentou o Sr. Talliaferro com uma pena dócil, a escutar com anseio aquele som vagamente sociável.

A Sr.ª Maurier ouviu-o, friamente distanciada e especulativa. Disse:

– Mas, de qualquer maneira, estamos de novo em movimento.

Dezoito Horas

O Sol começava a descer sobre a água, que se movia rapidamente: a água tinha laivos dourados, tal como a elegância brilhante de mogno e bronze do iate, e as asas prateadas do seu coração foram tocadas por rosa e ouro enquanto ele se mantinha ali e baixava os olhos para o cocuruto áspero da sua cabeça e para o seu corpo grave e a réplica assexuada da sua própria atitude, contra a amurada – uma imitação inconsciente simultaneamente cómica e confrangedora.

– Sabe – perguntou ele – o que Cyrano disse uma vez? – *Houve uma vez um rei que possuía todas as coisas. Todas as coisas eram suas: poder, e glória, e riqueza, e esplendor, e conforto. E assim ele sentou-se ao entardecer na sua corte de marfim preenchida pelo som da água e das aves e cercado pelo gesticular fixo das palmeiras, olhando sobre as abóbadas desvanecidas e mudas da sua cidade e para lá delas, até às barreiras de lilases sonhadores do seu mundo.*

– Não, o quê? – Mas ele limitou-se a baixar os olhos sobre ela, com o seu olhar cavernoso e constrangido. – O que disse ele? – repetiu. E depois: – Estava apaixonado por ela?

– Acho que sim... Sim, estava apaixonado. Ela também não o podia deixar. Não se conseguia ir embora de maneira nenhuma.

– Não podia? O que lhe fez ele? Trancou-a?

– Talvez ela não o quisesse fazer – sugeriu ele.

– Hum. – E depois: – Então, era uma verdadeira pateta. Foi suficientemente tolo para acreditar que ela não o queria fazer?

– Não correu quaisquer riscos. Tinha-a trancado. Num livro.

– Num livro? – repetiu ela. Depois compreendeu. – Oh... Foi isso que você fez, não foi? Com aquela rapariga de mármore sem braços nem pernas que esculpiu? Não preferia ter uma viva? Oiça, não tem nenhuma namorada ou qualquer coisa assim, pois não?

– Não – respondeu ele. – Como é que soube?

– Você tem tão mau aspeto. Desprezível. Mas é esse o motivo: nenhuma mulher vai perder tempo com um homem que se sente satisfeito com um pedaço de madeira ou qualquer coisa desse género. Você vai ter de sair de si mesmo. Vai rebentar de repente algum dia, ou limitar-se a secar... Que idade tem?

– Trinta e seis – respondeu. Ela disse:

– Raios, trinta e seis anos, e a viver num buraco com um bocado de pedra, como um cão com um osso seco. Raios. Porque não se vê livre dele? – Mas ele limitou-se a baixar os olhos para ela. – Não mo quer dar?

– Não.

– Então, eu compro-lho.

– Não.

– Dou-lhe... – Ela olhou-o com uma indiferença sóbria. – Dou-lhe dezassete dólares. Em dinheiro.

– Não.

Ela olhou-o com uma espécie de exasperação paciente.

– Bem, o que vai fazer com ele? Tem algum motivo para o guardar? Não o roubou, pois não? Não me diga que não tem nada onde gastar dezassete dólares, vivendo como vive. Aposto que neste momento nem sequer tem cinco dólares. Aposto que veio para este passeio para poupar comida. Dou-lhe vinte dólares, dezassete em dinheiro. – Ele continuou a olhar para ela, como se não a tivesse ouvido. *... E o rei falou com o escravo agachado à sua frente... Halim?... Senhor... Possuo todas as coisas, não possuo?... Vós sois o Filho da Manhã, senhor... Então, escuta-me, Halim; Tenho um desejo...* – Vinte e cinco – disse ela, a abanar-lhe o braço.

– Não.

– Não, não, não, não! – Ela bateu com os seus punhos bronzeados na amurada. – Você deixa-me tão furiosa! Não pode dizer outra coisa para além de Não? Você... você... – Olhou para ele com o seu rosto bronzeado e zangado e os seus olhos graves e opacos, e usou aquela frase que Jenny trocara com ela.

Ele pegou-lhe pelos cotovelos, e ela ficou tensa, ainda a observar-lhe o rosto: ele conseguiu sentir os músculos pequenos e duros dos seus braços.

– O que vamos fazer? – perguntou ela.

Levantou-a do chão e ela começou a debater-se. Mas ele levou-a implacavelmente através do convés e sentou-a numa espreguiçadeira, e virou-a para baixo sobre os seus joelhos. Ela arranhou e pontapeou numa fúria silenciosa, mas ele segurou-a, e ela parou de lutar, e enfiou os dentes na sua perna através do tecido sujo das suas calças, e agarrou-se a ele como um fantoche esfarrapado enquanto ele lhe apertava firmemente a saia à volta das suas coxas e a espancava, bem espancada.

– Estou a falar a sério! – exclamou ela, enfurecida e sem lágrimas, depois de ele lhe ter soltado os dentes e a ter sentado no seu colo. Havia uma pequena oval molhada na perna das suas calças. – Estou a falar a sério! – repetiu ela, tensa e enfurecida.

– Eu sei que está. Foi por isso que a espanquei. Não por o ter dito; aquilo que disse não significa nada, porque tem os géneros ao contrário. Espanquei-a porque estava a falar a sério, quer soubesse o que dizia ou não.

De repente ela tornou-se flácida, e chorou, e ele apertou-a contra o peito. Mas ela parou de chorar com a mesma rapidez, e ficou imóvel enquanto ele lhe passava a mão pelo rosto, lenta e firmemente, mas ao de leve. *É como uma coisa ouvida, não como se ouve uma música de metais e cordas tinidas e a voluptuosidade límpida de raparigas a dançar entre as cordas; não, Halim, não é uma virgem pálida de Tal com unhas pintadas e mel e mirra astuciosamente debaixo da língua. Nem é um odor como o da mirra e rosas para suavizar, feito para fluir como água na medula dos ossos de um homem, nem ainda... Fica, Halim: Outrora fui... outrora fui? Não é esta uma coisa verdadeira? É o amanhecer nas colinas altas e frias, o amanhecer é como um vento nas colinas limpas, e o vento traz o aflautado fino dos pastores, e o cheiro do amanhecer e de amendoeiras ao vento. Não é essa uma coisa verdadeira? ... Sim, senhor. Eu tinha-vos dito isso. Eu estava lá.*

– Você, além de machista, também gosta de acariciar? – perguntou ela, voltando a ficar tensa e revirando para cima o seu olho exposto. A mão dele moveu-se lentamente ao longo da sua maçã do rosto e maxilar, detendo-se, delineando um músculo, continuando a mover-se. *Então escuta, Halim: eu desejo uma coisa que, se não estivesse consciente, iria acordar; que, morto, ao lembrar-me disso eu iria agarrar-me a este mundo mesmo que fosse um pedinte num manto esfarrapado; sim, em vez disso eu iria pensar que seria um rei entre reis por entre os sons suaves e aromáticos do paraíso. Encontra-me isso, ó Halim.* – Diga – disse ela curiosamente, deixando de se mostrar alarmada –, porque está a fazer isso?

– A aprender o seu rosto.

– A aprender o meu rosto? Vai transformar-me em mármore? – perguntou ela rapidamente, levantando-se. – Pode fazer um mármore da minha cabeça?

– Sim.

– Posso ficar com ele? – Afastou-se, observando-lhe o rosto. – Então, faça dois – sugeriu ela. E de seguida: – Se não o fizer, dê-me o outro, aquele que tem, e eu posarei para este sem lhe cobrar nada. Que tal?

– Talvez.

– Preferia fazer isso do que ter este. Aprendeu bem o meu rosto? – Ela voltou a mover-se rapidamente, regressando à sua posição anterior. Virou o rosto para cima. – Aprenda-o bem.

Ora, esse Halim era um homem velho, tão velho que se esquecera de muito. Ele segurara aquele rei no seu primeiro pónei, a caminhar pacientemente ao seu lado por ruas e carreiros; ele mantivera-se entre o jovem príncipe e todas aquelas formas de aniquilação completa e repentina que o jovem príncipe tinha engendrado à maneira engenhosa dos rapazes; ele metera-se entre o jovem príncipe e a inevitável admoestação parental que se seguira àquelas. E sentou-se com as suas mãos cinzentas pousadas sobre os seus joelhos magros e a sua cabeça grisalha inclinada acima das mãos enquanto o entardecer atravessava as abóbadas simples e imaculadas da cidade e entrava na corte, imobilizando o som de pássaros de modo que o silêncio dos lilases da corte era apenas provocado pelo borbulhar da água, e entre a inquietação séria das palmeiras. Passado um bocado, Halim falou... Ah, senhor, nas colinas georgianas, eu mesmo amei essa donzela, quando era um rapaz. Mas isso foi há muito tempo, e ela está morta.

Deixou-se ficar deitada imóvel contra o peito dele, enquanto o entardecer morria como chifres de bronze atravessando a água. Disse, sem se mover:

– Você é um homem engraçado... Pergunto-me se eu poderia esculpir? Imagine que eu aprendo o seu rosto?... Bem, então, não o faça. Eu também preferia ficar quieta. Você é muito mais confortável do que parece. Só que me parece que já deve estar a ficar cansado... não sou nenhum beija-flor. Não está cansado de me segurar? – insistiu. Por fim, ele moveu a cabeça e voltou a olhar para ela com os seus olhos cavernosos e constrangidos, e ela tentou fazer alguma coisa com os seus olhos, assumindo simultaneamente uma atitude, uma espécie de convite lascivo, tão palpavelmente teatral e falso que quase serviu para enfatizar aquela sua grave e dura assexualidade.

– O que está a tentar fazer? – perguntou ele, em voz baixa. – Seduzir-me?

Ela disse «Raios». Sentou-se, depois contorceu-se para fora do seu colo e levantou-se.

– Então, não mo vai dar? Não vai mesmo?

– Não – disse-lhe ele, num tom sóbrio.

Ela afastou-se, mas naquele momento voltou a parar e olhou para trás, para ele.

– Dou-lhe vinte e cinco dólares.

– Não.

Ela voltou a dizer «Raios», e continuou a andar com os seus pés silenciosos e morenos, e desapareceu. (O teu nome é como uma pequena campainha dourada no meu coração, e quando penso em ti...) O *Nausikaa* aumentou de velocidade. De repente, era o entardecer; passado pouco, uma estrela.

Dezanove Horas

O lugar parecia inexpugnável, mas na verdade ele habituara-se a senti-lo junto das suas costas na cadeira, onde sabia que nada lhe iria acontecer. Além disso, mudar agora, passados tantos dias, seria como ceder numa aposta... E deixar que aqueles dois velhos vagabundos gozassem com ele por causa daquilo... Deteve-se à porta do salão.

Os outros estavam sentados e já iam adiantados no seu jantar, mas perante quatro lugares vazios encontravam-se aquelas toranjas eternamente insossas, sinistras e insípidas como impostos. Alguns deles ainda não tinham chegado: ele teria tempo de voltar a correr à sua cabina e deixá-lo lá. E permitir que um daqueles bêbedos o atirasse pela janela só pela piada?

A Sr.ª Wiseman, carregando um tabuleiro, disse bruscamente, «Escada, Pete», e ele encostou-se rente à parede para ela poder passar, e depois a sobrinha virou a cabeça e viu-o.

– Barriga para dentro – disse ela, e ouviu o som de passos pesados a aproximar-se. Hesitou por um segundo, depois atirou o chapéu para o pequeno nicho entre as duas prateleiras. De qualquer maneira, naquela noite iria arriscar. Podia, mais ou menos, manter-se atento a ele. Sentou-se.

A equipa de Fairchild entrou: uma jovialidade animada que naquele momento morreu numa consternação espantada ao ver as toranjas.

– Santo Deus – disse Fairchild, num tom abafado.

– Sente-se, Dawson – ordenou agreste a Sr.ª Wiseman. – É isso que o Julius, o major Ayers e eu pensamos a cada refeição. E, no entanto, quando chegamos à mesa, o que vemos?

– A minha primeira é uma princesa indiana – disse Mark Frost, num tom cavo e cadenciado. – Mas ainda é um pouco cedo para jogar às charadas, não é?

O major Ayers disse, «Ei?», e olhou de Mark Frost para Fairchild. Depois aventurou:

– São toranjas, não são?

– Mas temos tantas – explicou a Sr.ª Maurier. – Supostamente nunca nos cansamos delas.

– É isso mesmo – disse Fairchild, solenemente. – O major Ayers percebeu-o logo à primeira. Eu mesmo não tinha a certeza do que eram. Mas não se pode enganar o major Ayers; não se pode enganar um homem que viajou tanto como ele apenas com uma toranja. Calculo que tenha disparado contra muitas toranjas na China e na Índia, não é verdade, major?

– Dawson, sente-se – repetiu a Sr.ª Wiseman. – Fá-los sentar, Julius, ou vão para a cozinha se só querem ficar para aí a conversar.

Fairchild sentou-se, rapidamente.

– Não interessa – disse ele. – Nós podemos aguentá-las, se as senhoras também puderem. O corpo humano consegue aguentar qualquer coisa – acrescentou, num tom trocista. – Pode embebedar-se e ficar acordado e dançar durante toda a noite, e consumir grade atrás de grade de tor... – A Sr.ª Wiseman inclinou-se sobre o seu ombro e tirou-lhe a toranja da frente. – Oiça – exclamou ele.

– Não as querem – disse ela à menina Jameson, através da mesa. – Tira também a dele. – Assim também tiraram a toranja ao major Ayers, e a Sr.ª Wiseman bateu violentamente com os pratos no tabuleiro. Ao passar por trás da Sr.ª Maurier, embateu na mesa de servir dobrável com a anca e disse «Raios!», detendo-se para soltar o trinco e voltar a enfiá-la na antepara. O chapéu de Pete escorregou para o chão e ela atirou-o contra a parede com a biqueira do sapato.

– Sim, senhor – repetiu Fairchild –, o corpo humano consegue aguentar muitas coisas. Mas se eu tiver de comer mais uma toranja... Diz-me, Julius, no outro dia eu estava a examinar as minhas costas, e sabes, a minha pele está a tornar-se seca e áspera, com uma espécie de tonalidade amarelada. Se continuar assim, sei que não me vou voltar a despir em público tal como o Al Jack...

De repente, Mark Frost emitiu um som de alarme.

– Oiçam lá, pessoal – exclamou ele, levantando-se. – Vou sair daqui.

–... son não se descalça em público – continuou Fairchild, sem se perturbar.

A Sr.ª Wiseman regressou e ficou parada de mãos nas ancas, a olhar com desagrado para a cabeça despenteada de Fairchild. A Sr.ª Maurier olhou impotente à sua volta.

– Já acabaram todos – disse a Sr.ª Wiseman. – Vá lá, vamos para o convés.

– Não – protestou a Sr.ª Maurier. Disse firmemente: – Senhor Fairchild.

– Vá lá – incitou-o a sobrinha. – O que aconteceu ao Al Jackson?

– Cala-te, Pat – ordenou a Sr.ª Wiseman. – Vá lá, vocês todas. Deixem-nos ficar aqui a dispararem uns com os outros. Vamos trancá-los aqui dentro. O que acham?

A Sr.ª Maurier impôs-se. Levantou-se.

– Senhor Fairchild, eu simplesmente não vou permitir... se continuar com esse comportamento, eu sairei desta sala. Não vê como é cansativo... como é difícil... como é difícil – sob a impotência suplicante dos seus olhos, as suas várias papadas começaram a tremer um pouco –... como é difícil...

A Sr.ª Wiseman tocou-lhe no braço.

– Vamos, agora é inútil discutir com eles. Venha, querida. – Puxou a cadeira da Sr.ª Maurier para o lado e a mulher idosa deu um passo e parou abruptamente, agarrando-se ao braço da outra.

– Pisei qualquer coisa – disse ela, baixando os olhos cegamente.

Pete levantou-se com um grito enlouquecido e inarticulado.

– O velho Jackson – continuou Fairchild – afirma ser descendente direto do Old Hickory[15]. Uma antiga e excelente família do Sul, com todo o excelente orgulho de uma antiga família do Sul. O próprio Al tem muito desse orgulho; é por isso que não se descalça quando está acompanhado. Conto-te mais tarde o motivo.

» Bem, o velho Jackson era um guarda-livros ou qualquer coisa do género, que tirava um pequeno salário e tinha uma grande família para sustentar, e ele queria melhorar de vida com o mínimo de trabalho, como um descendente de qualquer boa e antiga família do Sul quereria, e por isso teve a ideia de pegar num pouco das suas terras nos pântanos do Luisiana e criar ali ovelhas. Ele reparara que a vegetação mais viçosa crescia nas árvores dos terrenos pantanosos, por isso calculou que a lã devia crescer da mesma maneira exuberante numa ovelha criada num pântano. Assim deixou o seu trabalho de guarda-livros, e pegando nalgumas centenas de hectares no pântano do rio Tchufuncta encheu-as de ovelhas, usando o dinheiro que o tio da sua mulher, um membro de uma antiga família da aristocracia do contrabando de bebidas alcoólicas do Tennessee, lhes deixara.

» Mas as suas ovelhas começaram imediatamente a afogar-se, por isso ele fez-lhes boias salva-vidas a partir de pequenas

[15] Referência a Andrew Jackson (1767-1845), o sétimo Presidente norte-americano, cuja alcunha era Old Hickory. *(N. da T.)*

barricas de madeira que tinham feito parte da herança daquele tio do Tennessee, de modo que quando as ovelhas se perdiam em águas fundas boiavam até a corrente as voltar a levar para terra. Isto funcionou muito bem, mas as suas ovelhas continuavam a desaparecer, isto é, desapareciam os cabritos e os cordeiros. Depois ele descobriu que os jacarés estavam...

– Sim – murmurou o major Ayers –, Old Hickory.

–... a apanhá-las. Por isso fez uma imitação em madeira de chifres de carneiro, e prendeu um par a cada cabrito e a cada cordeiro mal nasciam. E isso reduziu as suas perdas causadas pelos jacarés até um mínimo em que mal se reparava. A carne de carneiro parecia ser demasiado rançosa até mesmo para jacarés.

» Passado algum tempo as boias salva-vidas gastaram-se, mas nessa altura as ovelhas tinham aprendido a nadar bastante bem, por isso o velho Jackson decidiu que não valia a pena continuar a pôr-lhes boias. O facto é que as ovelhas começaram a gostar de água: a primeira colheita de ovelhas só saía da água para se alimentar; e quando chegou a época da primeira tosquia, ele e os seus rapazes tiveram de reunir as ovelhas com barcos.

» Na tosquia seguinte, essas ovelhas nem sequer saíam de dentro de água para serem alimentadas. Por isso, ele e os seus rapazes iam em barcos e punham tinas de comida a boiar nas baías pantanosas para elas comerem. Essa colheita de ovelhas também conseguia mergulhar. Nunca viram uma única em terra; apenas viam as suas cabeças a nadar através dos pauis e dos lamaçais.

» Por fim, chegou outra época de tosquia. O velho Jackson tentou apanhar uma delas, mas as ovelhas conseguiam nadar mais depressa do que ele e os seus rapazes conseguiam remar, e as mais novas mergulharam debaixo de água e escaparam. Por isso, acabaram por ter de pedir emprestado um barco a motor.

E quando conseguiram finalmente cansar uma daquelas ovelhas, e a apanharam, e a tiraram de dentro de água, descobriram que apenas o cimo das suas costas tinha lã. O resto do seu corpo tinha escamas como as de um peixe. E quando finalmente apanharam um dos cordeiros de primavera na armadilha de um jacaré, descobriram que a sua cauda tinha alargado e achatado como a de um castor, e que nem sequer tinha patas. A princípio, mal sabiam o que era.

– Que bizarro – murmurou o major Ayers.

– Sim, senhor, estavam completamente atrofiadas. O tempo passou, e não chegaram a ver a colheita seguinte de ovelhas. A comida que tinham deixado para elas foi comida pelos pássaros, e quando chegou a época da tosquia seguinte, nem sequer conseguiram apanhar uma com o barco a motor. Nem sequer viam uma há três semanas. No entanto, sabiam que elas ainda ali estavam, porque, por vezes, ouviam-nas a balir durante a noite no pântano. De vez em quando apanhavam uma num dos anzóis de tubarão, cujos iscos eram maçarocas. Mas não muitas.

» Bem, senhor, quanto mais o velho Jackson pensava naquele pântano cheio de ovelhas, mais furioso ficava. Calcorreava a casa e jurava que as ia apanhar nem que tivesse de comprar um barco a motor que andasse a noventa quilómetros por hora, e um fato de mergulho para ele e para cada um dos rapazes. Ele tinha um rapaz chamado Claude; o irmão do Al, sabem. O Claude era um pouco selvagem: um diabo atrás das mulheres, um jogador e um bêbedo; uma espécie de tipo atraente, taciturno e muito enérgico. E, por fim, o Claude fez uma combinação com o pai para ficar com metade de cada ovelha que conseguisse apanhar, e começou a trabalhar de imediato. Nunca se ralou com barcos ou linhas de pesca; despiu-se, entrou na água e apanhou-as à mão.

– Apanhou-as à mão? – repetiu o major Ayers.

– Claro. Encurralava uma e mantinha-a debaixo de água e depois arrastava-a para fora com as suas mãos nuas. O Claude era mesmo assim. E então eles descobriram que as ovelhas daquele ano não tinham lã nenhuma, e que a sua carne era o melhor peixe para comer que havia no Luisiana; como eram em parte alimentadas a milho isso dava-lhes um bom sabor, percebem. Foi aí que o velho Jackson desistiu do negócio das ovelhas e dedicou-se ao rancho de peixes em grande escala. Ele sabia que seria canja desde que o Claude os conseguisse apanhar, por isso fez imediatamente negócio com os mercados de Nova Orleães, e eles começaram a ficar ricos.

– Por Júpiter – disse o major Ayers tenso, a sua mente inflamada.

– O Claude gostava do trabalho. Era um tipo de vida aventurosa que se lhe adequava bem, por isso desistiu de tudo e dedicou todo o seu tempo àquilo. Deixou de beber, de jogar e de se divertir à noite, e naquele bairro houve um decréscimo acentuado no vício, e as jovens esperavam ansiosas por ele nos bailes locais e sentavam-se inutilmente nos alpendres nas noites de domingo.

» Passado pouco, ele conseguia nadar mais depressa do que as ovelhas velhas, e tendo de mergulhar tanto atrás das novas, chegou ao ponto em que se conseguia manter debaixo de água durante meia hora ou mais. E passado pouco chegou ao ponto em que conseguia ficar debaixo de água durante todo o dia, saindo apenas para comer e dormir; e depois repararam que a pele de Claude estava a ficar estranha e que tinha uma maneira de caminhar esquisita, como se os seus joelhos fossem rígidos ou qualquer coisa desse género. Passado pouco tempo ele deixou de sair de dentro de água de vez, mesmo para comer, de modo que levavam as suas refeições até lá abaixo, junto da água, e deixavam-nas, e passado um bocado ele nadava até lá e apanhava-as. Por vezes não viam a Claude durante dias. Mas ele ainda estava a apanhar aquelas ovelhas, a apascentá-las para um redil que o velho Jackson tinha construído no pântano pouco fundo e que vedara com arame, e a sua metade do dinheiro estava a aumentar no banco. Por vezes, pedaços de ovelha meio comidas flutuavam até à margem, e o velho Jackson achou que os jacarés estavam de novo a apanhá-las. Mas agora não lhes conseguia pôr chifres porque ninguém as conseguia apanhar a não ser o Claude, e já há algum tempo que ele não via o Claude.

» Tinham-se passado umas duas semanas desde que alguém vira o Claude, quando um dia houve um grande reboliço no redil das ovelhas. O velho Jackson e alguns dos seus rapazes correram até lá abaixo, e quando lá chegaram viram as ovelhas a saltar por todos os lados para fora de água, a tentarem voltar outra vez para terra; e passado um bocado um grande jacaré apressou-se a sair de entre elas, e o velho Jackson percebeu o que assustara as ovelhas.

» E depois, mesmo atrás do jacaré ele viu o Claude. Os olhos do Claude pareciam ter avançado para os lados da sua cabeça e a sua boca estendera-se um grande bocado para trás, e os seus dentes tinham-se tornado mais compridos. E depois o velho Jackson percebeu o que assustara o jacaré. Mas aquela foi a última vez que viram o Claude.

» No entanto, pouco tempo depois disso, houve um alerta de tubarão nas praias de banhos ao longo da costa do golfo. Parecia que um tubarão solitário continuava a incomodar banhistas mulheres, em especial loiras; e todos sabiam que era o Claude Jackson. Ele sempre fora um diabo com loiras.

Fairchild interrompeu-se. A sobrinha guinchou, levantou-se de um salto e aproximou-se dele, dando-lhe uma palmadinha nas costas. Os olhos redondos e encantadores de Jenny estavam pousados nele, vazios de qualquer pensamento. O homem semita estava refastelado na sua cadeira, tinha provavelmente adormecido.

O major Ayers olhou para Fairchild durante muito tempo. Por fim, disse:

– Mas porque é que aquele que é jacaré usa botas do congresso?

Fairchild pensou por um momento. Depois disse, num tom dramático:

– Porque é palmípede.

– Sim – concordou o major Ayers. Pensou por sua vez. – Mas esse tipo que ficou rico... – A sobrinha voltou a guinchar. Sentou-se ao lado de Fairchild e olhou-o com uma expressão de admiração.

– Continue, continue – disse ela –, conte-nos daquele que roubou o dinheiro, sabe.

Fairchild olhou para ela amavelmente. No silêncio ouviu-se um acorde fino e adocicado.

– Lá está o gramofone – disse ele. – Vamos subir e dançar.

– Aquele que roubou o dinheiro – insistiu ela. – Por favor. – Pousou-lhe a mão no ombro.

– Numa outra altura – prometeu ele, levantando-se. – Agora, vamos subir e dançar. – O homem semita ainda estava refastelado na cadeira, e Fairchild abanou-o. – Acorda, Julius. Agora, já terminei.

O homem semita abriu os olhos e o major Ayers disse:

– Quanto é que eles ganharam com o seu rancho de peixes?

– Não tanto como poderiam ter ganho com um laxante patenteado e de sabor agradável. Nem todos os americanos comem peixe, sabe. Vá lá, vamos subir e participar daquele baile com que nos têm aborrecido todas as noites.

– Diz-me – disse a sobrinha, quando ela e Jenny subiram ao convés –, lembras-te daquela coisa que trocámos na outra noite? Aquela que tu me deixaste usar por aquela que eu te deixei usar?

– Acho que sim – respondeu Jenny. – Lembro-me da troca.

– Já a usaste?

– Nunca me consigo lembrar dela – confessou Jenny. – Nunca me consigo lembrar daquilo que me disseste... Além disso, agora tenho outra.

– Tens? Quem ta contou?

– O homem de olhos esbugalhados. O inglês.

– O major Ayers?

– Sim. Ontem à noite estávamos a falar e ele estava sempre a dizer para irmos hoje a Mandeville. Estava sempre a dizer isso. E hoje de manhã portou-se como se pensasse que eu queria dizer que íamos. Portou-se como se estivesse doido.

– O que disse ele?

Jenny disse-lhe – na mistura de inglês macarrónico e hindustani que o major Ayers devia ter apanhado ao longo da costa de Singapura, ou talvez nalgum lugar desonesto e duvidoso nos Estreitos, mas depois de Jenny o ter repetido, não soou a absolutamente nada.

– O quê? – perguntou a sobrinha. – Foi assim que ele o disse?

– Foi assim que me soou – respondeu Jenny.

A sobrinha disse, curiosa:

– Os homens praguejam muito contigo. Estão sempre a amaldiçoar-te. De qualquer maneira, o que lhes fazes?

– Não lhes faço nada – respondeu Jenny. – Só estou a falar com eles.

– Bem, eles praguejam mesmo muito... Ouve, podes ficar com aquela que me emprestaste.

– Utilizaste-a com alguém? – perguntou Jenny, interessada.

– Tentei-a naquele ruivo, no Gordon.

– Naquele homem afogado? O que disse ele?

– Bateu-me. – A sobrinha esfregou-se com uma mão bronzeada e retrospetiva. – Deu-me uma valente tareia – disse ela.

– Céus – respondeu Jenny.

Vinte e Duas Horas

Fairchild reuniu a sua equipa, alimentou-a, e voltou a levá-la para o convés. As senhoras aplaudiram o seu aparecimento com um prazer desconfiado. O Sr. Talliaferro e Jenny estavam a dançar, e a sobrinha e Pete com o seu chapéu danificado executavam em conjunto um abandono habilidoso e assexuado que era quase profissional, enquanto o resto do grupo os observava.

– Ena! – guinchou Fairchild, observando a sobrinha e Pete com uma admiração infantil e crescente. Naquele momento eles estavam de frente um para o outro a curta distância, os seus corpos rígidos até à cintura. Mas abaixo desta eram como espantosos brinquedos desarticulados, e as suas pernas pareciam voar em todas as direções ao mesmo tempo até os seus joelhos parecerem tocar o chão. Depois deram as mãos e rodopiaram rapidamente em conjunto, sem uma quebra naquele *staccato* estonteante de tacões. – Veja, major, olhe para ali! Olha para ali, Julius! Vá lá, acho que consigo fazer aquilo.

Conduziu os seus homens no assalto. O gramofone parou naquele momento; ele mandou o homem semita pô-lo a funcionar, e dirigiu-se de imediato ao lugar onde se encontrava Pete e a sobrinha.

– Oiçam, vocês parecem mesmo profissionais. Pete, deixa--me ficar com ela desta vez, sim? Quero que me mostre como é que se faz isso. Vais-me mostrar? O Pete não se importa.

– Está bem – concordou a sobrinha –, eu mostro-lhe, devo--lhe alguma coisa pela história que contou esta noite ao jantar. – Ela pousou a mão no braço de Pete. – Não te vás embora, Pete. Vou mostrar-lhe e depois ele pode praticar com as outras. Não te vás embora; danças bem. Podes fazer companhia à Jenny durante um bocado. Ela deve estar cansada; há meia hora que ele se tem estado a encostar a ela. Venha, Dawson. Olhe para mim agora. – Ela parecia não ter ossos.

O major Ayers e o homem semita tinham companheiras, embora mais dóceis. O major Ayers galopava num estilo pesado de dragão; quando o disco terminou, a menina Jameson estava a arquejar. Ofereceu-se para ficar sentada na dança seguinte, mas Fairchild não deixou. Ele acreditava ter jeito para aquilo.

– Vamos lá dar estilo ao baile da nossa velha rapariga – disse--lhes ele.

O major Ayers, inflamado pelo exemplo de Fairchild, ofereceu-se para dançar com a sobrinha. O Sr. Talliaferro, na ausência de Jenny, ficou com a Sr.ª Wiseman; o homem semita estava a bajular a anfitriã.

– Vamos lá animar o baile – cantarolou Fairchild. E começaram.

Gordon subira vindo de algures e parou na sombra, a observar.

– Vamos, Gordon – gritou-lhe Fairchild. – Agarre numa!

Quando a música parou, Gordon dirigiu-se ao major Ayers. A sobrinha ergueu os olhos surpreendida, e o major Ayers afastou-se na direção de Jenny.

– Não sabia que dançava – disse ela.

– Porque não? – perguntou Gordon.

– Tem a aparência de alguém que não o faz. E disse à tia Pat que não podia dançar.

– Não posso – respondeu ele, baixando os olhos para ela.

– Amarga – disse ele, lentamente. – É isso que você é. Nova. Como a casca de uma árvore quando a seiva está a subir.

– Vai-mo dar? – Ele ficou calado. Ela não lhe conseguia ver o rosto com nitidez. Apenas o formato barbudo da sua cabeça alta. – Porque não mo dá? – Ainda nenhuma resposta, e a cabeça dele era tão feia quanto bronze delineado contra o céu. Fairchild reiniciou o gramofone: um saxofone soltava lamentos obscenos, e ela levantou os braços. – Venha.

Quando aquela música acabou, a equipa de Fairchild voltou a apressar-se para as cabinas, e naquele momento o Sr. Talliaferro viu ali uma oportunidade e seguiu-os sub-repticiamente. Fairchild e o major Ayers estavam estaticamente volúveis: a pequena cabina fervilhava de som. Depois voltaram a apressar-se para o convés.

– Cuidado por onde andas, Talliaferro – avisou-o Fairchild, enquanto subiam. – Ela está de olho em ti. Já dançaste com ela? – O Sr. Talliaferro ainda não tinha dançado. – É melhor respirares para longe, quando o fizeres.

Ele conduziu os seus homens ao assalto. As senhoras mostraram-se recatadas, mas Fairchild estava por toda a parte, a bajular, a ameaçar, a dar vida à festa. A animar o baile. A Sr.ª Maurier estava a tentar chamar a atenção do Sr. Talliaferro. A sobrinha tinha perentoriamente voltado a levar Pete, e Gordon encontrava-se de novo na sua sombra, arrogante e distante. Começaram a dançar.

– Oiçam – disse o Sr. Talliaferro, saltando brusca e cautelosamente para dentro da cabina –, é melhor abrandarmos um bocado, não acham?

– Para quê? – perguntou o homem semita, e Fairchild disse:

– Ah, está tudo bem. Ela espera isto de nós. Alguém tem de ser a ralé, sabe. Além disso, queremos tornar este cruzeiro memorável nos anais das águas profundas. Ei, major? No entanto, é melhor o Talliaferro ir com calma.

– Oh, nós tomamos conta do Talliaferro – disse o homem semita.

– Não há medo nenhum – assegurou-lhe o major Ayers. – Mais um copo, ei?

Beberam todos mais um copo. De seguida apressaram-se a voltar ao convés.

– O que faz em Nova Orleães, Pete? – perguntou a menina Jameson, interessada.

– Uma coisa ou outra – respondeu Pete, cauteloso. – Estou num negócio com o meu irmão – acrescentou ele.

– Calculo que tenha muitos amigos? As raparigas devem gostar de dançar consigo. Você é um dos melhores bailarinos que já vi... quase um profissional. Eu gosto de dançar.

– Sim – concordou Pete. Estava inquieto. – Acho que...

– Pergunto-me se você e eu não nos podíamos encontrar numa destas noites, e voltar a dançar? Não vou muito a clubes noturnos, porque nenhum dos homens que conheço dança muito bem. Mas gostaria de ir consigo.

– Acho que sim – respondeu Pete. – Bem, eu...

– Eu dou-lhe o meu número de telefone e a minha morada, e pode telefonar-me dentro de pouco tempo, sim? Podemos ir jantar juntos e depois ir dançar, sabe.

– Claro – respondeu Pete, pouco à vontade. Tirou o chapéu e examinou a copa. Depois voltou a incliná-lo sobre a sua cabeça escura e inquieta. A menina Jameson disse:

– Alguma vez marca encontros em antecipado, Pete?

– Não – respondeu ele, rapidamente. – Eu não marcaria um encontro com mais de um dia. Limito-me a ligar-lhes e levo-as a sair e levo-as de regresso a tempo de ir trabalhar no dia seguinte. Eu não teria um encontro em que tivesse de esperar até ao dia seguinte.

– Nem eu. Por isso, fazemos uma coisa; vamos quebrar as regras por uma vez, e marcarmos um encontro para a primeira noite que passarmos em terra, o que acha? Vem jantar a minha casa, e depois mais tarde saímos para dançar. Eu tenho carro.

– Eu... Bem, é que, sabe...

– Vamos fazer mesmo isso – continuou a menina Jameson, sem piedade. – Não nos vamos esquecer disso. É uma promessa, não é?

Pete levantou-se.

– Acho que nós... acho que é melhor não prometer. Pode aparecer alguma coisa que eu... que não pudéssemos sair. Acho... – Manteve-se sentada em silêncio, a olhar para ele. – Talvez seja melhor esperar e combinarmos quando voltarmos. Posso estar fora da cidade ou qualquer coisa assim nesse dia, percebe? Talvez seja melhor esperarmos e vermos como as coisas correm. – Ela continuou sem dizer nada, e naquele momento desviou os seus olhos pacientes e sem humor e olhou para a água escura, e Pete levantou-se pouco à vontade com o seu desejo instigado para continuar a falar. – Acho que é melhor esperarmos e vermos isso depois, percebe?

Ela tinha desviado a cabeça, por isso ele afastou-se sem ostentações. Voltou a parar e olhou para ela. Ainda estava a olhar para a água: um servilismo resignado de passividade, silenciosa na sua cadeira na sombra.

Quando a abraçou, Jenny tirou o chapéu que ele tinha traiçoeiramente inclinado sobre a sua cabeça inquieta, e examinou a copa partida com o reaparecimento de um ligeiro espanto; e ainda a segurar o chapéu na mão, aproximou-se dele com um movimento fluido e envolvente, sem sequer parecer que se estava a mover. Os rostos de ambos fundiram-se e Jenny ficou de imediato completamente sem ossos, parecendo estar a suspender a sua abundância através da sua boca macia, depois abriu a boca contra a dele... Passado um bocado, Pete levantou a cabeça, o rosto de Jenny era um borrão sonolento e passivo, abundante, encantadoramente abundante, na penumbra; e Pete tirou o seu lenço já usado e limpou a boca dela, com bastante suavidade.

– Ultrapassaste aquilo sem ficares com uma cicatriz, não ultrapassaste? – disse ele. Sem vontade, baloiçaram num mundo invisível e morno como água, invisível e copioso e belo, estranho e silencioso e grave sob aquela Lua em declínio de decadência e morte... – Dá um beijo ao teu velho, querida...

A sobrinha entrou no quarto da tia, sem bater. A Sr.ª Maurier ergueu o seu rosto espantado, num guincho, e puxou uma peça de roupa sem forma sobre o peito do qual retirara recentemente o espartilho, como as mulheres fazem. Quando recuperou parcialmente do choque, correu pesadamente até à porta e trancou-a.

– Sou só eu – disse a sobrinha. – Oiça, tia Pat...

A tia arquejou: o seu seio e papadas incharam, livres.

– Porque não bateste? Nunca deves entrar num quarto dessa maneira. O Henry nunca...

– Claro que sim – interrompeu-a a sobrinha –, constantemente. Oiça, tia Pat, o Pete acha que a tia lhe deve pagar o chapéu. Por o ter pisado, sabe.

A tia olhou para ela.

– O quê?

– A tia pisou o chapéu do Pete. Ele e a Jenny acham que a tia o deve pagar. Ou, pelo menos, oferecer-se para o fazer. Presumo que se a tia se oferecesse para o fazer, ele não iria aceitar.

– Acha que eu devo pa... – A voz da Sr.ª Maurier desvaneceu-se num espanto chocado, silencioso.

– Sim, eles acham que... Estou a falar disto porque lhes prometi que o faria. Claro que se quiser, não tem de o fazer, sabe.

– Acha que eu devo pa... – A voz da Sr.ª Maurier voltou a falhar-lhe, e o seu espanto transformou-se numa coisa caótica que encheu de modo interessante o seu rosto redondo. Depois gelou em algo definido: um desagrado friamente determinado, e ela recuperou a voz.

– Eu alojei e alimentei essas pessoas durante uma semana – disse ela, sem humor. – Não me parece que também seja obrigada a vesti-las.

– Bem, só falei disso porque prometi – repetiu a sobrinha, tranquilizadora.

A Sr.ª Maurier, Jenny e a sobrinha tinham desaparecido, para alívio misto do Sr. Talliaferro. Contudo, ainda restavam duas. Dançaram à vez com elas.

O major Ayers, Fairchild e o homem semita apressaram-se a descer outra vez a escada. Daquela vez, o Sr. Talliaferro seguia-os abertamente, de um modo um pouco errático.

– Que tal estão a correr as coisas? – perguntou Fairchild, pousando a garrafa. O Sr. Talliaferro emitiu um som molhado e depreciativo, a olhar para os outros dois. Eles olharam-no com um interesse amável. – Oh, eles sabem – tranquilizou-o Fairchild. – Estão tão ansiosos por o ver a ultrapassar isso, como eu. – Pousou a garrafa ao alcance da mão, e emborcou o que havia no seu copo. – Deixe-me que lhe diga uma coisa, é a ousadia que resulta com as mulheres, não é, major?

– Tem toda a razão. A ousadia: a impetuosidade; tome-as de imprevisto.

– Certo. É isso que quer fazer. Tome outra bebida. – Encheu o copo do Sr. Talliaferro.

– É esse exatamente o meu plano. Ousadia. Ousadia. Ousadia. – O Sr. Talliaferro olhou para o outro, com um olhar vidrado. Tentou piscar um olho. – Não me viu a dançar com ela?

– Sim, mas isso não é ousadia suficiente. Se fosse eu a fazê-lo, fá-lo-ia esta noite, agora. Diz-me, Julius, sabes o que é que eu faria? Iria diretamente até ao seu quarto; entrava. Ele esteve a dançar com ela e a conversar com ela: o gelo já foi quebrado, percebes. Aposto que está ali neste exato momento, à espera dele, à espera que seja suficientemente ousado para ir ter com ela. Vai sentir-se muito mal amanhã quando descobrir que perdeu uma oportunidade, não vai? Só se tem uma hipótese com uma mulher, sabe. Se lhe falhar nessa altura, ela acabou consigo... o próximo homem que aparecer fica com ela, sem qualquer esforço. Não é o homem de quem a mulher gosta que colhe os frutos da paixão, sabe: é o homem seguinte que aparece, depois de ter perdido o outro. Eu iria odiar pensar que estive a trabalhar para que outro ficasse com os benefícios. Você não?

O Sr. Talliaferro olhou para ele. Engoliu em seco duas vezes.

– Mas imagine, imagine, que ela não está à minha espera.

– Oh, claro. Claro que vai ter de arriscar. De qualquer maneira, seria necessário um homem ousado, para irromper pelo seu quarto, entrar diretamente sem bater e dirigir-se à cama. Mas quantas mulheres resistiriam? Eu não resistiria, se fosse mulher. Se fosse ela, Talliaferro, resistiria? Descobri – continuou – que a ousadia nos consegue quase tudo neste mundo, em especial com as mulheres. Mas é preciso um homem ousado... Ouça, aposto que o major Ayers o faria.

– E tem razão. Por Júpiter, eu entraria diretamente... Ora, acho que de qualquer maneira o vou fazer. Qual delas é? Não é a velha, pois não?

– Está bem. Isto é, se o Talliaferro não o quiser fazer. Ele tem a primeira oportunidade, sabe: fez todo o trabalho preparatório pesado. Mas é preciso um homem ousado.

– Oh, o Talliaferro é tão ousado quanto qualquer homem – disse o homem semita.

– Mas, a sério – repetiu o Sr. Talliaferro –, imaginem que não está à minha espera. Imaginem que ela começava a gritar... Não, não.

– Sim, o Talliaferro não é suficientemente ousado. Afinal, é melhor deixarmos ir o major Ayers. Pelo menos, não há necessidade de desiludir a rapariga.

– Além disso – acrescentou o Sr. Talliaferro, rapidamente –, ela está na cabina com outra pessoa.

– Não está, não. Agora está na cabina sozinha; aquela na ponta do corredor.

– Aquela também é a cabina da senhora Wiseman – disse o Sr. Talliaferro, a olhar para ele.

– Não, não, ela mudou. Aquela cabina tem um estore partido, por isso ela mudou-se. O Julius e eu estivemos a ajudá-la a mudar-se esta tarde. Não estivemos, Julius? É por isso que sei que a Jenny agora está lá.

– Mas, a sério... – O Sr. Talliaferro voltou a engolir em seco. – Têm a certeza de que aquela é a cabina dela? Este é um assunto sério, sabem.

– Beba outro copo – disse Fairchild.

Meia-Noite

O convés estava deserto. Fairchild e o major Ayers pararam e olharam em volta, num espanto dorido. O gramofone estava tapado e mudo, presumidamente inescrutável. Tiveram um conselho apressado, depois avançaram para procurar retardatários. Não havia nenhum.

– Põe um disco – sugeriu Fairchild, por fim. – Talvez isso faça com que venham até cá acima. Devem ter pensado que nos fomos deitar.

O homem semita voltou a pôr o gramofone a funcionar, e de novo o major Ayers e Fairchild varreram o convés em vão. A Lua tinha-se erguido, o seu disco ossudo e primitivo estava colado no céu como uma moeda depois de muito manuseada.

A Sr.ª Maurier foi procurar o capitão e juntos entraram na cabina de Fairchild.

– Encontre-as a todas – mandou ela –, cada uma delas. – O capitão encontrou-as. – Agora, abra essa janela.

Depois de terem terminado, deu mais instruções ao capitão e de seguida regressou para a sua cabina e voltou a sentar-se na borda da cama. O luar entrava na cabina como uma lança a atravessar a vigia, como um lápis de mármore a estilhaçar-se e a encher a cabina com uma poeira fina e prateada, como a do mármore.

– Chegou, por fim – sussurrou ela, consciente do seu corpo, pesado e macio devido aos anos. Eu devia sentir-me feliz, eu devia sentir-me feliz, pensou, mas os seus membros estavam frios e eram-lhe estranhos e dentro dela aumentava uma coisa terrível, uma coisa terrível e venenosa e liberta, como água que estivera contida durante demasiado tempo: era como se houvesse um despertar dentro do seu corpo longo, confortável e familiar, uma coisa que habitava ali dormente e que ela albergara inconscientemente.

Sentou-se na borda da cama, a sentir os membros frios e estranhos, enquanto aquela coisa que aumentava no seu interior se desdobrava como uma intrincada flor venenosa, uma convulsão lenta e intrincada de pétalas que aumentavam e se desvaneciam, morriam e eram substituídas por outras pétalas maiores e mais implacáveis. Os seus membros eram estranhos e frios: estavam a tremer. Aquela flor escura de riso, aquela hedionda flor secreta crescia e crescia até que todo o mundo que era ela se transformou num rodopiar implacável e lento de histeria que se ergueu na sua garganta e a sacudiu como se com uma miríade de pequenas mãos, enquanto acima da sua cabeça se ouvia um acorde fino e adocicado intervalado pelo bater pesado de pés, enquanto Fairchild ensinava o *charleston* ao major Ayers.

E passado pouco, outro som; e o *Nausikaa* estremeceu e pulsou, cingindo-se com o movimento.

O Sr. Talliaferro encontrava-se à proa, deixando o vento soprar-lhe no rosto, por entre o seu cabelo. A Lua gasta erguera-se e espalhara a sua mão sem ossos sobre a água incessante, e as estrelas frias e distantes pendiam acima da sua cabeça, frias e distantes e sem curiosidade: porque se haveriam de preocupar com o desespero extenuado no seu rosto, com o desespero abafado no seu coração? Já tinham visto demasiado sofrimento e indecisão e espanto humanos para se preocuparem com o facto de o Sr. Talliaferro se ter comprometido a voltar a casar.

... Passado pouco, um som; e o *Nausikaa* estremeceu e pulsou, cingindo-se com o movimento.

De repente, Fairchild parou, levantando a mão para pedir silêncio.

– O que foi isto? – perguntou.

– Isto o quê? – respondeu o major Ayers, também parando e olhando para ele.

– Pensei ouvir qualquer coisa a cair à água. – Atravessou o convés até à amurada e inclinou-se por cima dela. O major Ayers seguiu-o e escutaram ambos. Mas a água escura e inquieta mantinha-se imperturbada por qualquer som desconhecido, a noite estava calma, isolando o disco brando e gasto da Lua.

– O criado deve estar a deitar fora as toranjas – sugeriu, por fim, o major Ayers. Afastaram-se.

– Espero que sim – disse Fairchild. – Volta a dar à manivela, Julius.

E passado pouco, outro som; e o *Nausikaa* estremeceu e pulsou, cingindo-se com o movimento.

EPÍLOGO

1

A água do lago fizera coisas estranhas ao vestido curto e verde de Jenny. Ficara seco, áspero e pingão, e nalguns sítios descaíra enquanto noutros subira. Por exemplo, a saia na parte detrás; porque agora entre o balão gracioso e miniatural da sua bainha e acima das suas meias encardidas via-se a carne rosada.

Mas ela estava encantadoramente inconsciente disso enquanto se encontrava parada na Canal Street à espera do seu elétrico, observando o chapéu danificado e inclinado de Pete a afastar-se entre o trânsito, apertando na sua pequena mão suja a moeda de dez cêntimos que ele lhe dera para o transporte. Passado pouco apareceu o elétrico e ela entrou e deu ao condutor a moeda e recebeu o troco e colocou sete cêntimos na máquina enquanto homens, homens por barbear e homens sem casacos e homens velhos e homens jovens asseados e homens que cheiravam a água de sanita e a loção barata e a suor e homens que cheiravam apenas a suor a observavam com o servilismo húmido de cães de caça. Depois percorreu o corredor, copiosa, placidamente copiosa, e depois o elétrico deu um salto para a frente e ficou parcialmente sentada em cima de um homem gordo com um chapéu de coco e um jornal, que levantou os olhos para ela e depois se aproximou mais da janela e voltou a mergulhar no seu jornal com o seu chapéu de coco posto.

O elétrico zumbiu e arrancou e saltou e parou e saltou e zumbiu e arrancou entre muros agachados e ferro antigo e adorável como renda encardida, e crianças do Sul da Europa aos guinchos distraídas e selvagens e macias como animais e animadas de sujidade; e cheiros antigos e ricos a comida, cheiros suficientemente ricos para engordarem a carne através dos pulmões; e mulheres a gritarem entre portas adjacentes com xailes berrantes e sujos. Os seus três *pennies* tinham ficado quentes e húmidos na sua mão, por isso ela mudou-os para a outra mão e secou a palma na coxa.

Passado pouco era uma rua mais larga com ângulos retos – um espaço cansativamente verde de folhagem de finais de agosto e de novo a civilização na forma de uma estação de serviço; e ela desceu e passou por entre casas que tinham outrora e há muito tempo possuído individualidade, reserva, mas que se tinham agora tornado vaga e sordidamente idênticas; chegou por fim a um portão de ferro pelo qual passou e subiu por um carreiro de betão estreito ladeado de ambos os lados por canteiros nos quais por algum motivo as flores nunca pareciam crescer bem, e assim continuou passando pelo alpendre até ao interior da casa.

O seu pai trabalhava no turno da noite e estava agora sentado com os seus pés calçados de meias e os seus suspensórios caídos em frente do seu jantar de cavala (era uma sexta-feira) e batatas fritas e café e um jornal do princípio da tarde. Ele limpou o bigode com duas esfregadelas das costas da mão.

– Onde é que estiveste?

Jenny entrou na sala a tirar o chapéu. Deixou-o cair no chão e aproximou-se num movimento lateral.

– Numa viagem de barco – respondeu.

O pai arrastou os pés debaixo da mesa para se levantar, e o seu rosto foi lentamente banhado por alívio e fúria.

– E pensas que podes desaparecer assim, sem uma palavra a ninguém, e depois voltares a entrar nesta casa...

Mas Jenny apanhou-o e contorcendo-se sentou-se no seu colo que se levantava e apesar de ele se tentar defender, beijou-o por entre o seu bigode que cheirava a cavala, e manteve-o sem fala, enquanto vasculhava aquela região vagamente rosada que era a sua mente. Passado um bocado, lembrou-se.

– Oh, cace lá a vela – disse. – Está a cambar.

2

Pete era o bebé. Claro que ele era demasiado novo para ter consciência disso, mas aquele letreiro elétrico com o nome da família marcara um período crucial: a ascensão semelhante à de uma Fénix das fortunas da família desde as cinzas pardas da respeitabilidade e um pequeno restaurante que servia refeições para fora a trabalhadores italianos, até à final e derradeira americanização da família, já que aquela fortuna, como a maior parte das fortunas americanas, fora constituída sobre o escárnio de um obstáculo estatutário.

Antes de 1919 entrávamos numa sala suja e fecunda com o odor rico e pesado dos cozinhados italianos, sentávamo-nos cercados por rostos italianos e sons francos de mastigação italiana, com uma toalha de mesa de plástico com quadrados vermelhos e brancos e astuciosamente manchada, impermeabilizada com comida, onde naquele momento se era presenteado com mais comida. Talvez fosse a própria velha senhora Ginotta a servir-nos, saindo agitada com sopa e um polegar enfiado numa travessa cheia e nos dissesse uma palavra brusca, ou fosse Joe de braços nus, rápido e taciturno, enquanto o Sr. Ginotta no seu avental manchado parava a conversar a uma mesa com aqueles que lhe eram íntimos. Talvez se nos demorássemos o tempo suficiente sobre as nossas bananas ou uvas demasiado maduras e demasiado manuseadas conseguíssemos ver Pete nos seus calções de bombazina rasgados e camisa desbotada e limpa, com a sua cabeleira encaracolada e os seus estranhos olhos dourados, aos doze anos de idade e belo, como apenas um rapaz italiano o pode ser.

Mas agora, tudo aquilo mudara. Onde houvera outrora uma sala suja cheia de comida, com soalho de madeira pouco limpo, havia agora um espaço de chão de azulejo limpo e encerado para se dançar, envolvido de um lado por espelhos e pelo outro por uma fileira de reservados contendo cada um uma mesa e duas cadeiras e cada um iluminado por um candeeiro de mesa de luz discreta daquela tonalidade de rosa sub-reptício e inequívoco, e cada um com um cortinado de um tecido pesado castanho-avermelhado. E onde outrora se podia comer comida italiana boa e barata, pagava-se agora tanto por ela que nem era necessário ingeri-la: e travessas de esparguete e galinhas assadas inteiras, que não eram trazidas por Joe, de braços nus e rápido embora taciturno, mas por empregados de casacos de cerimónia com rostos engomados e mais velhos do que o pecado; travessas que eram servidas como acessórios de palco da mais antiga e exausta comédia do mundo eram-nos servidas e mais tarde removidas pelos empregados com uma espécie de ubiquidade clarividente e regressavam à cozinha praticamente intactas. E da cozinha já não vinha qualquer cheiro a comida.

Fora ideia de Joe. Joe, vinte e cinco anos e mais americano do que qualquer um deles, vira a iminência da catástrofe, e tinha discutido e vencido e provado que tinha razão. O Sr. Ginotta não conseguira aguentar a prosperidade. Para começar, tinha medo do novo soalho. Era demasiado escorregadio, perigoso para um homem da sua idade e peso; e olhar da sua cozinha, aquela cozinha para a qual ele já não se atrevia a trazer o seu avental manchado, para uma sala outrora cheia com os seus amigos e ruidosa e animada com o som da mastigação e os cheiros da comida...

Mas tudo isso estava agora mudado. Ele nem conhecia os empregados, e a comida que eles levavam de trás para a frente nem sequer era comida; e o ruído era agora um pandemónio túrgido de saxofones e bateria e, a cavalgar acima de tudo aquilo como aves distraídas, as gargalhas estridentes e metálicas das mulheres, incessantes e desprovidas de alegria; e os cheiros, uma mistura de tabaco e álcool e um odor impuro. E da cozinha já não vinha qualquer cheiro a comida: até o seu fogão a lenha desaparecera, substituído por um fogão a óleo.

Por isso ele morreu, cheio de anos e com mais dinheiro em seu nome no banco do que a maior parte dos príncipes italianos. A Sr.ª Ginotta apanhou a gripe na mesma altura. Instalara-se nos seus ouvidos e à medida que o tempo passava ela tornou-se bastante surda; e devido ao facto de os seus antigos amigos irem agora jantar a outro lado e de as pessoas que agora ali iam chegarem bastante tarde, na maior parte das vezes depois de ela se ter ido deitar, e de o seu velho estar morto e de os seus filhos serem agora tão americanos, atarefados e ricos e taciturnos, e porque os criados desconhecidos a assustavam um pouco, a velha senhora perdera o hábito de falar. Preparava a comida para os filhos no novo fogão do qual tinha medo, mas eles entravam e saíam com tanta frequência que era difícil antecipar a hora das suas refeições; e como os seus olhos já não eram suficientemente bons para coser, ela passava o seu tempo a mover-se sem objetivo nos seus aposentos no piso superior ou num canto da cozinha onde estava fora do caminho, a preparar legumes ou coisas assim – coisas que não necessitavam de uma boa visão ou de atenção.

Na sala em si ela não entrava, embora do seu canto habitual na cozinha pudesse por vezes observar a sofisticação sem ossos do saxofonista e os cotovelos agitados do baterista, e anos antes ouvira o barulho que eles faziam. Mas isso fora há muito tempo e ela esquecera-se, e agora aceitava as suas palhaçadas tal como aceitava as outras mudanças sem lhes associar qualquer som. Joe tinha agora vários automóveis: automóveis grandes que davam nas vistas, e costumava tentar convencê-la a andar neles. Mas ela sempre se recusara teimosamente a fazê-lo, embora se comentasse na vizinhança quão bons eram os rapazes Ginotta para a sua velha.

Mas Joe, com o seu rosto taciturno e astuto e o seu cabelo a enfraquecer e a sua camisa de seda de riscas grossas maciamente tensa sobre a sua barriga firme e embriónica – Joe sentado à secretária, com o seu chefe de mesa junto dele, deteve aquilo que estava a fazer para baixar os olhos para aquela sala com todos os seus aparelhos modernos, o seu chão de azulejos e luzes e espelhos, com um orgulho louvável. Com a alegria silenciosa da propriedade, o seu olhar seguiu o túnel espelhado que diminuía e continuou até à entrada discretamente tapada por cortinados sob aquele letreiro elétrico, aquele derradeiro elogio da americanização, que fazia piscar o seu nome em letras douradas sob a chuva ou a neblina ou contra as próprias estrelas distantes e insanas; e para o seu irmão, que inclinava desafiador o seu chapéu danificado, e que entrava nesse momento passando por baixo do letreiro.

Joe apertou o seu maço de notas numa mão e o seu dedo molhado e parado sobre ele, e observou Pete a atravessar a extensão espelhada da sala.

– Onde raio estiveste metido? – exigiu saber.

– No campo – respondeu Pete, conciso. – Alguma coisa para comer?

– Raios, comer – exclamou o irmão. – Tive de pagar dois dias a um homem só porque te andaste a divertir algures. E agora entras por aqui adentro a falar de alguma coisa para comer. Toma – colocou de lado o seu maço de dinheiro e de uma gaveta tirou um pacote de pequenas folhas de papel e folheou-as. O chefe de mesa contava o dinheiro imperturbável, metodicamente. – Prometi-lhe estas coisas ao meio-dia. Prepara-te e vai levar-lhas... toma a morada... e chega de loucuras, ouviste? Raios, comer. – Mas Pete passou pelo outro sem sequer parar. O irmão seguiu-o. – Vai imediatamente até lá, ouviste? – Levantou a voz. – Pensas que podes sair daqui e ficares fora durante o tempo que te apetecer, ei? Achas que podes voltar a entrar despreocupadamente passada uma semana, ei? Pensas que és o dono deste lugar?

A velha senhora estava à espera, dentro da cozinha. Já mal falava: emitia apenas sons, sons molhados de satisfação e alarme; e via o rosto do seu filho mais velho e naquele momento emitiu aqueles sons, olhando de um para o outro, mas não se oferecendo para os tocar. Pete entrou na cozinha e o seu irmão parou junto da porta, e a velha senhora arrastou-se até ao fogão e foi buscar a Pete um prato de esparguete e peixe aquecido e colocou-o à frente dele na mesa de tampo de zinco. O irmão ficou junto da porta e olhou para ele.

– Levanta-te já daí, como te disse. Vamos, vamos, podes comer quando voltares.

Mas a velha senhora agitava-se, metendo-se entre eles com a barreira teimosa da sua surdez, e os seus sons alarmados voltaram a erguer-se, depois caíram e tornaram-se uma espécie de cantarolar sem sentido enquanto se mantinha entre eles, empurrando o prato de Pete para ele, dando uma palmadinha na sua faca e garfo ao pô-los nas suas mãos.

– Cuidado – disse por fim Pete, afastando-lhe as mãos.

Joe olhava da porta, mas fez-lhe a vontade, como fazia sempre.

– Despacha-te – resmungou ele, e afastou-se. Depois de ter desaparecido, a velha senhora regressou à sua cadeira e à sua tigela de legumes esquecida.

Pete comeu, faminto. Os sons regressaram-lhe: uma vassoura e palavras indistinguíveis, e depois a porta da rua abriu-se e fechou-se, e acima do bater rápido de saltos ouviu uma voz feminina. Falou com o seu irmão à secretária, mas o *staccato* frágil chegou-lhe incessante, e quando Pete levantou a cabeça a rapariga entrou sobre os seus saltos altos e baratos e uma extensão inacreditável de meias claras cortadas de repente pelo seu vestido escuro e reduzido. No interior do pequeno sino brilhante do seu chapéu, o seu rosto pintado e apaixonado, e a sua estridência espalhafatosa, estava rígido e composto como a de uma árvore fina.

– Onde estiveste? – perguntou ela.

– Fora, com umas mulheres. – Recomeçou a comer.

– Mais do que uma? – perguntou ela rapidamente, a observá-lo.

– Sim. Cinco ou seis. Por isso é que demorei tanto tempo.

– Oh – disse ela. – És mesmo um pequeno sedutor, não és? – Ele continuou a comer e ela aproximou-se e parou a seu lado. – Porque estás tão taciturno? Alguém te tirou o brinquedo? – Pegou no chapéu. – Bem, olha para o teu chapéu. – Ela olhou para o chapéu, depois pousou-o em cima da mesa e enfiando a mão entre o seu cabelo grosso e encaracolado puxou-lhe o rosto para cima, e olhou para os seus olhos estranhos e dourados. – Limpa a boca – disse ela. Mas apesar disso beijou-o, e voltou a levantar a cabeça. – Agora precisas mesmo de a limpar – disse ela, pensativa. Soltou-lhe o cabelo. – Bem, tenho de ir. – E virou-se, mas voltou a parar junto da cadeira da velha senhora e gritou-lhe em italiano. A velha senhora olhou para cima, a assentir, depois voltou a baixar a cabeça sobre os seus feijões.

Pete terminou a sua refeição. Ainda conseguia ouvir a sua voz estridente na outra divisão, e acendeu um cigarro e saiu. A velha senhora não estivera a olhar para ele, mas assim que desapareceu, levantou-se, tirou o seu prato, lavou-o e guardou-o, e depois voltou a sentar-se e pegou na sua tigela.

– Pronto para ires, ei? – O irmão levantou os olhos da secretária. – Aqui está a morada. Agora, despacha-te; eu disse-lhe que estavas lá ao meio-dia. – A maior parte do negócio de Joe era feita no exterior, como aquele. Ele tinha um nome de confiança, do qual se orgulhava. – Leva o Studebaker – acrescentou.

– Esse monte de sucata? – Pete interrompeu o seu protesto. – Vou levar o teu Chrysler.

– O diabo é que o levas – replicou o irmão, de novo a irritar-se. – Agora vai; leva aquele Studebaker como te disse – insistiu, violentamente. – Se não gostas, compra um.

– Ah, cala-te. – Pete afastou-se. Num dos reservados, atrás de um cortinado parcialmente afastado, viu-a de frente para o espelho, a retocar o batom. Ao lado dela encontrava-se um dos empregados em mangas de camisa, a segurar um espanador. Ela fez um sinal rápido com a mão ao reflexo dele, no espelho. Ele voltou a inclinar o chapéu, sem retribuir o gesto.

O automóvel era um monte de sucata ao lado do esplendor cromado e castanho do novo Chrysler, mas andava e conseguia levar seis ou sete grades confortavelmente – as quatro grades que ele agora tinha eram apenas ervilhas numa caixa de fósforos. Seguiu o trânsito até à Canal Street, atravessou-a e ficou na fila de espera para virar para a St. Charles. A fila arrastava--se, parava, voltava a arrastar-se quando a sineta tocava. O polícia na berma voltou a erguer a cancela e Pete ficou a observar os enxames de ardinas a correr, e os vadios e lojistas e aqueles que passeavam, e rapariguinhas como potros com as suas pernas loiras monótonas. A sineta tocou, mas o polícia continuou a retê-los. Pete inclinou-se para fora, acelerando o seu motor ocioso.

– Vá lá, vá lá, seu filho da mãe de barriga azul – gritou. – Vamos.

Por fim, o polícia baixou a sua luva e Pete entrou rapidamente na St. Charles, e naquele ponto a rua alargava-se e tornava-se numa avenida salpicada de palmeiras, e assentando na sua espinha e inclinando o seu chapéu danificado num ângulo vaidoso na sua cabeça escura e inquieta, ele começou a ultrapassar os veículos mais lentos.

3

A intensa dor de cabeça de Fairchild acabou por o acordar e ele deixou-se ficar algum tempo deitado, submerso no sofrimento abafado e latejante do seu corpo antes de descobrir que o barco estava agora parado e, depois de um esforço de um estoicismo sem precedentes, descobriu que eram onze horas. Não se ouvia som em lado algum e, no entanto, havia algo na atmosfera que o cercava, algo de diferente. Mas tentando decidir o que era apenas fez com que a cabeça lhe latejasse ainda mais, por isso desistiu e voltou a deitar-se. O homem semita dormia no seu beliche.

Passado um bocado, Fairchild resmungou e levantou-se e cambaleou desastradamente pela cabina e bebeu muita água.

Depois viu terra pela vigia: uma estrada e um muro largo e desgastado, e para lá deste, árvores. Mandeville, pensou. Tentou acordar o homem semita, mas o outro praguejou no seu sono e rolou para o outro lado, ficando de frente para a parede.

Voltou a procurar uma garrafa, mas não havia nenhuma, nem sequer as vazias; quem quer que o tivesse feito, fizera uma limpeza geral. Bem, então, uma chávena de café. E assim vestiu as calças e atravessou o corredor até ao lavatório, e durante um bocado manteve a cabeça por baixo da torneira. Depois voltou, acabou de se vestir e continuou a andar.

Alguém ressonava ruidosamente na cabina do major Ayers. Era o próprio major Ayers, e Fairchild fechou a porta e prosseguiu, de novo espantado com aquela estranha atmosfera que o iate parecia ter adquirido durante a noite. O salão também estava vazio, e uma refeição interrompida ofendeu a sua sensibilidade temporariamente refinada, com as chávenas parcialmente vazias e os pratos sujos e frios. Mas ainda nenhum som, nenhum som humano, exceto o major Ayers e o homem semita na estrofe e antístrofe do sono. Parou à porta do salão e voltou a resmungar. Depois levou a sua dor de cabeça para o convés.

Ali, pestanejou devido à luz, fechando os olhos enquanto martelos de metal quente batiam contra os seus globos oculares. Três homens, de pernas penduradas sobre a borda do cais, olharam para ele, e voltou a abrir os olhos e viu os três homens.

– Bom dia – disse. – Que povoação é esta? Mandeville?

Os três homens olharam para ele. Passado um bocado, um deles disse:

– Mandeville? Mandeville quê?

– Então, que povoação é esta? – perguntou ele, mas ao falar a consciência atingiu-o, e olhando em volta viu uma ponte de aço e um elétrico na ponte, e um pouco mais à frente, a mancha ténue e malva do céu e na outra direção a bandeira que se agitava acima do Yatch Club, langorosa sob a brisa ligeira. Os três homens estavam sentados a baloiçar as pernas e observavam-no. Naquele momento, um deles disse:

– O seu grupo foi-se embora e deixou-o.

– Parece que sim – concordou Fairchild. – Sabe se disseram alguma coisa a respeito de nos mandarem um carro para nos vir buscar?

– Não, ela hoje não vai mandar nada – respondeu o homem. Fairchild limpou os olhos doridos: aquele era o capitão. – Há um elétrico, ali para aquele lado – gritou ele nas costas de Fairchild, que se virara e descia a escada.

4

A reunião do major Ayers era às três horas. O seu relógio corroborou-o e comandou-o quando ele saiu do elevador para um corredor longo, envidraçado de ambos os lados por placas opacas atrás das quais se ouvia o bater leve das máquinas de escrever. Passados instantes, encontrou a porta certa e entrou, e estendeu o seu cartão a uma rapariga magra e perfumada por cima de um gradeamento baixo, olhando-a afavelmente, e no intervalo que se seguiu deteve-se a olhar pelas janelas, por entre diversos retângulos de maçonaria, na direção do rio.

A rapariga regressou.

– O senhor Reichman vai recebê-lo agora – disse ela, mastigando a sua pastilha elástica e abrindo-lhe o gradeamento.

O Sr. Reichman apertou-lhe a mão, e ofereceu-lhe uma cadeira e um charuto. Perguntou ao major Ayers quais as suas impressões de Nova Orleães e interrompeu de imediato a resposta confusa e em *staccato* do visitante para perguntar ao major

Ayers – para quem a guerra era a única condição possível pela qual poderia alguma vez regressar a Inglaterra, e para quem por certos motivos privados Londres lhe ficara interdita desde o Armistício –, qual a comparação dos negócios entre as duas cidades. Depois, recostou-se na sua cadeira patenteada e disse:

– Agora, major, qual é exatamente a sua proposta?

– Ah, sim – disse o major Ayers, sacudindo a cinza do seu charuto. – São uns sais. Ora, todos os americanos sofrem de obstipação...

5

Abaixo dele, no piso térreo, onde um retângulo de luz incidia através do beco, uma máquina de escrever estava a ser martelada por uma mão pesada e impiedosa. Fairchild sentou-se com um charuto na sua varanda mesmo acima do datilógrafo invisível, mas audível, gozando a penumbra fresca e o espaço cheio de sombras de árvores da catedral próxima, sob a sua varanda. Um elétrico ocasional passava a chocalhar e a sacudir-se pela Royal Street, mas aquilo era raro, e quando esse som morria não havia qualquer outro som exceto o ruído monótono do datilógrafo. Depois ele viu e reconheceu o Sr. Talliaferro a contornar a esquina e com uma exclamação de alarme levantou-se de um salto, atirando a cadeira para trás. Enfiando-se rapidamente no quarto que fedia a poejo, apagou o candeeiro de leitura e saltou para o sofá, fingindo estar a dormir.

O Sr. Talliaferro caminhava elegantemente, rodando a sua bengala, o seu objetivo à vista. Sim, Fairchild tivera razão, ele conhecia as mulheres, a alma feminina...? Não, alma não: elas não têm alma. Natureza, a natureza feminina: aquela substância, aquela substância do seu ser, impalpável como o luar, que simultaneamente desafiava e retrocedia; não, inconsistente, incompreensível, no entanto servindo os seus fins com uma praticabilidade tão devastadora. Como se a terra, o mundo, o homem e os seus próprios desejos e impulsos tivessem sido inventados com o único objetivo de silenciar as suas pequenas almas famintas ao preencher-lhes o seu tempo servindo-se dos seus fins biológicos...

Sim, ousadia. E proximidade. E oportunidade, aquela conjunção feliz de técnica e circunstância, estar-se com a pessoa certa no lugar certo à hora certa. Sim, sim, Oportunidade, Oportunidade – talvez o mais importante de tudo. O Sr. Talliaferro apostava na Oportunidade: chamava-lhe um voto. Os «sins» tinham-no.

Deteve-se completamente imóvel no relampejar da sua inspiração. Tinha-a por fim, tinha o truque, a Palavra mágica. Era tão simples que ele se deteve espantado pelo facto de não lhe ter ocorrido antes. Mas depois percebeu que a sua própria simplicidade era a explicação. E a minha natureza é complexa, disse a si mesmo, a olhar para as estrelas no céu escuro e quente, num caminho do céu acima do caixão aberto da rua. Era tão devastadoramente simples que sentiu uma ligeira apreensão. Seria... seria exatamente um desporto? Não era como atirar a codornizes no chão? Mas não, não: agora que ele tinha a chave, agora que tinha encontrado a Palavra, atrevia-se a admitir a si mesmo que tinha sofrido. Não tanto na sua vaidade, não fisicamente – afinal, um homem pode passar sem os prazeres do amor: isso não o irá matar; mas porque cada fiasco parecia colocar anos atrás dele, com muito mais finalidade do que a mera recorrência dos dias de aniversário. Sim, o Sr. Talliaferro devia uma reparação a si mesmo, deixar sofrer aquelas que deviam. E não era esse o papel da mulher desde tempos imemoriais?

Oportunidade, cria a tua oportunidade, prepara o terreno ao não esqueceres nenhuma dessas pequenas e importantes banalidades que significam tanto para elas, depois aproveita-te disso. E eu posso fazer isso, pensou. Talvez indiferença, como se as mulheres não fossem algo de raro comigo; que há talvez uma outra mulher com quem eu preferia estar, mas que intervieram circunstâncias que nenhum de nós pôde controlar. Por algum motivo, elas gostam de um homem que tenha outras mulheres. Poderá ser que para elas o amor seja metade adultério e metade ciúme?... Sim, eu posso fazer esse tipo de coisa, posso mesmo...

– Ela tinha um conjunto de roupa interior preta – disse o Sr. Talliaferro, em voz alta com uma espécie de exultação.

Bateu ao de leve no passeio com a sua bengala.

– Por Deus, é isso – exclamou ele num tom abafado, continuando a andar. – Criar a oportunidade, conduzir até ela de um modo delicado, mas firme. Deixar cair um comentário acerca de aparecer esta noite apenas porque prometi... Sim, elas gostam de um homem honrado: aumenta a sua liberdade de ação. Ela dirá, «Por favor, leva-me a dançar», e eu direi, «Não, a sério, esta noite não me apetece dançar», e ela dirá, «Não me levas?», encostada a mim, ei?, vejamos, sim, ela irá pegar-me na mão. Mas eu não responderei de imediato. Irá provocar-me e depois eu colocarei um braço à volta dela e levantar-lhe-ei o rosto no táxi escurecido e beijá-la-ei friamente, e direi, «Queres mesmo ir dançar esta noite?», e depois ela dirá, «Oh, não sei. Talvez pudéssemos só dar uma volta de carro?...». Será que o diria nessa altura? Bem, se ela não o... Vejamos, o que é que diria?

O Sr. Talliaferro continuou a andar, a pensar rapidamente. Bem, de qualquer maneira, se ela disser isso, então eu direi, «Não, vamos dançar.» Sim, sim, qualquer coisa desse género. Embora talvez seja melhor eu voltar a beijá-la, mas já não tão friamente, talvez...? Mas se ela disser mais alguma coisa... Mas depois, eu devo estar preparado para qualquer contingência, ei? Meia batalha... Sim, qualquer coisa desse género, feita de modo delicado, mas firme, para não assustar a presa. Alguns muros são levados pela tempestade, mas todos os muros são arruinados pelos cercos. Também é essa a fábula do vento e do Sol e do homem do manto.

– Vamos mudar o género, por Júpiter – disse o Sr. Talliaferro, em voz alta, quebrando subitamente o seu devaneio ao descobrir que passara pela porta de Fairchild. Voltou atrás e esticou o pescoço para olhar para a janela escurecida.

– Fairchild!

Nenhuma resposta.

– Ó, Fairchild!

As duas janelas escuras eram inescrutáveis como dois destinos. Ele premiu a campainha, depois recuou para concluir a sua ária. Ao lado da porta, havia uma outra entrada. Luz filtrava-se através de uma veneziana a meia altura, como a porta de um *saloon*; atrás dela, uma máquina de escrever estava a ser violentamente martelada. O Sr. Talliaferro bateu acanhadamente na veneziana.

– Quem é? – trovejou uma voz por cima do ruído da máquina, embora a máquina em si não tivesse parado. O Sr. Talliaferro pensou por instantes, depois voltou a bater. – Entre, raios. – A voz afogou por momentos o barulho da máquina de escrever.

O Sr. Talliaferro empurrou a veneziana, e o homem enorme sem colarinho sentado em frente da máquina de escrever levantou a sua cabeça leonina e transpirada, e olhou irritado para o Sr. Talliaferro.

– Então?

– Desculpe, ando à procura do Fairchild.

– No piso de cima – disparou o outro, de mãos paradas. – Boa noite.

– Mas ele não responde. Por acaso sabe se ele está?

– Não sei.

O Sr. Talliaferro voltou a pensar, acanhado.

– Pergunto-me como poderei certificar-me? De momento estou pressionado pelo tempo...

– Como raio é que eu sei? Suba e veja, ou vá lá para fora e chame-o.

– Obrigado, vou subir, se não tiver objeções.

– Bem, então suba – respondeu o homem grande, voltando a saltar para a sua máquina de escrever. O Sr. Talliaferro observou-o durante um bocado.

– Posso passar por aqui? – aventurou por fim, amena e delicadamente.

– Sim, sim. Vá por onde lhe apetecer. Mas por amor de Deus, não me aborreça mais.

O Sr. Talliaferro murmurou um agradecimento e deslizou rapidamente pelo homem enorme e frenético. Toda a pequena sala tremia com as mãos pesadas do homem, e a máquina de escrever saltava e chocalhava como um objeto enlouquecido.

Ele continuou e entrou num corredor escuro com um zumbido fino e malévolo, e subiu uma escadaria sem luzes até uma região pungente aromatizada com poejo. Fairchild ouviu-o a tropeçar na escuridão, e resmungou. Vou dar cabo de ti por causa disto!, praguejou à máquina de escrever, inconsciente e trovejante por baixo dele. Passado um bocado, a sua porta abriu-se e o visitante assobiou o nome Fairchild!, no interior da divisão. Fairchild voltou a praguejar muito baixo, e depois disse:

– Espere aí, até eu acender a luz. Vai partir tudo o que tenho, a tropeçar assim no escuro.

O Sr. Talliaferro suspirou de alívio.

– Bem, bem, estava quase a desistir e a ir-me embora, quando o homem por baixo de si me deixou amavelmente passar pela sua casa. – A luz acendeu-se sob a mão de Fairchild. – Oh, estava a dormir, não estava? Lamento imenso tê-lo incomodado. Mas queria o seu conselho, já que hoje de manhã acabei por não o ver... Chegou bem a casa? – perguntou ele, com um tato cuidadoso.

Fairchild respondeu «Sim» concisamente, e o Sr. Talliaferro pousou o seu chapéu e a bengala em cima de uma mesa, derrubando uma jarra com flores de final de verão. Com uma agilidade espantosa, apanhou a jarra antes que ela se partisse, embora não antes que o seu conteúdo o salpicasse liberalmente.

– Ah, diabo! – exclamou. Voltou a colocar a jarra no sítio onde se encontrava, e começou de imediato a limpar as mangas e a parte da frente do casaco com o lenço. – E logo este fato que acabou de ser engomado! – acrescentou, exasperado.

Fairchild observou-o com uma alegria vingativa e mal contida.

– Azar – comiserou-se artificialmente, voltando a deitar-se no sofá. – Mas ela não vai reparar; vai estar demasiado interessada naquilo que tem para lhe dizer.

O Sr. Talliaferro olhou rapidamente para cima, um pouco na dúvida. Estendeu o lenço no canto da mesa para secar. Depois passou as mãos pelo seu impecável cabelo claro.

– Acha que sim? A sério? Passei por aqui para discutir isso consigo. – Durante um momento, o Sr. Talliaferro manteve-se bem sentado e olhou para o seu anfitrião por trás de uma barreira de desespero educado e impotente.

Fairchild observou a sua expressão com uma curiosidade repentina, mas antes que ele pudesse falar, o Sr. Talliaferro recompôs-se e regressou de novo ao seu habitual e familiar alarme ameno e articulado.

– O que se passa? – perguntou Fairchild.

– Comigo? Nada. Mesmo nada, meu caro amigo. Porque pergunta?

– Parecia que agora mesmo tinha alguma coisa em mente.

O visitante riu-se artificialmente.

– De modo nenhum. Na verdade, deve tê-lo imaginado. – A coisa escura e escondida ainda se ocultava atrás dos seus olhos, mas ele vencera-a temporariamente. – Contudo, vou-lhe pedir um favor antes de... antes de lhe pedir um conselho. Que não mencione a nossa... conversa. O seu assunto em geral, sabe. – Fairchild observou-o com curiosidade. – A qualquer uma das nossas amigas mútuas – acrescentou ele, encontrando o olhar curioso do seu anfitrião.

– Está bem – concordou Fairchild. – Nunca menciono nenhuma das conversas que temos a respeito deste assunto. Acho que não é agora que o vou começar a fazer.

– Obrigado. – O Sr. Talliaferro regressara ao seu habitual eu, delicado e presumido. – Desta vez tenho um motivo particular, que lhe irei divulgar assim que me considerar... Será o primeiro a sabê-lo.

– Claro – disse Fairchild. – O que é desta vez?

– Ah, sim – disse o visitante, com um otimismo rápido –, acredito mesmo ter descoberto o sucesso com elas: criar antecipadamente o cenário adequado, uma certa indiferença para as espicaçar, depois ousadia... foi isso que sempre ignorei. Ouça, esta noite vou usar o truque. Mas quero o seu conselho. – Fairchild resmungou e deitou-se. O Sr. Talliaferro tirou o seu lenço da mesa e passou com ele pelos tornozelos. Continuou: – Bem, para começar devo deixá-la ciumenta, ao falar de outra mulher em, hum, termos bastante íntimos. Sem dúvida que ela irá querer dançar, mas eu devo fingir indiferença, e quando ela me suplicar para a levar a dançar, talvez eu a beije, repentinamente, mas com um certo distanciamento... Está a ver?

– Sim? – murmurou o outro, embalando a cabeça nos braços e fechando os olhos.

– Sim. Assim, iremos dançar, e eu irei acariciá-la um bocado, ainda de um modo impessoal, como se estivesse a pensar noutra pessoa. Como é natural, ela vai ficar intrigada e vai perguntar, «Em que estás a pensar?», e eu direi, «Porque queres saber?». Ela vai-me suplicar, talvez dançar ainda mais perto de mim, bajular-me; mas eu direi, «Prefiro dizer aquilo em que tu estás a pensar», e ela dirá imediatamente «O que é?», eu direi, «Estás a pensar em mim.» Agora, o que acha disto? O que dirá então?

– Talvez lhe diga que tem uma cabeça inchada.

O rosto do Sr. Talliaferro entristeceu.

– Acha que ela vai dizer isso?

– Não sei. Irá descobrir dentro de pouco tempo.

– Não – disse o Sr. Talliaferro, passado um instante –, não acredito que ela o diga. Prefiro achar que vai pensar que sei muito a respeito de mulheres. – Perdeu-se em pensamentos profundos durante um bocado. Depois continuou: – Se ela o fizer, eu direi, «Talvez sim. Mas estou farto deste lugar. Vamo-nos embora.» Ela não vai querer ir-se embora, mas eu serei firme. E depois... – O senhor Talliaferro tornou-se convencido, cheio de algo que contivera. – Não, não; não lhe vou contar... é tão excruciantemente simples. Porque é que outra pessoa não... – Ficou sentado a vangloriar-se.

– Tem medo que saia a correr de casa e o utilize, antes que tenha essa oportunidade? – perguntou Fairchild.

– Na verdade, não; de modo algum. Eu... – Pensou por um instante, depois inclinou-se na direção do outro. – Na verdade, não é nada disso; só sinto que... Sendo eu o descobridor, esse tipo de coisa, ei? Confio em si, meu caro amigo – acrescentou ele rapidamente, numa erupção de confiança. – São apenas os meus próprios escrúpulos... Percebe?

– Claro – respondeu Fairchild, secamente. – Compreendo.

– Terá tantas oportunidades, enquanto eu... – De novo aquela coisa escura surgiu atrás dos olhos do Sr. Talliaferro e espreitou para fora deles durante um momento. Ele fê-la recuar. – E acha mesmo que vai resultar?

– Claro que sim. Desde que o golpe final seja tão mortal quanto o afirma. E desde que ela aja conforme o deve fazer. No entanto, pode ser uma boa ideia delinear-lhe o seu plano, para que não possa equivocar-se.

– Agora está a gozar comigo – irritou-se ligeiramente o Sr. Talliaferro. – Mas não acha que este plano é bom?

– À prova de fogo. Pensou em tudo, não pensou?

– Claro. É a única maneira de se vencerem batalhas, sabe. Napoleão ensinou-nos isso.

– Napoleão também disse qualquer coisa a respeito da artilharia pesada – disse o outro, perversamente.

O Sr. Talliaferro sorriu com uma complacência depreciativa.

– Sou como sou – murmurou ele.

– Em especial, quando não é usada já há algum tempo – acrescentou Fairchild. O Sr. Talliaferro esboçou uma expressão semelhante à de um animal atingido, e o outro disse rapidamente: – Mas vai tentar este esquema hoje à noite, ou está apenas a descrever um caso hipotético?

O Sr. Talliaferro tirou o seu relógio do bolso e olhou para ele, consternado.

– Santo Deus, tenho de ir! – Levantou-se de um salto e enfiou o lenço no bolso. – Obrigado por me aconselhar. Acho mesmo que finalmente consegui acertar no sistema, não acha?

– Claro – concordou o outro.

À porta, o Sr. Talliaferro virou-se e voltou apressado atrás para lhe apertar a mão.

– Deseje-me sorte – disse ele, virando-se de novo. Voltou a parar. – A nossa pequena conversa; não a vai mencionar?

– Claro que não – repetiu Fairchild. A porta fechou-se sobre o visitante e os seus passos a descer ressoaram nas escadas. Voltou a tropeçar, depois a porta da rua fechou-se atrás dele, e Fairchild levantou-se, dirigiu-se à varanda e observou-o a desaparecer de vista.

Fairchild regressou para o sofá e voltou a recostar-se, rindo. De repente parou de rir e deixou-se ficar deitado numa preocupação alarmada. De seguida voltou a resmungar e pegou no chapéu.

Ao sair para o beco, o homem semita que estava parado na entrada falou com ele.

– Aonde é que vais? – perguntou.

– Não sei – respondeu Fairchild. – Algures. A Grande Ilusão acabou de me visitar – explicou ele. – Ele tem um esquema inteiramente novo para esta noite.

– Oh. Estás-te a esgueirar, ei? – perguntou o outro, baixando a voz.

– Não, ele acabou de se ir embora. Mas esta noite não me atrevo a ficar em casa. Vai regressar dentro de duas horas para me contar porque não resultou. Temos de ir para outro sítio. – O homem passou o lenço pela sua cabeça calva. Para lá da veneziana, a máquina de escrever ainda martelava. Fairchild voltou a rir-se. Depois suspirou. – Quem me dera que o Talliaferro conseguisse arranjar uma mulher. Estou farto de ser seduzido... Vamos até casa do Gordon.

6

A sobrinha já tinha bocejado elaboradamente várias vezes ao convidado solitário: estava preparada, e reconheceu os sintomas preliminares que indicavam que o seu irmão estava prestes a iniciar a sua habitual partida, abrupta e murmurada, da mesa. Ela também se levantou, velozmente.

– Bem – disse, com brusquidão –, gostei muito de o ter conhecido, Mark. Talvez no próximo verão voltemos aqui, e teremos de nos voltar a encontrar, não temos?

– Patricia – disse a tia –, senta-te.

– Desculpe, tia Pat. Mas o Josh quer que eu lhe faça companhia esta noite. Ele vai partir amanhã – explicou ao convidado.

– Não vai partir também? – perguntou Mark Frost.

– Sim, mas esta é a nossa última noite aqui, e o Gus quer que eu...

– Eu não – negou rapidamente o irmão. – Não tens de te levantar por minha causa.

– Bem, de qualquer maneira, acho que é melhor fazê-lo.

A tia repetiu «Patricia».

Mas a sobrinha ignorou-a. Contornou a mesa a apertou bruscamente a mão ao convidado, antes que ele se pudesse levantar.

– Adeus – repetiu. – Até ao próximo verão. – A tia voltou a dizer «Patricia», firmemente. Ela virou-se de novo junto da porta e disse educadamente: – Boa noite, tia Pat.

O irmão já subira as escadas. Apressou-se atrás dele, deixando a tia a chamar «Patricia!» da sala de jantar, e chegou ao cimo das escadas a tempo de ver a porta do seu quarto a fechar-se atrás dele. Quando tentou rodar a maçaneta, a porta estava trancada, por isso ela afastou-se e dirigiu-se silenciosamente para o seu quarto.

Despiu-se na escuridão e deitou-se na cama, e passado um bocado ouviu-o a bater e a chapinhar na casa de banho conjunta. Quando aqueles sons pararam, ela levantou-se e entrou sem fazer ruído na casa de banho pelo seu lado, e experimentou silenciosamente a porta. Destrancada.

Acendeu a luz e abriu a torneira do chuveiro até agulhas de água tamborilarem vingativamente na banheira. Por vezes, enfiava a mão debaixo da água; passado pouco, aquela corria cortante e fria; e ela respirou fundo como se fosse mergulhar e enfiou-se debaixo dela, agarrando uma barra de sabão, e encolheu-se a tremer e a guinchar enquanto a água lhe fustigava o corpo duro e simples no seu imaculado fato de banho de pele branca, entrançando o seu cabelo áspero, picando-a e cegando-a.

Voltou a rodar a torneira e a água parou com o seu trovão miniatural e antisséptico, e depois de se esfregar vigorosamente com a toalha, descobriu que estava tão quente como antes, embora já não estivesse pegajosa; movendo-se então ainda mais devagar, regressou ao seu quarto e vestiu um pijama lavado. Aquele ainda tinha o seu cordão original. Depois, descalça e em bicos de pés, regressou até à porta do irmão, à escuta.

– Olha, Josh – chamou repentinamente, abrindo a porta de rompante –, vou entrar.

O seu quarto estava às escuras, mas conseguia distinguir a forma dele na cama e atravessou o quarto a correr e atirou-se sacudidamente para cima da cama ao seu lado. Ele soergueu-se de repente.

– Pronto – exclamou. – Porque queres vir para aqui chatear-me? – Levantou-se um pouco mais; uma luta curta e violenta, e a sobrinha caiu estatelada no chão. Ela disse Au num tom surpreendido e abafado. – Agora, sai daqui e mantém-te lá fora – acrescentou o irmão. – Quero dormir.

– Oh, deixa-me ficar um bocado. Não te vou incomodar.

– Não andas há uma semana a meteres-te debaixo dos meus pés, sem teres de vir para aqui onde estou a tentar dormir? Agora, sai.

– Só um bocadinho – suplicou ela. – Eu fico calada, se queres dormir.

– Não te vais manter calada. Vai lá, vamos.

– Por favor, Gus. Juro que fico.

– Bem – acabou ele por concordar, de má vontade. – Mas se começares a virares-te de um lado para o outro...

– Eu fico calada e quieta – prometeu ela. Deslizou rapidamente para a cama e deitou-se rigidamente de costas. No exterior, na escuridão quente, os insetos arranhavam e matraqueavam e zumbiam. Contudo, o quarto era um espaço silencioso e fresco, e os cortinados nas janelas remexiam-se com o fantasma de uma brisa.

– Josh. – Ela mantinha-se estendida, perfeitamente imóvel.

– Hum.

– Não fizeste qualquer coisa àquele barco?

Passado um bocado, ele disse:

– Que barco? – Ficou calada, tensa e à escuta. Ele disse: – Porquê? Porque haveria de querer fazer alguma coisa ao barco? O que te leva a pensar que o fiz?

– Ora, não fizeste? A sério?

– És doida. Eu nunca magoei... nunca estive lá em baixo a não ser quando me seguiste até lá, naquela manhã. Porque lhe quereria fazer alguma coisa? – Mantiveram-se deitados imóveis, numa espécie de tensão. Ele disse, de repente: – Disseste-lhe que eu fiz alguma coisa ao barco?

– Ah, não sejas parvo. Não te vou denunciar.

– Podes ter a certeza que não o vais fazer. Eu nunca lhe fiz nada.

– Está bem, está bem; não o vou dizer, se não tens coragem para isso. És cobarde, Josh – disse-lhe ela, calmamente.

– Olha lá, eu disse-te que se querias ficar aqui, tinhas de ficar calada, não disse? Então, cala-te. Ou sai.

– A sério que não estragaste aquele barco?

– Não, já te disse. Agora, cala-te ou sai.

Ficaram deitados em silêncio durante algum tempo. Passado um bocado ela moveu-se com cuidado, virando-se gradualmente sobre a barriga. Voltou a ficar quieta mais um bocado, depois levantou a cabeça. Ele parecia ter adormecido, por isso ela baixou a cabeça e descontraiu os músculos, estendendo os braços e pernas até ao sítio onde o lençol ainda estava fresco.

– Estou satisfeita por nos irmos embora amanhã – murmurou, como se para si mesma. – Gosto de andar de comboio. E de novo as montanhas. Adoro as montanhas, todas azuis e... azuis... Iremos ver as montanhas depois de amanhã. As pequenas povoações que ali existem não cheiram como se as pessoas estivessem sempre a comer... e montanhas.

– Não há montanhas entre este sítio e Chicago – disse o irmão, de má vontade. – Cala-te.

– Há, sim. – Ela soergueu-se sobre um cotovelo. – Há algumas. Eu vi algumas quando vínhamos para baixo.

– Isso foi na Virgínia e no Tennessee. Não atravessamos a Virgínia para ir para Chicago, burra.

– Mas no entanto, atravessamos o Tennessee.

– Não essa parte do Tennessee. Estou-te a dizer para te calares. Olha, levanta-te e vai para o teu quarto.

– Não. Por favor. Só mais um pouco. Eu fico calada. Vá lá, Gus, não sejas tão resmungão.

– Sai, agora – repetiu ele, implacável.

– Eu fico calada; não digo uma p...

– Não. Rua, já. Vá lá. Vá lá, Gus, faz o que te mando.

Ela aproximou-se ainda mais.

– Por favor, Josh. Depois eu vou.

– Bem. Mas sê rápida. – Desviou o rosto e ela inclinou-se para baixo e apertou a orelha dele entre os dentes, mordendo-a apenas um pouco, soltando uma espécie de som maternal e sem significado contra o seu ouvido. – Já chega – disse ele naquele momento, virando a cabeça e a orelha húmida. – Agora, sai.

Ela levantou-se obediente e voltou para o seu quarto. Parecia estar mais quente ali do que no quarto dele, por isso levantou-se e despiu o pijama e voltou a deitar-se e ficou deitada de costas, a embalar a sua cabeça grave e escura entre os braços e a olhar para a escuridão; e passado um bocado, não estava tanto calor e era como se ela se encontrasse num local alto a olhar sobre montanhas que se desvaneciam sonhadoras e azuis e continuavam ininterruptamente até uma neblina púrpura sob a música inclinada e solene do sol. Ela iria vê-las depois de amanhã. Montanhas...

7

Fairchild dirigiu-se diretamente ao mármore e parou à frente dele, apertando as mãos atrás das costas largas. O homem semita sentou-se assim que entrou na divisão, enchendo a única cadeira existente. O anfitrião estava ocupado atrás do cortinado de serapilheira que constituía o seu quarto, do qual reapareceu naquele momento com uma garrafa de uísque. Tinha despido tanto a camisa como a camisola interior, e sob uma penugem ligeiramente arruivada o seu peito brilhava devido ao calor, como um gladiador oleado.

– Estou a ver – observou Fairchild, quando o anfitrião entrou – que também tu foste apanhado pelo fetiche da virgindade destes tempos modernos. Mas tens esta vantagem sobre nós: o teu irá permanecer inviolado, sem teres de fechar os olhos quanto aos seus comportamentos. Não tens de te esforçar para manteres o teu sem ser outra coisa. Muito satisfatório. E muito invulgar. A maior parte da imolação do homem pela virgindade é, na minha opinião, composta por um alarme e uma desconfiança que alguma outra pessoa possa, como se costuma dizer, servir-se dela.

– Talvez o alarme de Gordon em relação a esta sua ilusão em particular seja que outra pessoa não se possa servir dela – sugeriu o homem semita.

– Não, acho que não – disse Fairchild. – Ele não tenciona vender isto a ninguém, sabes. Quem iria pagar bom dinheiro por uma virgindade que não poderia mais tarde violar, mesmo que fosse para se assegurar de que era o artigo genuíno?

– No entanto, Leda a apertar o seu pato entre as coxas ainda poderia ser esculpida a partir daqui – salientou o outro. – É suficientemente grande para isso. Ou...

– Cisne – corrigiu-o Fairchild.

– Não. Pato – insistiu o homem semita. – Os americanos iriam preferir um pato. Ou tetas e uma parra poderiam ser acrescentadas à coisa conforme está. Isso não é possível, Gordon?

– Sim. Pode ser restaurada – admitiu Gordon, secamente. Voltou a desaparecer atrás do cortinado e voltou com dois cálices pesados e uma caneca da barba com um nome em letras góticas de um dourado desbotado. Puxou o banco no qual se encontrava o jarro de água de esmalte, e Fairchild aproximou-se e sentou-se. Gordon pegou na caneca da barba e encostou o seu corpo alto à parede. O seu rosto de falcão intolerante era como bronze no brilho desprotegido da luz. O homem semita puxou pelo seu charuto. Fairchild levantou o seu cálice, a olhá-lo de olhos semicerrados.

– Tetas e uma parra – repetiu. Bebeu, e pousou o cálice para acender um cigarro. – Afinal, é essa a finalidade da arte. Quero dizer...

– Nós obtemos alguma coisa da arte – concordou o homem semita. – Todos admitimos isso.

– Sim – disse Fairchild. – A arte relembra-nos a nossa juventude, aquela idade em que a vida não precisa de ter o seu rosto erguido com muita frequência para que a consideremos bela.

Essa é quase toda a virtude que existe na arte: é uma espécie de Battle Creek, no Michigan, para o espírito. E quando nos recorda a nossa juventude, nós recordamo-nos da dor e esquecemos o tempo. Isso é alguma coisa.

– Alguma coisa, se tudo o que o homem tem a fazer é esquecer o tempo – replicou o homem semita. – Mas um homem que passa os seus dias a tentar esquecer o tempo é como alguém que passa o seu tempo a esquecer-se da morte ou da digestão. Esse é outro exemplo da tua fé inabalável nas palavras. A língua é como morfina. Um hábito terrível que se cria: tornas-te num chato para todos aqueles que de outro modo te apreciam. Claro que existe a hipótese de poderes ser aplaudido como um génio depois de teres morrido há muitos anos, mas de que é que isso te serve? Ainda haverá grandes iniciativas que terminarão, como sempre, com beijos no escuro, mas onde é que tu estás? Tempo? Tempo? Para quê preocupares-te com algo que toma tão bem conta de si? Nasceste com o hábito de consumires o tempo. Satisfaz-te com isso. Tom-o'Bedlam tinha o único génio para consumir tempo: isto é, para estar completamente inconsciente dele.

» Mas tu falas pelos artistas. Eu estou a pensar na maior parte de nós que não são artistas e que precisam de proteção dos artistas, cujo tempo os artistas insistem em passar por nós. Nós damo-nos bastante bem com o nosso sono e a nossa comida e a nossa procriação, se apenas vocês artistas nos deixassem em paz. Mas vocês, amaldiçoados, que não estão satisfeitos com o mundo como ele é e assim têm de tentar reconstruir o próprio solo sobre o qual se encontram, vocês continuam a falar e a gritar e a gesticular contra nós até nos deixarem enervados e alarmados. Por isso, acredito que se a arte serve para algum objetivo, deveria pelo menos manter os artistas ocupados.

Fairchild voltou a levantar o seu cálice.

– É mais do que isso. É entrar-se na vida, entrar-se dentro dela e envolvê-la à nossa volta, tornarmo-nos parte dela. As mulheres podem fazê-lo sem arte... a velha biologia encarrega-se disso. Mas os homens, os homens... Uma mulher concebe: será que depois se preocupa a quem pertencia a semente? Ela não. E carrega, e o resto da sua vida (isto é, os seus jovens anos perturbadores) está preenchida. Claro que o pai pode olhar para ela ocasionalmente. Mas na arte, um homem pode criar sem qualquer assistência: aquilo que ele faz é dele. Uma perversão, concordo, mas uma perversão que ergueu Chartres e inventou o Lear é uma coisa boa. – Bebeu e pousou o seu cálice.

» A criação, a reprodução vinda do interior... Afinal, é o impulso dominante no mundo feminino, como acreditam os povos aborígenes?... Há uma espécie de aranha ou qualquer coisa assim. A fêmea é a maior, e quando o macho vai ter com ela, vai para a morte: ela devora-o durante o ato da conceção. E isso é o homem: uma espécie de voracidade que faz com que um artista se mantenha ao lado de si mesmo sempre com um bloco de apontamentos na mão, a apontar todas as coisas encantadoras que lhe aconteceram, matando-as pelo bem de alguma coisa problemática, que ele pode ou não alguma vez usar. Ouve – disse ele –, o amor, a juventude, a dor, a esperança e o desespero não me são nada até eu encontrar mais tarde alguma necessidade de uma reação particular para colocar na boca de alguma personagem da qual na altura eu não estava certo, e que ainda não considero muito admirável. Mas talvez isso fosse porque tinha de estar sempre a trabalhar para ganhar a minha subsistência quando era jovem.

– Talvez sim – concordou o homem semita. – As pessoas ainda acreditam que têm de trabalhar para viver.

– Claro que tens de trabalhar para viver – disse Fairchild rapidamente.

– É natural que digas isso. Se um homem tiver de se negar a quaisquer prazeres durante os seus anos prazenteiros, gosta sempre de acreditar que isso foi necessário. É daí que obtemos os nossos puritanos. Não gostamos de ver ninguém a violar leis que nós observámos, e outros a escaparem-se com elas. Deus sabe que o céu é uma recompensa seca para a abstinência.

Fairchild levantou-se e aproximou-se de novo da fixidez fluida, apaixonada do mármore.

– A finalidade da arte – repetiu. – Quero dizer, para o consumidor, não para nós; nós temos de a fazer, eles não. Eles podem ficar com ela, ou deixá-la. Provavelmente o Gordon sente o mesmo a respeito das histórias que eu sinto em relação à escultura, mas para mim... – Contemplou o mármore durante algum tempo. – Quando a estátua está completamente nua, tem apenas um significado formal frio, sabes. Mas quando alguma matéria estranha como uma folha ou a prega de um tecido (ali colocadas em desafio da gravidade de só Deus sabe o quê) arrasta a imaginação para onde os órgãos da reprodução estão escondidos, e dão à estátua um significado mais quente, mais... mais...

– Um significado mais especulativo – sugeriu o homem semita.

–... mais especulativo que, tenho de admitir, eu pretendo na minha escultura.

– Decerto que os moralistas concordam contigo.

– Porque não o deveriam fazer? A mesma comida alimenta igualmente as convicções de todos. E um homem que ganha o seu pão numa fábrica de cola deve obter alguma espécie de prazer a cheirar cascos de gado, ou então mudaria de emprego. Acho que aí está a tua perversão.

– E – disse o homem semita – se passares a tua vida a preocupares-te com o sexo, é uma satisfação acrescida seres pago pelo teu tempo.

– Sim. Mas se eu ganhasse o meu pão por meio do sexo, pelo menos teria orgulho suficiente para ser uma prostituta boa e honesta.

Gordon aproximou-se e voltou a encher os copos. Fairchild aproximou-se do banco e pegou no seu, e depois deambulou pela divisão, a examinar as coisas. O homem semita manteve-se sentado com o lenço estendido em cima da sua cabeça calva. Olhou para o tronco nu de Gordon, com uma reverência invejosa.

– Eles não te parecem incomodar nada – afirmou, irritado.

– Olha lá – disse Fairchild, de repente. Desatara um pano húmido que encobria alguma coisa e estava agora debruçado sobre a sua descoberta. – Vem cá, Julius. – O homem semita levantou-se e aproximou-se dele.

Era barro, ainda húmido, e da sua tonalidade cinzenta morta e insípida, a Sr.ª Maurier olhou para eles. As suas papadas, agrestes, e o seu maxilar flácido com uma verosimilhança selvagem. Os seus olhos eram cavernas manuseadas com dois movimentos no espanto morto e familiar do seu rosto; e, no entanto, atrás deles, algures no interior daquelas órbitas vazias, atrás de toda a sua habitual surpresa, havia mais alguma coisa – algo que expunha o seu rosto como a máscara que era, e ainda mais, uma máscara inconsciente.

– Bem, raios me partam – disse Fairchild lentamente, a olhar para aquilo. – Conheço-a há um ano, e o Gordon aparece passados quatro dias... Bem, raios me partam – repetiu.

– Eu podia ter-te dito – disse o homem semita. – Mas queria que chegasses aí sozinho. Não sei como não a viste; não sei como é que alguém com a tua fé no seu semelhante poderia acreditar que alguém fosse tão tolo quanto ela, sem motivo.

– Uma explicação para a tolice? – repetiu Fairchild. – A sua espécie de tolice requer explicação?

– Grita-a – respondeu o outro. – Vê como o Gordon a viu logo.

– É verdade – admitiu Fairchild. Voltou a olhar para o rosto, depois olhou para Gordon com uma admiração invejosa. – E viste-a logo, não viste?

Gordon estava de novo a encher os copos.

– Ele não o poderia ter perdido – repetiu o homem semita. – Nem sei como tu não a viste. És razoavelmente astuto a respeito das pessoas... mais cedo ou mais tarde.

– Bem, acho que não a vi – retorquiu Fairchild, e estendeu o seu cálice. – Mas é o costume, não é? Plantações e essas coisas? Primeira família, e tudo isso?

– Qualquer coisa desse género – concordou o homem semita. Voltou para a sua cadeira e Fairchild voltou-se a sentar ao lado do jarro de água. – Ela é do Norte. Casou com o dinheiro. O seu marido devia ser bastante velho quando casaram. Acho que é isso que a explica.

– O quê? Ser do Norte, ou o casamento? O casamento começa e explica muitas coisas a nosso respeito, tal como ser-se solteiro ou viúvo o faz. E presumo que o rio Ohio também possa afetar o nosso destino. Mas como é que isso a explica?

– A história é que a sua família a forçou a casar com o velho Maurier. Ele tinha sido capataz num lugar grande antes da Guerra Civil. Desapareceu em 1863, e quando a guerra terminou ele voltou a aparecer montado num cavalo com a sela da cavalaria do Exército da União e cem mil dólares em notas federais ainda por cortar, como cobertor da sela. Só Deus sabe qual a verdadeira quantia, ou como é que ele a arranjou, mas foi o suficiente para o estabelecer. Dinheiro. Não se pode discutir com o dinheiro; só se pode protestar.

» Esperaram todos que ele fosse esbanjar o seu dinheiro: exibir-se perante a aristocracia falida, esse tipo de coisa; descarregar algumas das inibições que deveria ter tido durante os seus tempos como capataz. Mas não o fez. Talvez se tivesse livrado das suas inibições durante o tempo que passou na guerra. De qualquer maneira, não conseguiu erguer-se à imagem que tinham idealizado dele, por isso as pessoas decidiram que ele era um cobarde moral, que se encontrava algures enfiado num buraco com o seu dinheiro, como um rato. E essa era a opinião geral até que se espalhou o rumor a respeito de alguns negócios de terrenos bastante injustos nos quais ele foi auxiliado por um judeu chamado Julius Kauffman, que estava a adquirir uma fortuna e um nome repulsivo nos anos que se seguiram à presunção do general Butler ao púrpura local.

» E, quando o fumo finalmente se desanuviou um pouco, ele tinha mais dinheiro do que qualquer rumor poderia calcular e era o proprietário daquela plantação na qual outrora fora capataz, e passada uma década fazia parte da pequena aristocracia. Não duvido que ele tivesse tido de escavar alguma árvore genealógica em busca de imigrantes de sangue azul. Era um homem baixo e astuto, um homem frio e violento; exatamente o tipo para ter uma genealogia inatacável. Sem humor e astuto, mas não duvido que por vezes ele se sentava nos salões dos seus pais recentemente adotados a rir à gargalhada.

» A história é que o pai dela chegou a Nova Orleães numa viagem de negócios, com a bênção de Washington. Na altura, ela era jovem; provavelmente com um passado num colégio interno, e um futuro social do tipo garantido em letra maiúscula, mas tudo de certo modo precário... couves, e um lacaio para as servir; um salão no qual eles se sentavam educadamente, cercados por objetos, e falavam um bom francês; e os oficiais de justiça no alpendre e a conta do talhante na cozinha... nobre: roupas de cama sem lençóis lavados por baixo. Imagino que ele, o pai dela, estava bastante próximo do fim da linha. Imagino que tenha recebido alguma missão do governo que o trouxe para sul; privilégios de assalto com sanção oficial, percebes.

» No entanto, toda a família parece ter achado o nosso clima salubre com hibiscos e mimosas no relvado em vez de oficiais de justiça, e os nossos ares doces depois dos rigores da Nova Inglaterra; e ela tinha uma bela figura entre a *jeunesse dorée* dos anos 90; apaixonou-se por um jovem, sem dinheiro, mas uma pessoa real que a conduzia no cotilhão, e sem luvas lhe enviava flores e bolos de glacê da Rue Vendôme e cantava acompanhado por uma guitarra entre os hibiscos e as mimosas quando as estrelas estavam prestes a nascer. Entretanto, o velho Maurier fizera uma licitação. Maurier ainda não fora aceite pela nobreza. Mas não se pode ignorar o dinheiro, sabes: só se pode protestar. E tremer. Foi necessário o meu povo para ensinar ao mundo que... E assim... – O homem semita esvaziou o seu cálice. Continuou:

» Tu sabes como é, como surge um certo momento no decurso dos acontecimentos humanos durante os quais tudo, a atenção pública, as circunstâncias, até o próprio destino, é apanhado no único instante possível, e as ações de certas pessoas, por nenhum motivo em especial, se tornam de enorme interesse e importância para o resto do mundo? Foi o que se passou com estas pessoas. Foram feitas apostas; um jogador famoso até escreveu um livro a esse respeito. E durante todo esse tempo, ela continuava a tratar das suas coisas, das suas festas e receções e bailes, atrás daquela sua fria máscara de porcelana de Dresden. Dizem que era então bastante bela. As pessoas sempre a pintaram, sabias. O seu rosto em todas as exibições, o seu nome um lema na rua e um brinde no *Antoine's* ou no *St. Charles*... Mas, no entanto, talvez não se passasse nada atrás daquela máscara.

– Claro que passava – disse Fairchild, rapidamente. – Pelo menos, para benefício da história.

– De qualquer maneira, imagino que talvez houvesse orgulho. Ela tinha-o. – O homem semita estendeu a mão para a garrafa. Gordon aproximou-se e voltou a encher a sua caneca. – Deve ter sido muito duro para ela, mesmo que fosse apenas o seu orgulho a sofrer. Mas as mulheres conseguem aguentar qualquer coisa...

– E sentir prazer com ela – interveio Fairchild. – Mas continua.

– É apenas isso. Eles casaram na catedral. Ela não era católica; a Irlanda ainda tinha de emigrar em quantidades substanciais, quando o seu povo se estabeleceu na Nova Inglaterra. Repara que isso também era outra coisa. E o seu Lochinvar sem cavalo estava presente. Tinham sido feitas apostas que se ele se mantivesse afastado ou espalhasse palavra, ninguém iria estar presente. Maurier ainda era visto... Bem, imagina por ti mesmo uma situação como essa: uma tradição de facilidade inatacável e inabalável feita em pedaços sob os teus pés, e saído dos destroços um homem que outrora segurara o teu estribo enquanto montavas... Trinta anos mal pode ser considerada a adolescência da amargura, sabes.

» Gostaria de a ter visto, a sair da igreja. Devia ter um dossel desde a porta até à carruagem: devia haver um dossel e flores, flores pesadas... Lochinvar devia ter enviado gardénias; e ela, vestida com todos os ornamentos pagãos da inocência e o seu belo rosto secreto ao lado daquele homem frio e violento, cujo cabelo começava a ficar grisalho, mas já reparaste como é necessária a arlequinada da aristocracia para revelar mesmo o sangue camponês? E o seu Lochinvar a desejar-lhe felicidades, a olhar para os seus tornozelos enquanto ela entrava para a carruagem.

» Nunca tiveram filhos. Provavelmente Maurier era demasiado velho; talvez ela fosse estéril. É frequente isso acontecer com esse tipo de mulher. Mas acho que não. Creio... Mas quem sabe? Eu não. De qualquer maneira, quanto a mim, isso explica-a. A princípio pensa-se que é apenas tolice, falta de ocupação... uma tina para lavar a roupa, para ser mais exato. Mas eu vejo algo de frustrado no fundo disso tudo, algo abafado, e que no entanto não vai morrer totalmente.

– Uma virgem – disse Fairchild, de imediato. – É exatamente isso. A brincar com sexo, como que a tocar-lhe ao de leve, como um gatinho com um novelo. Ela perdeu qualquer coisa: o seu corpo disse-lho, insistiu, forçou-a a tentar remediá-lo e a preencher o vácuo. Mas agora o seu corpo é velho; já não se lembra de ter perdido alguma coisa, e tudo o que lhe resta é um hábito, o fantasma de uma necessidade para retificar algo que a falta do seu corpo há muito esqueceu.

O homem semita voltou a acender o seu charuto apagado. Fairchild olhou para o seu cálice, virando-o lentamente para este lado e para aquele. Gordon ainda se encontrava encostado à parede, a olhar para lá deles e a observar algo que não se encontrava naquela divisão. O homem semita bateu no seu outro pulso, depois limpou a palma no lenço. Fairchild falou.

– E eu não a vi, perdi-a completamente – admirou-se ele. – E depois, Gordon... Diz-me – ele levantou os olhos de repente –, como é que sabes isso tudo?

– O Julius Kauffman era o meu avô – respondeu o homem semita.

– Oh... Bem, foi uma boa ideia teres-me contado isso. Presumo que não vou ter outra hipótese de obter alguma coisa dela. – Riu-se sem alegria.

– Oh, sim, vais – disse-lhe o outro. – Ela não te vai guardar rancor por causa do que aconteceu no barco. As pessoas são muito mais tolerantes com os artistas do que os artistas com as pessoas. – Puxou baforadas do seu charuto durante algum tempo. – O teu problema – disse ele – é que não te comportas nunca como deve ser. És o artista mais dececionante que conheço. O Mark Frost está muito mais próximo do artigo genuíno do que tu. Mas também, ele tem mais tempo para ser um génio do que tu: passas demasiado tempo a escrever. E é aí que o Gordon vai cair. Tu e ele tipificam o *décolleté* de génios. E as pessoas que possuem automóveis e comida impõem um limite mesmo no *negligé*... algures perto da clavícula. E recorda-me para dar isso amanhã ao Mark: nestes últimos dias pensei várias vezes que ele precisava de uma nova.

– Por falar em *décolleté*... – Fairchild voltou a limpar o rosto. – O que faz um homem beber uísque numa noite como esta?

– Não sei – respondeu o outro. – Talvez seja um esquema da natureza para suprir os nossos imigrantes italianos. Ou da Providência. A proibição para o latino, a política para o irlandês, Ele é que as inventou.

A tremer, Fairchild voltou a encher o seu copo.

– Então, bem podemos aproveitar – disse ele. Gordon continuava encostado à parede, imóvel e distante. Fairchild continuou. – Italianos e irlandeses. Onde é que nós, nórdicos, educados em casa, entramos? O que é que Ele inventou para nós?

– Nada – respondeu o homem semita. – Vocês inventaram a Providência.

Fairchild levantou o seu cálice, bebendo-o de uma só golada e uma parte do líquido escorreu e pingou-lhe dos cantos da boca até ao queixo. Depois pousou o copo e olhou para o outro com um ligeiro espanto.

– Receio – anunciou cuidadosamente – que este já resolveu o assunto. – Limpou o queixo com as mãos a tremer, e movendo-se deixou cair o cálice vazio no chão. O homem semita resmungou.

– Vamos ter de nos mudar outra vez, agora que eu já me tinha habituado a eles. Ou talvez te queiras deitar um bocado?

Fairchild sentou-se e pensou durante um momento.

– Não, não quero – afirmou, com a voz entaramelada. – Se eu me deitar, não me voltaria a levantar. Pouco ar, ar fresco. Vou lá para fora. – O homem semita levantou-se e ajudou-o a pôr-se de pé. Fairchild recompôs-se. – Vamos, Gordon. Tenho de sair durante um bocado.

Gordon saiu do seu devaneio. Levantou a garrafa à luz, e dividiu-a entre a sua caneca e o cálice do homem semita, e beberam aguentando Fairchild entre ambos. Depois Fairchild quis voltar a examinar o mármore.

– Acho que é bastante agradável. – Ficou parado à frente dele, a oscilar, a engolir o líquido quente e salgado que continuava a encher-lhe a garganta. – Tu gostarias que ela falasse, não gostarias? Seria um pouco como o vento entre as árvores... Não... não fales; gostarias de a observar a uma certa distância numa manhã de maio, a banhar-se num lago onde houvesse muitos álamos. Ora, é assim que se esquece a dor.

– Ela não é loira – disse Gordon duramente, segurando a garrafa vazia nas mãos. – Ela é morena, mais morena do que o fogo. É mais bela e terrível do que o fogo. – Interrompeu-se e olhou para eles. Depois pegou na garrafa e atirou-a para a enorme lareira cheia de lixo.

– Não...? – murmurou Fairchild, tentando focar os olhos.

– Mármore, pureza – disse Gordon, na sua voz dura e intolerante. – Pura porque ainda têm de descobrir alguma maneira de a tornar impura. Fá-lo-iam se pudessem, os malditos! – Olhou para eles durante um momento sob as suas sobrancelhas densas de bronze. Os seus olhos eram tão claros como dois pedaços de aço. – Esqueçam a dor – repetiu, duramente. – Só um idiota não sente dor; só um tolo a esqueceria. Que mais existe neste mundo suficientemente afiado para espetarmos nas entranhas?

Tirou o seu casaco fino de trás da porta e vestiu-o sobre o tronco nu, e eles ajudaram Fairchild a sair da divisão e a descer as escadas escuras, abruptamente vazias e silenciosas.

8

Mark Frost estava parado numa esquina, verdadeiramente exasperado. A luz do candeeiro de rua salpicava a sua figura alta e fantasmagórica com a sombra mordida das folhas de finais de agosto, e estava ali parado indeciso, a pensar irritadamente. A sua noite estava estragada: demasiado tarde para instigar alguma coisa com o seu anzol ou para se juntar ao grupo de outra pessoa, demasiado cedo para ir para casa. Mark Frost dependia muito de outras pessoas para passar o seu tempo.

Estava sobretudo aborrecido com a Sr.ª Maurier. Aborrecido e desagradavelmente chocado e intrigado. Pela sua estranha... não bem frieza: antes, distanciamento, desinteresse... indiferença. Se se fosse minimamente artístico, se se tivesse alguma gota de arte no nosso sangue, jantar com ela preenchia o serão. Mas agora, naquela noite... Nunca vira a velha rapariga tão fria na presença do génio, pensou ele. Parecia não estar nada ralada se eu ficava ou não. Mas talvez não se sinta bem, depois das recentes excitações, acrescentou ele generoso. E também sendo mulher... Esquecera-se completamente da sobrinha: a traça sepulcral do seu coração tinha-se esquecido por completo daquela chama temporária.

O elétrico (propriedade da e gerido pela cidade) apareceu naquele momento, e o instinto fê-lo subir a bordo. O instinto também o fez encontrar o transbordo que lhe era adequado, mas um pouco de precaução (ou preguiça) no ponto de transbordo deteve-o entre automóveis que transportavam velozmente os jovens encantados de várias idades em direção a algum lugar ou a lugar nenhum, até uma drogaria de esquina onde havia um telefone. A sua chamada custou-lhe dez cêntimos.

– Estou... Sou eu... Pensei que fosses sair esta noite... Sim, fui. No entanto, um jantar muito estúpido. Não consegui perceber... Então, decidiste ficar em casa, foi?... Não, só pensei em te ligar... não agradeças... Caiu-me outro botão... Obrigado. Levo-o da próxima vez que passar por aí... Esta noite? Nós... hum?... está bem. Vou aí ter. Adeus.

A sua própria fantasmagoria parecia aniquilar o espaço: invariavelmente chegava depois de nos termos esquecido dele e antes que o esperássemos. Mas ela conhecia-o há muito tempo e assim que ele tocava, aparecia na janela acima da sua cabeça e atirava a chave, e ele abria o trinco solitário e entrava para o vestíbulo escuro. Uma luz brilhava fracamente do cimo das escadas, onde ela se encostara para observar a evaporação fina do seu cabelo enquanto ele subia.

– Esta noite estou sozinha – observou. – Os meus pais foram passar o fim de semana fora. Só esperavam que eu regressasse no domingo.

– Isso é bom – respondeu ele. – Esta noite não me apetecia falar com a tua mãe.

– Nem a mim. Nem com ninguém, depois destes últimos quatro dias. Entra.

Era uma sala vagamente livresca, no centro da qual um candeeiro de piano pesado, de aparência quente e cor champanhe, lançava um oásis de luz sobre um sofá insípido de brocado azul. Mark Frost dirigiu-se imediatamente para o sofá e estendeu-se ao comprido em cima dele. Depois voltou a mover-se e tirou um maço de cigarros do casaco. A menina

Jameson aceitou um e ele voltou a descontrair-se e resmungou com um alívio cavo.

– Estou demasiado confortável – disse. – Sinto-me mesmo envergonhado por estar tão confortável.

A menina Jameson aproximou uma cadeira, fora dos limites do oásis de luz.

– Fica à vontade – respondeu ela. – Não está cá ninguém, exceto nós. A família só volta no domingo à noite.

– Elegante – murmurou Mark Frost. Pousou um braço em cima do rosto, para tapar os olhos. – A casa toda só para ti. Tens sorte. Céus, estou satisfeito por ter saído daquele barco. Para mim, nunca mais.

– Nem me fales no barco – a menina Jameson estremeceu. – Acho que vai ser «nunca mais» para todos aqueles que faziam parte do grupo. Pela maneira como a senhora Maurier falou esta manhã. Pelo menos, para o Julius e o Dawson vai sê-lo.

– Ela enviou-lhes um carro?

– Não. Depois do que se passou ontem, bem podiam ter caído borda fora que ela nem notificaria a polícia... Mas não vamos continuar a falar dessa viagem – disse, cansada. Estava sentada para lá do alcance da luz: uma vaga fragilidade sem graça. Mark Frost estava deitado de costas, a fumar o seu cigarro. Ela disse: – Agora que penso nisso. Quando saíres, não te esqueças de fechar a porta. Esta noite, estou aqui sozinha.

– Está bem – prometeu ele, debaixo do braço. A sua boca pálida e preênsil soltou o cigarro e o seu braço estendeu-se para onde ele esperava encontrar-se um cinzeiro. O cinzeiro não estava ali e a sua mão esboçou uma série de movimentos fúteis e ligeiros até a menina Jameson se inclinar para a frente e mover o cinzeiro para a elipse automática da sua mão. Passado um bocado, ela voltou a inclinar-se para a frente e apagou o seu cigarro.

Algures atrás dele um relógio batia monotonamente no silêncio e ela moveu-se inquieta na sua cadeira, e naquele momento debruçou-se e tirou outro cigarro do maço dele. Mark Frost estendeu o braço o suficiente para erguer o maço até aos olhos e contar os cigarros que restavam. Depois voltou a baixar o braço.

– Estás muito calado esta noite – observou ela. Ele resmungou, e mais uma vez ela inclinou-se para a frente e esmagou decidida o seu cigarro meio fumado. Levantou-se. – Vou despir alguma roupa e vestir qualquer coisa mais fresca. Não está aqui ninguém para levantar objeções. Desculpa-me por um instante.

Ele voltou a resmungar debaixo do braço e ela afastou-se do oásis de luz. Abriu a porta do seu quarto e parou por um momento na escuridão interior, mesmo junto da porta. Depois fechou ruidosamente a porta, deteve-se mais um instante, de seguida voltou a abri-la um pouco e pressionou o interruptor.

Dirigiu-se ao toucador e aí acendeu duas pequenas lâmpadas, com quebra-luzes, voltou atrás e apagou a luz do teto. Pensou por um momento; depois regressou à porta e ficou parada com a mão pousada na maçaneta, depois sem a fechar voltou até ao toucador e apagou uma das lâmpadas. Aquilo deixou o quarto banhado por um brilho suave e rosado, no qual um cintilar abafado de cristal no toucador era a única característica distinguível. Despiu o vestido rapidamente e deteve-se na sua roupa interior com uma espécie de coragem retraída, passiva, mas ainda não se ouvia qualquer movimento para lá da porta, e ela voltou a acender a outra luz e examinou-se ao espelho.

Voltou a pensar, examinando o corpo frágil na sua roupa interior. Depois correu rápida e silenciosamente até uma cómoda e numa gaveta trancada procurou febrilmente entre uma delicada e impecável massa de tecido, deparando-se por fim com uma camisa de noite bordada, bem dobrada, ainda não usada e ligeiramente perfumada. Depois, parada no sítio onde a porta ao abrir a esconderia por um instante, enfiou a camisa pela cabeça e debaixo dela tirou a roupa interior. De seguida levou o seu coração inquieto e perturbado e a calma frágil e sem graça no qual ele batia de regresso à cómoda; e sentando-se em frente ao espelho assumiu uma pose estudada, a escovar continuamente o seu cabelo longo e desinteressante.

Mark Frost estava estendido ao comprido no sofá, como era seu hábito, a tapar os olhos com o braço. Levantava-se a intervalos para acender outro cigarro, contando de cada vez os poucos que restavam com um alarme estático. Um relógio batia regularmente, algures na sala. A luz suave do candeeiro banhava-o num mar imóvel, cor de champanhe... Tirou outro cigarro: a sua boca pálida, preênsil apertou-se à volta dele, como se a sua boca fosse um organismo separado.

Mas passado um bocado não havia mais cigarros. E temporariamente levantado, reparou na ausência prolongada da sua anfitriã. Mas voltou a estender-se, deleitando-se com a superfície tranquila e macia na qual repousava. Passado pouco ergueu o maço de cigarros vazio e resmungou desanimado e levantou-se e calcorreou silenciosamente a sala, talvez à espera de encontrar um cigarro que alguém esquecera. Mas não havia nenhum.

O sofá atraía-o e ele virou-se para o oásis de luz, onde descobriu e apanhou o cigarro praticamente inteiro que a menina Jameson deixara.

– Ótimo – murmurou, com uma jocosidade sepulcral, e acendeu-o, desviando a cabeça para não queimar as pestanas ao fazê-lo, e voltou a deitar-se, tapando os olhos com o braço. O relógio batia no silêncio. Parecia estar diretamente atrás dele: se apenas pudesse revirar os olhos um pouco mais para o interior do crânio... De qualquer maneira, daí a pouco era melhor olhar. Depois da meia-noite apenas um elétrico por hora. Se ele perdesse o elétrico da meia-noite...

Assim, passado um bocado, foi ver, tendo de se mover para o fazer, e levantou-se de imediato do sofá numa pressa louca, desarticulada. Afortunadamente lembrou-se onde deixara o chapéu e pegou nele e mergulhou pelas escadas abaixo e atravessou o vestíbulo escuro. Chocou contra uma ou duas coisas, mas o retângulo pálido da porta de vidro conduzia-o e depois de uma luta violenta conseguiu abri-la, e dando um salto para a frente fechou-a atrás de si. O trinco não se fechou, e a meio do voo pelas escadas abaixo ele olhou selvaticamente para trás para a escuridão crescente daquele intervalo que revelava na extremidade superior o ligeiro brilho da luz no cimo das escadas.

A esquina não ficava longe, e ao correr livre e freneticamente naquela direção ouviu por entre o gesticular grave das palmeiras altas e o rumor gasto e exangue da Lua moribunda o zumbido crescente do elétrico a chocalhar entre as árvores. Viu as suas janelas iluminadas a pararem, ouviu o seu zumbido deter-se, viu as janelas a moverem-se de novo e ouviu o seu zumbido a aumentar, a afogar os seus gritos roucos reiterados. Mas o revisor viu-o no último instante e voltou a puxar o cordão e o elétrico parou mais uma vez, a zumbir impaciente; e Mark Frost lançou as suas longas pernas ingovernáveis através do brilho suave e adormecido do asfalto polido e enfiou o seu corpo arquejante, fantasmagórico por entre as portas abertas pelas quais o revisor se inclinava, chamando-o:

– Vamos, vamos, isto não é um táxi.

9

Três padres cinzentos, de passos leves, passaram, mas no intervalo silenciado pelas antigas paredes sem janelas, ainda se demora um ligeiro desespero celibatário. Sob um elevado portão de pedra com um brasão e uma divisa esculpida em pedra, jaz um pedinte, embalando na mão uma côdea de pão.

(Gordon, Fairchild e o homem semita caminhavam pela cidade escurecida. Acima deles, o céu: uma noite pesada, voluptuosa e enorme, estrelas quentes como gardénias a murchar. À volta deles, ruas; desfiladeiros estreitos, pouco fundos, de sombras ricas em decadência e entrelaçadas por ferro forjado delicado, escassamente visto.)

É primavera algures no mundo, como um caniço aguçado e soprado, alto e ferozmente frio – ele ainda não a vê; uma forma que ele irá conhecer – ele ainda não a vê. Os três padres continuam a avançar: as paredes abafaram os seus pés cinzentos e descalços.

(Na soleira de uma porta ligeiramente entreaberta estavam mulheres, os seus rostos achatados e pálidos e copiosos sob a luz das estrelas, perfumados e excitantes e libertinos. O olá, Dempsey, dirigido a um Gordon sem chapéu elevou-se acima dos seus dois companheiros. Ele continuou a andar, sem prestar atenção às mulheres. Fairchild arrastou-se, e por força o homem semita também. Uma mulher riu-se, copiosa e abafada e abundante na escuridão perfumada entrem rapazes muitas raparigas vão refrescá-los entrem rapazes. O homem semita arrastou Fairchild para a frente, a tartamudear excitadamente.)

É isso, é isso! Caminha-se por uma rua escura, na escuridão. A escuridão está próxima e íntima à nossa volta, a segurar todas as coisas, qualquer coisa – basta-nos esticar a mão para tocar a vida, para sentir o coração pulsante da vida. Beleza: algo de invisível, sugerido: natural e fecundo e fétido – não se para por ela; continua-se a avançar.

(O homem semita arrastou-o atrás da passada rápida de Gordon.) Amo três coisas. *Ratos astutos como prata embaciada, ardentes e gordos como a morte, correm para mordiscar a côdea que o pedinte sob o portão de pedra segura flacidamente. Sem serem enxotados, eles juntam-se à volta da sua forma ainda reclinada, explorando a sua roupa num silêncio obsceno, arrastando as suas barrigas quentes sobre o seu corpo esguio e frio pela idade, farejando as suas partes íntimas.* Amo três coisas.

(Ele continuou a arrastar Fairchild, que tartamudeava em êxtase.) Uma voz, um toque, um som: a vida a prosseguir à nossa volta invisível na escuridão próxima, atrás daquelas paredes, daqueles tijolos – (Fairchild parou, pousando a mão na parede ébria de calor ao seu lado, a olhar para o amigo sob a luz das estrelas. Gordon continuava a avançar à frente deles) – nesta sala escura ou naquela sala escura. Queremos entrar em todas as ruas de todas as cidades nas quais os homens vivem. Olhar para todas as salas escurecidas do mundo. Não com curiosidade, não com receio nem dúvida ou desaprovação. Mas humilde, gentilmente, tal como se nos esgueirássemos para olhar uma criança adormecida, não para a perturbar.

Depois como se fossem apenas um rato fugiram, e, de novo seguros e imóveis, transformaram-se numa fileira de cigarros vigilante e ao mesmo nível. O pedinte, cuja mão ainda molda a sua côdea roubada, dorme sob o portão de pedra.

(Fairchild continuou a tartamudear. Gordon que avançava à frente deles, virou e entrou por uma porta. A porta ficou aberta, deixando uma faixa de luz cair sobre o pavimento, depois a porta fechou-se, roubando de novo a faixa de luz. O homem semita agarrou o braço de Fairchild, e ele parou. À volta dele a cidade desfalecia numa volúpia de escuridão e calor, um sono que não era sono; e a escuridão e o calor saltaram sobre o seu corpo baixo e robusto com a pulsação eterna e escondida do mundo. Acima dele, acima do desfiladeiro pouco fundo e irregular da rua, enormes estrelas quentes ardiam no coração das coisas.)

Mais três padres, descalços, em mantos da cor do silêncio, aparecem vindos de lado nenhum. Apressam-se atrás dos três primeiros, quando veem o pedinte sob o portão de pedra. Param acima dele: as paredes abafam os seus passos cinzentos e sibilantes. Os ratos mantêm-se imóveis como uma fileira de cigarros. (Gordon reapareceu, erguendo-se acima dos outros dois sob a luz abafada das estrelas. Segurava uma garrafa na mão.) *Os padres aproximam-se mais, tocam uns nos outros, inclinam-se acanhados acima do pedinte na rua vazia enquanto o silêncio chega devagar como um cortejo de freiras com respirações misturadas. Acima das paredes imóveis, uma coisa selvagem e apaixonada, distante e triste; estridente como flautas, e no entanto não ouvida. Abaixo dela, formas silenciosas entre as quais, vagamente, uma donzela numa túnica desapertada e com uma corrente fina e brilhante entre os tornozelos, e o som de um lamento distante.*

(Eles contornaram a esquina e entraram numa rua ainda mais escura. Gordon voltou a parar, taciturno e distante. Ergueu a garrafa contra o céu.) Sim, amargo e novo como fogo. Agora alimentado com sono. Abafado o estranho e ardente fogo dela. Uma crisálida branca de fogo. Esplêndida e nova como fogo. (Ele bebeu, escutando o bater medido do seu coração selvagem e amargo. Depois passou a garrafa aos seus companheiros, o seu rosto taciturno de falcão a erguer-se acima deles contra o céu. Os outros beberam. Continuaram a avançar pela cidade escura.)

O pedinte ainda dorme, moldando a sua côdea roubada, e um dos padres diz, Precisais também de um homem, irmão? Mesmo acima do silêncio, entre as formas, um rapaz jovem e nu pintalgado com vermelhão carrega casualmente uma coroa. Move-se de maneira errática com um riso absurdo; e o corpo nu sem cabeça de uma mulher esculpido em ébano, cercado por mulheres que vestem peles de bestas chacinadas e acorrentadas umas às outras, lamenta-se. O pedinte não responde, não se mexe; e o segundo padre inclina-se para o seu rosto pálido meio na sombra. Sob a sua testa alta e branca ele não está a dormir, pois os seus olhos olham silenciosamente para lá dos três padres sem os ver. Os três padres inclinam-se para baixo, erguendo a sua voz. Irmão.

(Eles pararam e voltaram a beber. Depois prosseguiram, o homem semita carregando a garrafa, a embalá-la contra o peito.) Amo três coisas. (Fairchild caminhava erraticamente ao seu lado. Acima dele, entre as estrelas enlouquecidas, a cabeça barbada de Gordon. A noite era cheia e rica, cheirando a ruas e a pessoas, a seres e a coisas secretas.)

O pedinte não se move e a voz do padre é uma ave escura que procura o seu caminho para fora da gaiola. Acima do silêncio, entre ele e o céu grotesco, cresce um som semelhante ao do mar ouvido à distância. Os três padres olham uns para os outros. O pedinte jaz imóvel sob o portão de pedra. Os ratos lançam sobre a cena o seu olhar de cigarros expectantes.

Amo três coisas: ouro, mármore e púrpura. *O som aumenta. Entre sombras e ecos transforma-se num vento trovejante vindo das colinas com os cascos ruidosos de centauros. A mulher negra sem cabeça é uma agonia esculpida para lá da placidez desvanecida da donzela de túnica desapertada, e enquanto as sombras e os ecos se misturam as mulheres acorrentadas erguem de novo as vozes, lamentando-se fracamente.* (Eles foram abordados. Sussurros vindos de cada soleira de porta, mãos impuras e importunas e copiosas na escuridão tensa selvagem. Fairchild vacilava ao lado dele, e Gordon voltou a parar. «Vou entrar aqui», disse. «Deem-me algum dinheiro.» O homem semita deu-lhe uma nota sem nome.) *O vento continua a soprar, enchendo-se de figuras que saltam em palhaçadas como chamas, e o som de flautas ferozmente frias esculpe o mundo na escuridão do espaço. Os cascos dos centauros rugem, trovejantes; vozes estridentes cavalgam a tempestade como pássaros tempestuosos, selvagens e apaixonados e tristes.* (Uma porta abriu-se num muro. Gordon entrou e antes que a porta se fechasse atrás dele, viram-no num corredor estreito a erguer uma mulher da sombra e a levantá-la contra as estrelas enlouquecidas, a abafar o seu guincho com o seu beijo alto.) *Depois vozes e sons, sombras e ecos mudam de forma a rodopiar, transformando-se no tronco sem cabeça, sem braços, sem pernas de uma rapariga, imóvel e virginal e apaixonadamente eterna perante as sombras e os ecos que se afastam a girar.*

(Eles prosseguiram. O homem semita embalava a garrafa contra o peito.) Amo três coisas... Dante inventou Beatriz, criando ele mesmo uma donzela que a vida não tivera tempo de criar, e colocou sobre os seus ombros frágeis e não vergados todos os fardos da história do impossível desejo do coração de um homem... *Por fim um padre, tornando-se mais audaz, aproxima-se ainda mais e enfia a mão por baixo da miserável túnica do pedinte, encosta-a ao coração. Está frio.* (De repente, Fairchild tropeçou pesadamente ao lado dele e teria caído. Levantou Fairchild e encostou-o ao muro, e Fairchild ficou encostado ao muro, a cabeça inclinada para trás, sem chapéu, a olhar para o céu, a escutar a escuridão e o bater medido do coração das coisas. «É isso que é. Génio.» Falou lenta, distintamente, a olhar para o céu. «As pessoas confundem-no tanto, sabes. Agora, consideram-no apenas como um estado ativo da mente na qual se pinta um quadro ou se escreve um poema. Quando não é nada disso. É aquela Semana da Paixão do coração, aquele instante de beatitude intemporal que alguns nunca chegam a conhecer, que alguns, suponho, adquirem por livre vontade, que outros adquirem por meio de um agente exterior como o álcool, como esta noite – aquele estado passivo do coração com o qual a mente, o cérebro, não tem nada a ver, no qual os acidentes banais que constituem este mundo – o amor e a vida e a morte e o sexo e a dor – que se juntaram por acaso em proporções perfeitas, tomam uma espécie de beleza esplêndida e intemporal. Como a Isolda das Mãos Brancas e o seu Tristão com o seu enfado limpo, animado; como aquela jovem Lady Qualquer Coisa que algum governo executou, a pedir permissão e a tocar com uma espécie de reverência sóbria o gume da faca que lhe cortou a cabeça; como uma rapariga ruiva, uma idiota, devolvendo um vestido branco sob uma treliça coberta de glicínias no fim de uma tarde ensolarada de maio...». Ele encostou-se à parede, a olhar para o céu silencioso e enlouquecido, a ouvir o coração escuro e simples das coisas. Por trás de uma cornija ouviu-se por fim o rumor frio e exangue da Lua moribunda.)

(O homem semita embalou a garrafa contra o peito. «Amo três coisas: ouro, mármore e púrpura...») *Os padres persignam-se enquanto as freiras do silêncio voltam a misturar a sua respiração, e passam: passado pouco as altas paredes sem janelas calaram o seu ligeiro desespero celibatário. Os ratos são arrogantes como cigarros. Passado um bocado avançam trepando por cima do pedinte, arrastando as suas barrigas quentes por cima dele, explorando sem serem enxotados as suas partes privadas, algures acima da rua escura, acima das colinas esculpidas pelo vento, para lá do silêncio; flautas estridentes não ouvidas, selvagens e apaixonadas e tristes.* («... formam a solidez da cor», disse ele ao seu coração escuro e apaixonado, e a Fairchild, ao seu lado, encostado contra o muro sujo, a vomitar.)

10

O retângulo de luz ainda incidia no beco; para lá da veneziana a meia altura, a máquina de escrever ainda saltava e ribombava.

– Fairchild.

O homem que escrevia à máquina sentiu uma ligeira irritação, como quando se sabe que alguém nos está a tentar acordar de um sonho agradável, sabendo que se resistirmos o sonho será interrompido.

– Ó, Fairchild.

Voltou a concentrar-se, a tentar exorcizar o saqueador da beatitude do seu coração batendo com mais força no teclado. Mas, por fim, ouviu-se uma pancada tímida na veneziana.

– Raios! – Rendeu-se. – Entre – berrou, levantando a cabeça. – Santo Deus, de onde é que você apareceu? Acabei de o deixar entrar há uns dez minutos, não foi? – Depois viu o rosto do visitante. – O que se passa, amigo? – perguntou, rapidamente. – Está doente?

O Sr. Talliaferro mantinha-se parado, a pestanejar sob a luz. Depois entrou devagar e deixou-se cair numa cadeira.

– Pior do que isso – respondeu, com um profundo desânimo.

O homem grande virou pesadamente a cadeira para ficar de frente para ele.

– Precisa de um médico, ou qualquer coisa assim?

O visitante enterrou o rosto nas mãos.

– Não, não, um médico não me pode ajudar.

– Bem, então o que quer? Estou ocupado. O que é?

– Acho que quero um uísque – disse por fim o Sr. Talliaferro. – Se não lhe der trabalho – acrescentou com o seu habitual acanhamento delicado. Levantou um rosto abatido por um instante. – Aconteceu-me uma coisa terrível esta noite. – Voltou a baixar o rosto para as mãos, e o outro levantou-se e voltou com um cálice meio de uísque. O Sr. Talliaferro aceitou-o com gratidão. Bebeu uma golada, depois baixou tremulamente o copo. – Só tenho de falar com alguém. Aconteceu-me uma coisa terrível... – Pensou por um momento. – Era a minha última oportunidade, percebe – disse ele, repentinamente. – Para Fairchild, ou para si, seria diferente. Mas para mim... – O Sr. Talliaferro escondeu o rosto na mão livre. – Aconteceu-me uma coisa terrível – repetiu.

– Bem, então diga lá o que foi. Mas seja rápido.

O Sr. Talliaferro procurou o seu lenço e esfregou fracamente o rosto. O outro manteve-se sentado a observá-lo, com impaciência.

– Bem, tal como tinha planeado, fingi indiferença; disse que não queria ir dançar esta noite. Mas ela disse, «Ah, vamos lá. Acha que saí só para me sentar no parque, ou qualquer coisa do género?». Assim mesmo. E quando pus o braço à volta dela...

– À volta de quem?

– À volta dela. E quando a tentei beijar, ela pôs...

– Mas onde é que isso aconteceu?

– No táxi. Não tenho um carro, percebe. Embora esteja a planear comprar um para o próximo ano. E ela limitou-se a pôr o cotovelo debaixo do meu queixo e sufocou-me, até eu me afastar para o meu lado do assento, e depois ela disse, «Eu nunca danço em privado ou sem música, meu senhor.» E depois...

– Por amor de Deus, amigo, está para aí a falar de quê?

– Estou a falar da J... da rapariga com quem estive esta noite. E assim fomos dançar, e comecei a acariciá-la um pouco, tal como fiz no barco, garanto-lhe que não foi mais do que isso; e ela disse-me imediatamente para parar. Disse qualquer coisa acerca de não ter lumbago. E, no entanto, durante todo o tempo em que estivemos no iate ela não levantou objeções nem uma única vez. – O Sr. Talliaferro olhou para o seu anfitrião com um espanto delicado, como se não compreendesse. Depois suspirou, acabou de beber o uísque e pousou o copo no chão junto dos pés.

– Santo Deus – murmurou o outro, num tom abafado.

O Sr. Talliaferro continuou, num tom mais brusco:

– E passado pouco tempo, reparei que a sua atenção estava concentrada em alguma coisa ou alguém atrás de mim. Ela desviava a cabeça de um lado para o outro, enquanto dançávamos e falhavam-lhe os passos e dizia, «Desculpe», mas quando tentei ver o que era, não descobri nada em que ela pudesse estar tão concentrada. Por isso, disse-lhe, «Está a pensar em quê?», e ela disse, «O quê?», mesmo assim, e eu disse, «Sei em que está a pensar», e ela disse, «Quem? Eu? Em que estou a pensar?», ainda a tentar ver alguma coisa atrás de mim, percebe. Depois vi que ela também estava a sorrir, e disse-lhe, «Está a pensar em mim», e ela disse, «Oh. Estava?»

– Santo Deus – murmurou o outro.

– Sim – concordou o Sr. Talliaferro, num tom infeliz. Mas continuou bruscamente: – E assim conforme tinha planeado disse-lhe, «Estou farto deste lugar. Vamo-nos embora.» Ela protestou, mas mostrei-me firme e ela acabou por consentir e disse-me para eu ir chamar um táxi, que ela já ia ter comigo à rua.

» Na altura, eu devia ter desconfiado de alguma coisa, mas não desconfiei. Saí e chamei um táxi. Dei ao motorista dez dólares e ele concordou em levar-nos até uma rua pouco frequentada e a parar e a fingir que tinha perdido alguma coisa na estrada, e a esperar ali até eu tocar a buzina.

» E eu esperei e esperei. Ela não apareceu, por isso acabei por pedir ao motorista para aguardar e voltei a correr escadas acima. Não a vi na antessala, e fui até à pista de dança. – Interrompeu-se, e ficou por instantes sentado com um desânimo pensativo.

– E? – incitou-o o outro.

O Sr. Talliaferro suspirou.

– Juro, acho que vou desistir; nunca mais quero ter nada a ver com elas. Quando voltei à pista de dança, procurei-a na mesa onde estivéramos sentados. Ela não estava ali, e por um momento não a consegui encontrar, mas depois vi-a, a dançar. Com um homem que eu nunca vira antes. Um homem grande, como o senhor. Eu não sabia o que pensar. Por fim decidi que devia ser um amigo com quem ela estava a dançar até que eu regressasse, não tendo compreendido a nossa combinação para nos encontrarmos na rua. No entanto, fora ela mesma a dizer-me para a esperar na rua. Foi isso que me confundiu.

» Esperei à porta até lhe conseguir chamar a atenção, e fiz-lhe um sinal. Ela acenou-me em resposta, como se quisesse que eu esperasse até acabar de dançar. Por isso, fiquei ali à espera. Outras pessoas entravam e saíam, mas eu mantive o meu lugar junto da porta, onde ela me poderia encontrar sem dificuldades. Mas quando a música parou, eles foram para uma mesa, sentaram-se e chamaram um empregado. E ela nem sequer voltou a olhar para mim!

» Então, comecei a ficar zangado. Dirigi-me a eles. Não queria que todos vissem que eu estava zangado, por isso debrucei-me sobre a sua mesa, e ela levantou os olhos para mim e disse, "Oh, olá, pensei que me tivesse deixado, e este cavalheiro amável foi suficientemente simpático para se oferecer a levar-me a casa." "Podes ter a certeza de que te levo", disse o homem, esbugalhando os olhos na minha direção, "Quem é este?" Estou a tentar falar como ele – explicou o Sr. Talliaferro. – Não consigo imitar o seu modo de falar execrável. Sabe, não teria sido tão... tão... Eu não me teria sentido tão impotente se ele tivesse falado um inglês correto. Mas a maneira como ele dizia as coisas... parecia não haver qualquer réplica possível, está a perceber?

– Continue, continue – disse o outro.

– Ela disse, «Ora, é um amiguinho meu», e o homem disse, «Bem, está na hora de rapazinhos como ele estarem na caminha.» Olhou para mim, com uma expressão dura, mas eu ignorei-o e disse com firmeza, «Vamos, menina Steinbauer, o táxi está à nossa espera.» Depois ele disse, «Herb, não me estás a tentar roubar a miúda, pois não?» Eu disse-lhe firmemente que ela tinha vindo comigo; e depois ela disse, «Pode ir andando. Já está farto de dançar, eu ainda não. Por isso, vou ficar e dançar com este homem simpático. Boa noite.»

» Ela estava outra vez a sorrir; percebi que estavam a gozar comigo, e depois ele riu-se... como um cavalo. "Pira-te, irmão", disse ele, "ela já te pôs a andar. Volta amanhã." Bem, quando vi aquele rosto gordo e vermelho cheio de dentes, quis bater-lhe. Mas contive-me mesmo a tempo... a minha posição na cidade e os meus amigos, sabe – explicou –, por isso limitei-me a olhar para eles e virei-me e vim-me embora. Claro que todos tinham visto e ouvido o que acontecera. Ao passar pela porta, um empregado disse-me, "Azar, senhor, mas todas o fazem."

O Sr. Talliaferro voltou a pensar numa espécie de incompreensão delicada, mais devido a espanto do que a fúria ou até a rejeição. Voltou a suspirar.

– E ainda por cima, o motorista de táxi tinha fugido com os meus dez dólares.

O outro homem olhou para o Sr. Talliaferro, com uma profunda admiração.

– Ó Vós, acima do trovão e acima das incursões e alarmes, olhai a Vossa obra-prima! Balzac, roei vossos amargos polegares! E aqui estou eu, a desperdiçar a minha maldita vida a tentar inventar pessoas por meio da palavra escrita! – O seu rosto tornou-se subitamente furioso; ergueu-se, furibundo. – Saia imediatamente daqui – rugiu. – Você deixou-me doente!

O Sr. Talliaferro levantou-se obediente. A sua rejeição impotente voltou a avassalá-lo.

– Mas o que devo fazer?

– Fazer? Fazer? Vá a um bordel, se quer uma rapariga. Ou se tem medo que alguém entre e lha leve, vá para a rua e arranje uma: traga-a para aqui, se quiser. Mas no santo nome de Cristo, nunca mais me fale. Já me danificou o ego para lá de qualquer conserto. Quer outra bebida?

O Sr. Talliaferro voltou a suspirar e abanou a cabeça.

– Obrigado na mesma – respondeu ele. – O uísque não me pode ajudar.

O homem grande pegou-lhe no braço e pontapeando a veneziana para fora, ajudou amável mas firmemente o Sr. Talliaferro a sair para o beco. Depois a veneziana voltou a fechar-se e o Sr. Talliaferro ficou ali parado durante um bocado, a ouvir a máquina de escrever frenética, a observar os níveis de sombra, deixando que a escuridão o acalmasse. Um gato, furtivo, olhou para ele e depois desatou a correr rápida, sombriamente através do beco. Ele seguiu-o com os olhos numa miséria lenta, invejosa. O amor era tão simples para os gatos – era sobretudo barulho, o sucesso não parecia fazer grande diferença. Ele suspirou e continuou a andar devagar, deixando a máquina de escrever trovejante para trás de si. Atrás de uma cornija, ouviu-se por fim o rumor frio e exangue da Lua moribunda.

Os seus passos decorosos atravessaram ruas tornadas interessantes pela escuridão e ao caminhar maravilhava-se por interiormente se sentir tão desesperado, e no entanto exteriormente ser o mesmo de sempre. Será que se vê?, pensou. Será porque estou a ficar velho que as mulheres já não se sentem atraídas por mim? No entanto, conheço vários homens da minha idade, e até mais velhos, que conseguem mulheres com facilidade... ou dizem que conseguem... É algo que não possuo, algo que nunca tive...

E em breve estaria de novo casado. O Sr. Talliaferro, vendo a liberdade e a juventude a abandonarem-no de novo, conhecera a princípio um arrependimento límpido e agreste, quase um desespero, ao perceber que daquela vez o casamento seria um momento crucial, que depois disso ele já não seria definitivamente jovem; e um último clarão de liberdade e juventude erguera-se nele como uma chama moribunda. Mas agora, ao atravessar as ruas escuras sob o céu quente e pesado e as gardénias enlouquecidas e murchas das estrelas, sentindo-se vazio e um pouco cansado e ouvindo o seu esqueleto resmungar – aquele companheiro presumido e austero e inabalável que nos ama demasiado para nos dizer, Eu bem te avisei –, ele deu por si ansioso por casar como um alívio ligeiro, mas definido, como uma solução para o seu problema. Sim, pensou, voltando a suspirar, a castidade é esperada de homens casados. Ou, pelo menos, eles não perdem a castidade por causa disso...

Mas era insuportável acreditar que ele nunca tivera poder para atrair mulheres, que fora sempre uma arma descarregada e inconsciente disso. Não, é algo que eu posso fazer, ou dizer, mas que ainda não descobri. Ao virar para a rua silenciosa onde vivia viu duas pessoas na soleira de uma porta, a abraçarem-se. Apressou-se.

Por fim, nos seus aposentos, despiu lentamente o casaco e pendurou-o bem pendurado no roupeiro, sem sequer se aperceber de que executara um ritual; depois foi buscar à casa de banho uma máquina de metal com uma bomba manual, e pulverizou metodicamente o quarto com borrifadelas pungentes de poejo. A cada aspersão havia uma resistência vaga e confortável, embora a bomba recuasse com bastante rapidez. Como respirar, de trás para a frente, de trás para a frente: um ritmo.

Algo que eu possa fazer. Algo que eu possa dizer, repetiu seguindo o ritmo do seu braço. O líquido silvava pungente, dissolvendo-se na atmosfera, permeando-a. Algo que eu possa fazer, algo que eu possa dizer. Deve haver alguma coisa. Tem de haver alguma coisa. Decerto que um homem não pode ser dotado com um impulso, e no entanto ser-lhe negada a capacidade para o satisfazer. Algo que eu possa dizer.

O seu braço moveu-se com uma rapidez cada vez maior, lançando o líquido no ar em jatos curtos, sibilantes. Interrompeu-se, e procurou o lenço antes de se lembrar de que estava no seu casaco. No entanto, os seus dedos descobriram qualquer coisa, e apertando a máquina fedorenta ele tirou do bolso da anca uma caixa metálica pequena e redonda e segurou-a na mão, a olhar para ela. Agnes Mabel Becky, leu, e soltou uma gargalhada curta e sem alegria. Depois revolveu lentamente a sua cómoda e escondeu cuidadosamente a pequena caixa no seu lugar habitual e regressou ao roupeiro onde o seu casaco estava pendurado e tirou o lenço, e limpou a testa com ele. Mas será que tenho de me transformar num velho antes que o descubra? Velho, velho, um homem velho antes de ter vivido...

Dirigiu-se lentamente à casa de banho e substituiu a bomba, e voltou com uma bacia de água morna. Pousou a bacia no chão e dirigiu-se de novo ao espelho e examinou o seu reflexo. O seu cabelo estava a enfraquecer, não havia dúvidas quanto a isso (nem sequer consigo manter o meu cabelo, pensou amargamente), e os seus trinta e oito anos viam-se-lhe no rosto. Não tinha a tendência para ser carnudo, mas a pele debaixo do seu maxilar estava a tornar-se solta, flácida. Suspirou e acabou de se despir, dobrando automaticamente a roupa ao despi-la. Na mesa ao lado da cadeira encontrava-se uma caixa de losangos digestivos com sabores, e naquele momento ele sentou-se com os pés dentro da água morna, a mastigar uma das pastilhas.

A água morna subiu-lhe pelo corpo magro, acalmando-o, o losango pungente entre os seus maxilares lentos deu-lhe um alívio temporário. Vejamos, pensou ele ao ritmo da sua mastigação, revendo calmamente o serão. Onde é que errei esta noite? O meu plano era bom, o próprio Fairchild admitiu que sim. Deixa-me pensar... Os seus maxilares pararam e o seu olhar pousou na fotografia da sua falecida mulher na parede do lado oposto. Porque é que elas nunca se portam como imaginámos? Podemos imaginar todas as contingências, e no entanto há sempre outra coisa, algo que nem elas poderiam ter imaginado ou planeado em antecipado.

... Tenho sido demasiado gentil com elas, permiti-lhes uma margem demasiado grande para que a sua perversidade natural e o puro acaso interviessem. Foi sempre esse o meu erro: pagar-lhes logo jantares e espetáculos, permitindo que me relegassem para uma posição de pretendente, de alguém que espera pelo prazer delas. O truque, o único truque, é intimidá-las, dominá-las desde o início – nunca utilizar estratagemas e nunca lhes dar a oportunidade para utilizar estratagemas. A técnica mais antiga do mundo: um clube. Por Deus, é isso.

Secou rapidamente os pés e enfiou-os dentro de pantufas, dirigiu-se ao telefone e deu um nome à telefonista.

– É exatamente esse o truque – sussurrou exultante, e depois ao seu ouvido uma voz masculina e sonolenta.

– Fairchild? Desculpe incomodá-lo, mas finalmente descobri. – Um som abafado e desarticulado chegou-lhe pelo fio, mas ele apressou-se a continuar, sem lhe prestar atenção. – Esta noite aprendi através do erro. O problema é que não fui suficientemente ousado com elas; tive medo de as assustar. Ouça, eu vou trazê-la até cá, não vou aceitar um Não; serei cruel e duro se necessário, até ela suplicar o meu amor. O que acha disso?... Estou! Fairchild?...

Um intervalo preenchido por um zumbido distante. Depois uma voz feminina, disse:

– Isso mesmo, rapagão. Trata-as mal.